El sentido del Vivir en el Morir

Mª VICTORIA ROQUÉ SÁNCHEZ

MARGARITA GONZALVO-CIRAC
JOSÉ LÓPEZ GUZMÁN
(Coordinadores)

El sentido del Vivir en el Morir

Con la colaboración de:

Obra Social "la Caixa"

Primera edición, 2013

© 2013 [Thomson Reuters (Legal) Limited / Mª Victoria Roqué Sánchez]
Editorial Aranzadi, SA
Camino de Galar, 15
31190 Cizur Menor (Navarra)
ISBN: 978-84-9014-410-7
Depósito Legal: NA 270/2013
Printed in Spain. Impreso en España
Fotocomposición: Editorial Aranzadi, SA
Impresión: Rodona Industria Gráfica, SL
Polígono Agustinos, Calle A, Nave D-11
31013 - Pamplona

Relación de autores

Anrubia, Enrique, doctor en Antropología y Profesor de Antropología Filosófica en la Universidad CEU Cardenal Herrera de Valencia. Ha sido visiting scholar de la Universidad de Oporto, University of Boston y visiting fellow de la University of Notre Dame. Investigador especializado en la antropología y la filosofía del dolor. Autor y Coordinador de los libros *Cartografía cultural de la enfermedad. Ensayos desde las ciencias humanas y sociales* (2003); *Filosofías del dolor y la muerte* (2007), *La fragilidad de los hombres. La enfermedad, la filosofía y la muerte* (2008). *La versión de nosotros mismos. Naturaleza símbolo y cultura en Clifford Geertz* (2008), coeditor de *La Afectividad. Aproximaciones Filosóficas* (2009) y próximamente *La herida y la súplica. Una filosofía sobre el consuelo*. Autor de numerosos artículos en revistas especializadas sobre hermenéutica, ciencias sociales y antropología filosófica.

Ars, Bernard, doctor en Medicina, Licenciado en Filosofía y diplomado en Teología. Profesor de la Universidad F.U.N.P., Namur. Miembro de pleno derecho del Instituto Europeo de Bioética, Bruselas. Presidente de la Société médicale belge de Saint Luc. Autor de numerosas publicaciones, entre ellas: *La fragilité de la personne humaine dévoile l'identité profonde de chacun*. Acta Medica Catholica, 2008, vol. 77, N°1, p. 2-7. *"Medical practice and human "fragility"* in: Human fragility: an interdisciplinary question, Pirrot-Verlag, Dudweiler, Germany, 2010, pp. 62-70. *"Suffering and dignity in the twilight of life."* Edited by B. Ars and E. Montero, Kugler Publications, The Hague, The Netherlands, 2004.

Bellver Capella, Vicente, doctor en Derecho. Profesor de Filosofía del Derecho en la Universidad de Valencia. Director del Máster en Ética de la enfermería, CECOVA-EVES-Universitat de València (2011). Miembro del Consejo Asesor de Bioética de la Comunidad Valenciana, 2002. Miembro del Comité de Bioética de España (2013). Autor de numerosas libros y artículos sobre materias relacionadas con los derechos humanos, la ecología política y la bioética. En la actualidad es Director General de Política Científica de la Conselleria de Educación de la Generalitat Valenciana.

De Juan, Mª Ángeles, diplomada en Enfermería, por la Universidad de Navarra. Máster of Science in Nursing King's College (Londres), Máster Universitario Oficial en Ciencias de la Enfermería de la Universitat Internacional de Catalunya. Profesora ayudante del Departamento de Enfermería de la Universitat Internacional de Catalunya. Su línea de investigación es el envejecimiento, la vivencia de la persona anciana desde una perspectiva antropológica y su aplicación en enfermería.

Escribano Xavier, doctor en Filosofía. Profesor de Antropología Filosófica y de Pensamiento Social y Político en la Universitat Internacional de Catalunya. Es autor del libro *Sujeto encarnado y expresión creadora. Una aproximación al pensamiento de Maurice Merleau-Ponty* (Prohom Eds., Cabrils, 2004). Invitado como Visiting Fellow, ha realizado diversas estancias de investigación en la Universidad Católica de Lovaina, donde se ha especializado en la tradición fenomenológica. En la actualidad sus principales líneas de investigación son las teorías y concepciones de la corporalidad humana, sobre todo en el pensamiento contemporáneo, y las relaciones entre humanismo y salud. Ha dirigido la obra colectiva *Territoris humans de la salut. Societat, cultura i valors en el món sanitari*, Ed. Dux, Barcelona, 2008.

Gonzalvo Cirac, Margarita, doctora en Humanidades y Demografía. Actualmente, investigadora de la Universitat Rovira y Virgili y del proyecto internacional: World Family Map, liderado desde la Universidad de Virginia (USA). Ha trabajado como investigadora y becaria FI-AGAUR donde realizó el Master de Demografía en el Centre d'Estudis Demogràfics de la Universitat Autonoma de Barcelona; obtuvo una estancia de investigación en el Instituto de Demografía de la Universidad Católica de Lovaina. Ha publicado diversos capítulos de libros y varios artículos en revistas. Sus principales líneas de investigación son la mortalidad, la epidemiología y la salud y sus determinantes.

López Guzmán José, doctor en Farmacia. Profesor del Departamento de Humanidades Biomédicas de la Facultad de Medicina de la Universidad de Navarra, Director del Máster en Bioética de la Facultad de Medicina de la Universidad de Navarra, Presidente de la Asociación Española de Farmacia Social. Ha sido Vicerrector de la Universidad de Navarra, Vicepresidente del Colegio Oficial de Farmacéuticos de Navarra y miembro fundador de la Asociación Española de Bioética. Autor de numerosas publicaciones: *¿Qué es la objeción de conciencia?* Eunsa,

Navarra, 2011. *Cuando el hijo no llega*, Formación Alcalá, Jaén, 2010. *Ética en la industria farmacéutica: entre la economía y la salud*, Eunsa, Navarra, 2005. Ha obtenido entre otros el Premio Nacle Herrera de la Facultad de Farmacia de Granada, el Elvira Moragas de la Real Academia de Farmacia, y el Derecho y Salud de la Asociación de Juristas de la Salud.

Actualmente sus líneas de investigación son: Objeción de conciencia, anticoncepción, deontología farmacéutica y ética de la industria farmacéutica.

Guerrero Muñoz, Joaquín, Licenciado en Filosofía y Ciencias de la Educación y Doctor en Ciencias Políticas y Sociología por la Universidad Complutense de Madrid. Ha sido Profesor Ordinario de la Universidad Católica San Antonio (Murcia), y en la actualidad es Profesor del departamento de Filosofía en el área de Antropología Social de la Universidad de Murcia. Ha sido Visiting Professor de la Universidad de Cambridge y Research Fellow de las Universidades de Liverpool, Manchester y Glasgow. Interesado por el análisis antropológico de la sociedad actual y fenómenos como la violencia, la multiculturalidad y los avances en la biotecnología. Autor del ensayo *La Sociedad extrema. Debates sobre la Violencia*. Recientemente ha trabajado sobre Discapacidad y Cultura y Antropología de la Alimentación.

Jouve, Nicolás, doctor en Ciencias Biológicas. Catedrático de Genética de la Universidad de Alcalá (Madrid). Fue Presidente de la Sociedad Española de Genética (1990 a 1994). Signatario de la Federación Europea de las Sociedades de Genética en Londres 1994.

El Consejo Social de la Universidad de Alcalá le otorgó su máxima distinción, como investigador (1991) y docente (1996). Colaborador de la Cátedra de Bioética UNESCO y responsable del módulo de ciencia del Curso de Bioética, de 2000 hasta 2010). Cofundador y Presidente de CíViCa, Ciencia-Vida-Cultura, Asociación de Investigadores y profesionales a favor de la dignidad de la vida humana, desde 2009. Autor de un libro de *Genética*, en colaboración con el Profesor Enrique Sánchez-Monge, editado por la Editorial Omega, Barcelona (1ª Edic. 1982; 2ª Edic. 1989) y varios libros de Genética y Bioética. Entre ellos: *Biología, Vida y Sociedad*, ed. por Antonio Machado, Madrid, 2004, y "*Explorando los Genes. Del Big-Bang a la Nueva Biología*", Ediciones Encuentro, Madrid 2008, 2ª ed.

Malo, Antonio, licenciado en Filología y Filosofía. Doctor en Filosofía por la Pontificia Università della Santa Croce (Roma). Es catedrático de Antropología filosófica de esta última Universidad. Sus líneas de investigación son la afectividad humana y la teoría de la acción. Ha publicado numerosos trabajos en revistas nacionales y extranjeras. Es autor de los siguientes libros: *Certezza e volontà. Saggio sull'etica cartesiana* (Armando, Roma 1994); *Antropologia dell'Affettività* (Armando, Roma 1999; traducido en castellano por Eunsa, Pamplona 2004); *Introduzione alla Psicologia* (Le Monnier, Firenze 2002; traducido en castellano por Eiunsa, Madrid 2007); *Il senso antropologico dell'azione. Paradigmi e prospettive* (Armando, Roma 2003); *Diálogos en torno a la verdad personal* (Eiunsa, Madrid 2007); *Io e gli altri. Dall'identità alla relazione* (Edusc, Roma 2010); *Cartesio e la postmodernità* (Armando, Roma 2011). Es también editor de dos volúmenes: *La dignidad de la persona humana* (Edusc, Roma 2002) y *Natura, cultura, libertà. Storia e complessità di un rapporto* (Edusc, Roma 2011).

Roqué Mª Victoria, doctora en Filosofía y en Teología. Profesora de Antropología Filosófica y de Bioética en las Facultades de Odontología y Medicina y Ciencias de la Salud de la Universidad Internacional de Cataluña. Entre sus publicaciones recientes, destacan: "The organ donation process: a humanist perspective based on the experience of nursing care", *Nursing Philosophy* (2012), 13, pp. 295–301; "La apertura a la vida en el centro de un verdadero desarrollo" en *El desarrollo humano integral. Comentarios interdisciplinàries a la encíclica "Caritas in Veritate" de Benedicto XVI*, (ed.) Melé, D. y Castellá J. M., 2010; "Les relacions interpersonals en medicina" en *Territoris humans de la salut. Societat, cultura i valors en el món sanitarin* (ed.) Xavier Escribano, 2008. "Equívocos en torno a los conceptos de vida y calidad de vida" en *Cuadernos de Bioética*, XIX, 2008; *La relación médico-paciente en la Medicina Hipocrática* (2006) editorial Dux, "El significado del dolor en la existencia humana", en *Cultura Juvenil y Sentido de la vida*, (eds.) A. Garcia Marqés, J. Guerrero, 2006.

Russo, Francesco, doctor en Filosofía, Profesor de Antropología filosófica en la Facultad de Filosofía de la Pontificia Universidad de la Santa Cruz (Roma) Director de la revista internacional "Acta Philosophica", es miembro del consejo de redacción de la revista "Per la Filosofia" y Consejero Nacional de la "Associazione Docenti Italiani di Filosofia" (ADIF). Entre sus obras más recientes, se pueden mencionar *Natura, cultura, libertà* (Armando, Roma 2011) y *Antropologia filosofica. Una introduzione* (2007, seconda edizione); ha traducido y editado el libro de Josef Pieper, *Sintonia con il mondo. Una teoria sulla festa* (Siena 2009).

Russo, Mª Teresa, doctora en Filosofía y Teoría de las Ciencias Humanas. Profesora de Bioética en la Universidad «Roma Tre» y de Antropología Filosófica en la Universidad «Campus Bio-medico» en Roma.

Dirige la revista «MEDIC. Methodology and Education for Clinical Innovation». Su área de investigación se relaciona con la reflexión filosófica sobre cuestiones de antropología y ética de la salud, con especial referencia al pensamiento español contemporáneo. Es autora de *La ferita di Chirone. Itinerari di antropologia ed etica in medicina* (Vita e Pensiero 2006), ha publicado trabajos sobre cuestiones de antropología de la salud (*Corpo, salute, cura. Linee di antropologia biomedica*, Rubbettino 2004) y del valor personal del cuerpo humano. (*Etica del corpo tra medicina ed estetica*, Rubbettino 2008).

Sanciñena, Camino, doctora en Derecho. Catedrático de Derecho Civil. Profesora de Derecho Civil de la Universidad de Oviedo, es autora de varias monografías, como *Régimen Económico Matrimonial del Comerciante*, Editorial Dykinson, 1996; *El reconocimiento civil de las resoluciones matrimoniales extranjeras y canónicas*, Editorial Marcial Pons, 1999; *La opción de compra*, Editorial Dykinson, 1ª ed. 2003 y 2ª ed., 2007; o *La usucapión inmobiliaria*, Editorial Aranzadi, 2009.

Turoldo, Fabrizio, doctor en Filosofía, Profesor de Bioética y Ética social en la Università "Ca' Foscari" de Venecia y coordina el Proyecto Ética y Medicina en la Fundación Lanza di Padova. Entre sus publicaciones más recientes: *Bioetica ed etica della responsabilità*, Cittadella, Assisi 2009; *L'etica di fine vita*, Città Nuova, Roma, 2010; *Le malattie del desiderio*, Cittadella, Assisi, 2011. Es miembro entre otros del Comité Regional para la Bioética en la Región del Veneto, del Grupo operativo para la humanización de la atención en sanidad de la Región del Veneto; del Comité Ético de la Sociedad italiana de psico-oncología.

SUMARIO

6

FENOMENOLOGÍA DEL CUERPO ENFERMO: LA DOBLE PERSPECTIVA DE MÉDICO Y PACIENTE

XAVIER ESCRIBANO

7

EL CUERPO DEL PACIENTE, SUJETO DE LA ASISTENCIA INTEGRAL. HACIA UNA MEDICINA BODY-CENTRED

Mª TERESA RUSSO

11

LA EXPERIENCIA VITAL DE LA PERSONA CON EDAD AVANZADA

Mª ÁNGELES DE JUAN PARDO

12

PACIENTE TERMINAL: INDIVIDUO, SALUD Y FACTORES DETERMINANTES

MARGARITA GONZALVO-CIRAC

Prólogo

El libro que ahora presentamos, *El sentido del vivir en el morir*, es el resultado de un proyecto de carácter científico e interdisciplinar llevado a cabo por personas del mundo académico de diferentes universidades europeas. Los autores exponen, desde perspectivas diversas, antropológicas, médicas, sociales, psicológicas, jurídicas, etc., el vivir humano en la permanente fragilidad y dependencia unos de otros. Su objetivo principal es aportar, desde un ámbito pluridisciplinar, aquellos fundamentos que favorezcan la práctica de una medicina más humana y equitativa.

Ante los logros de la biomedicina nos encontramos, en pleno siglo XXI, con situaciones nuevas, y teniendo en cuenta la pluralidad de visiones en el contexto actual, deben encontrarse, mediante el estudio y el diálogo, puntos de referencia comunes. Estos puentes de comunicación deben permitir el reconocimiento y el respeto debido a la dignidad, a la libertad de toda persona y a la observancia de los derechos humanos universales que pueden ser compartidos por todos. Además, en la práctica, deben proteger verdaderamente a cada hombre en cualquier situación y condición de vida que se halle.

La ambiciosa tarea propuesta es doble. En primer lugar, que esta publicación contribuya a la difusión de la cultura que considera al colectivo de la población vulnerable como un «activo» de la sociedad. Y en segundo lugar, que pueda ser una ayuda al desarrollo de acciones innovadoras para la atención integral de los más vulnerables y a la humanización de la asistencia sanitaria.

El título *El sentido del vivir en el morir* recoge la idea, desarrollada en el libro, de que la vida del hombre posee un sentido, más aún, es el hombre quien la dota de sentido. La totalidad de la vida es la experiencia subjetiva de cómo se ha vivido y de cómo se vive y no sólo el arco que va desde el nacimiento hasta la muerte. Quien se pregunta por el sentido de la vida, en realidad pregunta para qué se vive. Hay situaciones que se presentan cargadas de mayor densidad vital como son el sufrimiento, la enfermedad avanzada o la muerte y aparecen siempre como un enigma. Son un problema de carácter existencial universal que nos transforman a todos, nos sacan de nuestro letargo y nos obligan a renovados interrogantes sobre nosotros mismos. Las respuestas a estas cuestiones y a sus consecuencias deben ser abordadas teniendo en cuenta una visión global del hombre.

Este proyecto ha sido posible llevarlo a cabo gracias a la financiación y colaboración de la Fundació Caixa D'Estalvis i Pensions de Barcelona que se enmarca en el *Programa para la Atención integral a personas con enfermedades avanzadas* y a la colaboración de la Fundación Planas Casals que tiene como finalidad el fomento y desarrollo de la educación y la cultura, con especial atención a la familia, a la mujer, a la infancia y a la juventud en el sentido más amplio.

Al presentar al público este trabajo común, es de justicia agradecer a todos los coautores su colaboración. Un reconocimiento especial a los dos coordinadores de la obra, Margarita GONZALVO CIRAC y José LÓPEZ GUZMÁN, cuya generosidad y servicio ha hecho posible la finalización de este proyecto.

Este libro está dedicado a todos aquellos que necesitan ser curados y cuidados, y a quienes lo hacen con solicitud y respeto.

Mª Victoria ROQUÉ SÁNCHEZ

Introducción

Usted importa porque es usted e
importa hasta el último momento de su vida.
Nosotros haremos todo lo que podamos,
no sólo para ayudarle a morir en paz,
sino también para ayudarle a que viva hasta el final.

(Cicely Saunders)

Desde la primera vez que leí estas palabras de Cicely Saunders, fundadora de los cuidados paliativos modernos, me llamó la atención el tono directo y solemne del texto. Con pocas palabras dice mucho, dice todo. ¡Un médico dirigiéndose así de directo a un enfermo grave!, ¡A alguien que, incluso, puede estar cerca de morir! ¡Qué valentía! Con tales palabras Saunders decía a su paciente, –¡y nos dice a todos!–, que al final de la vida lo importante es la persona y no solo la enfermedad, es el paciente y todo lo suyo –¡su vida!–, su singularidad, nos ocupa «porque es él». Y reitera el compromiso que todo profesional –también todo familiar– debe tener cerca de un paciente: «te cuidaremos hasta el final», para que puedas «morir en paz», pero sin olvidarnos de que «estás» vivo, de que tienes que vivir esta parte del camino.

El libro que hoy se presenta plantea desde su título la necesidad de un sentido para la parte final de la vida, para la fase terminal de las enfermedades, para la senilidad, para los sufrimientos de quien está a punto de morir. ¡Ahí es nada!. ¿Cómo será posible?. Frank, el psiquiatra que fue capaz de encontrar sentido en Auschwitz, nos dice que lo que destruye al hombre no es el sufrimiento sino el sufrimiento sin sentido. Los editores de este libro, ¡valientes!, intentan enfrentar un problema peliagudo que inmediatamente capta la atención del que padece y de quien cuida. Nos atañe. Me atañe. ¿Habrá respuestas? ¿Encontraremos ayuda? ¿Nos ayudará el libro a encontrar el secreto?

También el lector es valiente porque sabe que a lo largo de las páginas se va a plantear sus propios interrogantes sobre el final de la vida, sobre el fin que tiene su vida. Sin duda, el dolor siempre nos interpela. Algunos encuentran sentido para una vida con sufrimiento, en un ideal o en sus propias creencias. La historia nos ha dejado ejemplos heroicos y también se ven a diario ejemplos anónimos en las salas del hospital o en las casas de los enfermos. Hace pocos días una paciente con un tumor incurable me decía que quería acudir a un tratamiento que ofrecía la posibilidad de un poco más de tiempo, «pero suficiente» –pensaba– «para alcanzar la fecha de la boda de mi única hija». Recuerdo también un chico joven que miraba la cruz rota que había en su habitación y me decía «he pedido que no me la cambien, yo quiero ser Su brazo». Y otro más: le bastaba mirar a Cristo en su crucifijo para verse un poco más como Él, y en esto sentir consuelo y entender, decía, esa misteriosa combinación de sufrimiento con salvación.

Pero no todo van a ser preguntas últimas. La enfermedad terminal plantea también importantísimas cuestiones previas. Son cuestiones intermedias que dejan a cada uno entretenidos en buscar respuestas personales. Me refiero, por ejemplo, al significado o sentido concretos que cada persona otorga (o, al menos, busca) a la fragilidad, al deterioro físico en la enfermedad y en la vida, a la pérdida de la autonomía...

Este libro va a intentar profundizar en los problemas o situaciones en los que cuidadores y cuidados pueden estar buscando sentido. En sus páginas se habla de valores como preservar la identidad escondida tras el deterioro, el cuidado integral, cuidar sin poder curar, la libertad del enfermo, el respeto a su intimidad, a su autonomía...

Este libro es un estudio, una reflexión, no tiene recetas de *vademecum* o soluciones concretas. Puede parecer muy teórico y pienso que lo es. Animo a los lectores a que, al hilo de los distintos capítulos, se planteen cuestiones propias, lo que les sugiera a cada uno, sin miedo a hacerse preguntas. El sentido se descubre, se encuentra, cuando nos paramos a pensar. Y eso es lo que pretende el libro, hacer pensar en cuestiones que son importantes para todas las personas: tanto para los pacientes (todos lo somos o seremos o hemos sido) como para los profesionales...

La primera sección del volumen versa sobre la humanización de la asistencia, Implícitamente se reconoce, por tanto, que los profesionales nos hemos deshumanizado. No me parece mal admitirlo si eso sirve para que algunos o muchos vuelvan al buen camino. Al tiempo reconozcamos que otros siempre estuvieron ahí: tantas enfermeras, muchos médicos, nunca dejaron de ser verdaderos profesionales de la salud en su sentido más genuino, que es profundamente humano. Pero, en fin, siempre cabe «humanizarse» más. Los elementos de humanización que se escogen para esta sección son variados y se acerca en primer lugar a la intimidad del paciente. Recuerdo que me decía Virgilio Sánchez, capellán del Hospital Los Montalvos, en Salamanca, sobre esto: «A los pacientes me acerco con cuidado, de puntillas, y cuando me preguntan por qué, digo que porque de rodillas no puedo. Para mí –seguía el querido Virgilio–, acercarse a un paciente es como entrar en un santuario: es terreno sagrado, que se debe andar con exquisito respeto y con una oferta de amor». Esta actitud de respeto nos otorga el privilegio de quien cuida: cuando hay autenticidad, cuando quien cuida se da, o mejor, se ofrece como ayuda, el paciente tantas veces necesitado de escucha, se abre, se dejar ver sin barreras, y avanza en su proceso, se tranquiliza, se pacifica. También nos van a explicar que al enfermo se le cuida en equipo, con respeto a los demás que cuidan; y que no ser veraz, engañar al enfermo, le «cosifica» y nos hace inhumanos, por crueles, por aprovechados de su impotencia.

En otro capítulo, vemos al paciente interpelado por lo que le ocurre, lidiando con el significado existencial de lo que pasa. ¿Por qué a mí?, ¿por qué yo?, ¿por qué ahora? Tenemos que saber que todos nos vamos a plantear esas preguntas si llega la enfermedad grave. Procuremos entender ahora que para algunos estas cuestiones pueden ser demasiado en su situación y, así, quedan perplejos y sufriendo. Es el sufrimiento del espíritu, que se aborda con presencia y con escucha, que se alivia cuando hay se establece una relación personal fuerte. Relación profesional-paciente, relación familiar-paciente o, sin más, relación de persona-que-se– acerca a persona-que-sufre, en definitiva. Y sabemos que este sufrimiento espiritual puede tener un hondo componente religioso en quien vive una fe, en quien mantiene una relación personal con Dios, o también, en cualquier persona con menos práctica religiosa o que vivió más distante de lo que, en el fondo quizá, sí creía. La presencia y escucha de quien cuida, el percibir un compromiso de no abandono, el consejo (¡pocos consejos!) de un capellán o del hombre o mujer de fe…, todo esto tiene la virtud de aliviar y de confortar. Devuelve la paz. Y para destacar algo que pudiera parecer pequeño, diré que la referencia a la «complicidad» en esta sección, me parece magistral. De un maestro que sabe lo que es cuidar y que ha experimentado que una mirada, una sonrisa, un contacto afable, una sencilla referencia a algo común –¡gestos tan humanos!– construyen la relación terapéutica con más fuerza que la explicación científica del proceso o la vista de unos títulos académicos en la sala de espera.

La segunda sección del libro reclama la atención integral de la persona. Me llama la atención el acertado recurso a la corporalidad, que pasa desde el enfermo-pensando hasta al paciente-sintiendo, con el contraste entre el cuerpo enfermo y el cuerpo de quien cuida, cuerpo sano como vía de trasmitir humanidad a la humanidad doliente. Nos hablan de un cuerpo inmerso en «sensaciones» nuevas: Se trata de los síntomas –percepción subjetiva– que llegan con la enfermedad y que se viven, expresan e interpretan de modo diverso a un lado y a otro de la cama. La receta de autor es ponerse en el lugar del enfermo. Y añadiría que si no se consigue –como a mí me pasa continuamente– siempre se puede desear comprender más, y trasmitir la comprensión y el esfuerzo por comprender siempre. Eso también alivia, también cura al cuerpo enfermo. El capítulo «Llanto y consuelo del cuerpo enfermo» se desenvuelve con expresiones profundas y líricas: «consolar es una forma de ser padre y saber de la ternura inscrita en el cuerpo de sus hijos cuya interioridad y vida piden no estar solos nunca».

«Poco a poco», musitaba siempre una colega junto al paciente, como pensando ella misma en la necesidad de darse tiempo, como reconociendo que resulta difícil entender la enfermedad final. ¡Qué difícil resulta al profesional y a los que cuidan adaptarse a los ritmos de los pacientes!. Cada uno tiene su tiempo y su modo de afrontar. Y quien está cerca tiene que entender y respetar. Sobre la libertad del enfermo se trata en el último capítulo de esta sección. ¡Ojalá sirva esa lectura para que quien lea reflexione y tome conciencia del riesgo de forzar, de avasallar, la voluntad frágil del enfermo mermando su libertad! Marina Martínez, psicólogo de mi equipo y con años de experiencia, explica muy bien las actitudes abre-ostras y cierra-ostras. Cualquier turbulencia en el agua, por tenue que sea, provoca el bloqueo del tesoro encerrado en las valvas de la ostra. Una criatura del mar, sorprendida por el brillo de la perla, que se precipitara por ella vería cerrarse precipitadamente el cofre animado. Solo el pez curioso, que se acerca con sigilo y sorpresa, porque se pasma en la belleza y perfección de la perla, tendrá el privilegio de contemplar destellos y luces irisadas.

La última sección del libro, estudios sobre la atención psicosocial de la enfermedad proporciona contextos concretos de reflexión. El existencialismo, que se aborda en un capítulo separado, ha dado base a las terapias de la búsqueda de sentido (como la terapia de preservación de la dignidad de Harvey Chochinov o las terapias de búsqueda de sentido de William Breitbart). Estás intervenciones de apoyo emocional y existencial se emplean en pacientes de diversas creencias y culturas, son respetuosas con la religión y dejan sitio al sentido de trascendencia, que es tan importante para muchos pacientes. Ojalá que los profesionales y los cuidadores profundicemos en lo que es importante para el propio paciente, en lo que a la hora de la verdad resulta verdadero para cada cual. Y sepamos respetar, conversar, estimular... porque ahí es donde el paciente encuentra serenidad, donde vive como quien es –«usted es usted»– hasta el final.

He dejado para terminar dos ideas más que quiero destacar. En primer lugar, quisiera insistir en que es el propio paciente, es cada uno, quien se interpela sobre el sentido y quien se responde en el dinamismo de una búsqueda. Al final de la vida, supongo que en toda enfermedad grave también, se pasa rápidamente de la teoría a la práctica, y los valores se reorganizan y cambian. C. S. LEWIS diría que despiertan: «el dolor es el altavoz que Dios utiliza para despertar a una humanidad dormida», explicaba LEWIS a sus oyentes en sus conferencias en Oxford. Pero cuando la enfermedad golpeó a LEWIS en quien más quería, el profesor se quedó sin filosofía, y el altavoz proclamado se le estropeó. Sufrió una tremenda crisis personal y, en medio de ella, el amor de su vida le hizo entender: «es increíble cuánta felicidad y hasta cuánta diversión vivimos a veces juntos, incluso cuando toda esperanza se había desvanecido. Qué largo y tendido, qué serenamente, con cuánto provecho llegamos a hablar aquella última noche, estrechamente unidos»[1]. Y después, con Helen ya fallecida, sus parámetros cambiaron de nuevo y entendió más a fondo un sentido que podía tener en su sobrevida tanta intensidad en el amor como había experimentado: «Así vamos del jardín al jardinero, de la espada al Herrero, A la Vida y la Belleza, impregnadas de aliento vital, que crean belleza».

Y mis últimas palabras son para afirmar y no negar algo evidente: también algunos pacientes están en la oscuridad del sin-sentido en momentos o en todo su proceso. No entienden lo que les pasa: no le ven ningún sentido a la situación. Como profesionales o cuidadores tendremos que saber estar ahí: con todo respeto, con todo cuidado. Muchas veces hemos visto que cuidar y acompañar muy bien, interpela a quien recibe y a quien da, y se acaba por re-descubrir un sentido para cuidar

---

1. C. S. LEWIS. Una pena en observación (versión de Carmen MARTÍN GAITE). Editorial Anagrama, Barcelona.

y también para vivir hasta el final, como Saunders recomendaba a su paciente.

Carlos CENTENO CORTÉS

Instituto Cultura y Sociedad (ICS)
y Clínica Universidad de Navarra

Pamplona (Navarra)

PARTE I

LA HUMANIZACIÓN DE LA ASISTENCIA SANITARIA EN LA ENFERMEDAD AVANZADA

La intimidad y el trato con el paciente

Mª VICTORIA ROQUÉ SÁNCHEZ

INTRODUCCIÓN

La medicina no podía quedarse atrás ante el proceso de globalización que domina en el siglo XXI, caracterizado predominantemente por el flujo internacional de relaciones económicas y por la apertura en todas las direcciones de información, de conocimiento, de ciencia y de tecnología. La medicina se ha adherido a las exigencias –beneficiosas unas y perniciosas otras– que rigen la globalidad y de la que se derivan principalmente el aumento del bienestar material[1], con el riesgo de no haberse percatado de los bienes intrínsecos y esenciales que le son propios. La medicina proyecta el inverosímil sueño de lograr con el paso del tiempo una vida de condiciones similares para todo el mundo, una época en la se hallarán y aplicarán soluciones para la mayoría de las enfermedades, se alcanzará una salud mejor, una vida sin dolor donde el morir será negociado.

Ocurre entonces que el hombre forzado a creer en el poder cuasi absoluto de la ciencia y en el progreso lineal, queda cautivo entre lo deseable, lo posible y los resultados. Frente a la realidad de los numerosos beneficios proporcionados por los conocimientos científicos y técnicos aparecen también los efectos indeseados y los fracasos. Los problemas generados en el ámbito de la biomedicina se advierten, por ejemplo,

---

1. El economista J. K. GALBRAITH, en su libro *La sociedad opulenta,* Ariel, Barcelona, 1960, alerta sobre el considerable aumento de bienes materiales y la preocupación que se tiene por obtenerlos, no así con la cultura y otros bienes humanos que pasan a ser secundarios. Igualmente, años antes J. M., KEYNES en *Essays in persuassion,* Macmillan, London, 1931, había advertido que al disponer de un nivel considerable de bienes y mucho tiempo libre sin dedicarlo a la cultura, se produciría un proceso de masificación, contra el que habría que prepararse.

en el envejecimiento progresivo de la población y en los diversos y aún contrarios criterios en la aplicación práctica del concepto de calidad de vida, en el predominio de enfermedades crónicas y degenerativas, en la excesiva medicalización o en la desproporción de tratamientos.

En la misma línea cabe señalar la multiplicación del coste sanitario debido, en parte, al abuso de nuevas tecnologías o también a la puesta en marcha de programas sanitarios o de investigaciones que no pertenecen propiamente al ámbito de las patologías o de la medicina preventiva y que, sin embargo, se hallan subvencionados por determinadas instituciones internacionales o propiciadas por políticas gubernamentales en las que median más los intereses económicos e ideológicos, que las necesidades reales de los ciudadanos. Suponen, además de la arbitrariedad, un despilfarro de los escasos y limitados recursos que disponemos.

Ante esta situación ocasionada por el hombre de promesas cientifistas imposibles de cumplir, de procesos que se hacen irreversibles, de estilos personales de vida peligrosos, de responsabilidades incontrolables, es preciso que la sociedad contemporánea, como señala BECK[2], aprenda a identificar y a gestionar adecuadamente los riesgos globales en prevenir o curar las fragilidades genéticas, heridas psíquicas y biológicas que ella misma ha generado y a preocuparse por amortiguar las incertidumbres, los temores y las amenazas que ha provocado.

Lo dicho anteriormente no pretende ser una crítica a los avances tecnológicos logrados hasta la fecha en medicina, todo lo contrario, es innegable que la técnica biomédica ha abierto nuevos caminos y ofrece grandes esperanzas de curación y de cuidado para el hombre desde el inicio de su existencia hasta los instantes finales de su vida. Este estudio acomete la tarea de señalar, o más bien, de recordar, que al hombre, aun siendo muy importante, le es insuficiente tener salud, vivir deseando simplemente la plenitud biológica y aspirar a, cuando enferma, recibir la atención que requiere, de modo semejante al que se presta al artefacto que se estropea y debe arreglarse. El hombre posee un *plus* constitutivo esencial. Para curar y cuidar, para ser curado y sentirse cuidado necesita además de la suficiencia técnica, ser reconocido, tratado, comprendido como persona por las otras personas[3]. El ser humano no puede vivir ni morir solo.

---

2. Véase BECK, U., *La sociedad del riesgo*, Barcelona, Paidós, 1998.
3. Se pregunta E. BARBOTÍN «¿El científico no podría plantear, como hombre, la cuestión del hombre, sin eliminar al hombre mismo?», *Sentido o sinsentido del hombre*, EUNSA, Pamplona, 2002, p. 16.

1. LA INTIMIDAD COMO CATEGORÍA ANTROPOLÓGICA

1.1. EXPERIENCIA DE LO ÍNTIMO

En nuestra sociedad globalizada, ávida de relaciones, el hombre se halla sometido a un proceso de saturación social, a la vez y como reacción, es más individualista, está más aislado, más solo. Las redes sociales sustituyen a las relaciones humanas. Los contactos virtuales trenzan alianzas extrañas, en las redes globales de comunicación siempre se puede optar por oprimir la tecla de aceptar o de eliminar. La espiral de sobreexceso de información corre paralela con el empobrecimiento del saber sapiencial, del anhelo del sentido radical, definitivo, último de la existencia: ¿quién soy?, ¿quién quiero (o quería) ser?, ¿por qué me sucede esto?, ¿qué debo hacer?, ¿qué sentido tiene mi existencia hoy, ahora, de este modo y en estos momentos?, ¿mi familia?, ¿los demás? Cuestiones inseparables y de algún modo conflictivas porque, planteadas con sinceridad, no dejan resquicio para lo banal por lo que suelen ser marginadas en el vivir del bullicio cotidiano.

Aunque la necesidad de conocerse a sí mismo es una de las experiencias primordiales del hombre, el camino elegido resulta a veces erróneo y confuso. El hombre de hoy, sin tiempo para la reflexión y el diálogo, instalado en lo aparente y provisional, busca respuestas en lo inmediato, en lo que es de fácil acceso y de rápida salida. Renuncia de antemano a encontrar su verdadero sentido existencial. Ciertamente, llegar a ser uno mismo es difícil y esforzado, quizá por eso el hombre, en expresión de Rof Carballo, abandona mirarse desde dentro, sobre todo desde arriba, lo cual le conduce al estrecho callejón por el que transita su existencia[4].

Los acontecimientos sociales y personales acechan la vida del hombre, le cogen casi siempre de sorpresa y lo encuentran sin estar preparado. Los proyectos vitales resultan modificados al producirse la ruptura con la continuidad de la existencia: la enfermedad imprevista, la debilidad, el cansancio físico y anímico, el sufrimiento, las limitaciones de la edad avanzada, la dolencia crónica, la muerte. El hombre puede rebelarse, rehuirlos o negarlos pero la experiencia de las condiciones contingentes de su vida le arrastran a considerar el sentido no sólo de su existir, sino, y sobre todo, de su ser. Iván Illich, personaje de la obra de Tolstoi, gravemente enfermo, ante la indiferencia de todos, familia,

---

4. Cfr. López Ibor, J. J., *El descubrimiento de la intimidad y otros ensayos*, Espasa-Calpe, Madrid, 1952.

amigos, y próximo a morir se pregunta: «De qué tienes necesidad?... De no sufrir. ¡De vivir!... ¿Vivir? ¿Vivir cómo?»[5]. En efecto, a la persona no le basta vivir y vivir con cierta calidad además desea saber por qué y qué sentido tiene el propio vivir.

Generalmente son estas situaciones especiales y difíciles en las que el hombre se vuelve a sí mismo, a su interior y aparecen con fuerza renovada la auto interrogación, el modo de percibir y de gestionar la propia vida, de autorrealizarse en aquella circunstancia bien precisa en la cual se encuentra. Dirige la mirada al camino recorrido hasta entonces, piensa en las personas, repasa las múltiples interferencias que se han dado a lo largo de su vida, algunas impredecibles otras calculadas, evoca recuerdos, palabras, silencios y esperanzas. Las incesantes confrontaciones de significaciones de sí mismo, de los otros, del mundo, provocan a veces, un colapso del pensamiento, un cambio profundo en el modo de comprender el yo[6]. Lo resume muy bien BENEDETTI, cuando escribe «de pronto nos sentimos prisioneros de una circunstancia que no buscamos sino que nos buscó» y entonces se hace «imprescindible pensar y sentir hacia dentro, con una suerte de taladro llamado meditación»[7].

1.2. LA INTERIORIDAD INEXPUGNABLE

La realidad a la que se enfrenta la persona con una enfermedad grave y su familia es compleja. Adentrarse en ella requiere generalmente esfuerzo y un saber y ayudar a enfocar las distintas fases que se suceden desde el conocimiento del diagnóstico y del pronóstico hasta llegar a admitir la situación real, especialmente importante es asumirla, hacer propia la experiencia de sentido que contiene vivir la enfermedad y la cercanía del morir. Es ilustrativo el testimonio de una madre que narra su vivencia ante la breve enfermedad y muerte de su hijo de 18 años. «Jamás he tenido necesidad de mejorar nada importante, básico, en mi vida. He sido feliz con lo que he tenido, con lo que he vivido (...) Ahora de pronto, me doy cuenta de que debo buscar, de que tengo un poso en el alma que me lo oscurece todo, que debo buscar el sentido de los días, el sentido de las ilusiones y el sentido de la vida. Este no es un trabajo exclusivo de los filósofos, también es labor para aquellos a los que nos han partido el alma. La muerte nos hace a todos filósofos...»[8].

---

5. TOLSTOI, L., *La muerte de Ivan Illich*, Juventud, Barcelona, pp. 131-132.
6. Kenneth J. GERGEN, *El yo saturado. Dilemas de identidad en el mundo contemporáneo*, Paidós, 1992, p. 25.
7. BENEDETTI, M., *Vivir Adrede*, Alfaguara, Madrid, 2ª ed. 2008, p. 14.
8. BRITO, M. J., *Amarga Lluvia*, Milenio, Lérida, 2009, p. 76. Un 19 de marzo en un análisis

Para comprender qué es la intimidad y tratar de aproximarse a lo que acontece en la interioridad de la persona enferma resulta imprescindible la reflexión y el diálogo antropológico. Esta perspectiva contribuye a sobrellevar la contingencia propia y ajena, ayuda a reforzar las acciones psicológicas y médicas tan necesarias y eficaces para afrontar las sucesivas etapas del proceso de la enfermedad hasta la llegada de la muerte. Y cuando esta llega, conserva un sentido para el otro, para el que vive, el que queda.

La intimidad es el núcleo desde el que se asiste a la propia vida y nos abre a la de los otros. No es sólo una introspección psicológica. De las múltiples descripciones del hombre, tomo una como punto de partida, aquella que lo señala como buscador de la verdad[9]. Esa verdad se encuentra en la hondura de su ser, habita en su interior. Pero hoy, inmersos en la cultura de la prisa y de lo banal, el interés por la búsqueda y conocimiento de uno mismo permanece en un tercer o cuarto plano, o bien, es ignorado. La influencia del paradigma cientificista conduce a pensar que el conocimiento científico es el único válido para conocer la realidad, la capacidad de la inteligencia humana queda reducida a la dimensión funcional y técnica, al poder hacer. La razón así amputada y cautiva en la pura exterioridad material se emplea principalmente en fabricar y programar, descuidando la facultad que tiene el hombre de acceder también a las cosas más específicamente humanas el bien, el amor, la belleza, la amistad, el arte, los valores, etc. El discurso actual prioriza la eficacia de los resultados a la fecundidad del pensamiento.

Las consecuencias de este prejuicio no son triviales, el nexo natural que el conocimiento humano tiene con la verdad se viene abajo y la verdad misma de la persona resta incomprensible. El científico Francis S. COLLINS, ante el descubrimiento del proyecto Genoma Humano, confesaba su asombro y se admiraba del lenguaje de Dios descifrado[10]. Pero, aunque en la gran matemática del mundo creado puede leerse el código genético humano, es imposible comprender el lenguaje entero. La vida humana no se explica únicamente desde la biología o las leyes de la naturaleza, es irresoluble desde esta perspectiva.

Además, de un modo u otro, nos damos cuenta de que una cosa es la verdad funcional que se ha hecho visible y otra la verdad acerca de

---

rutinario le detectaron a Hugo, estudiante de 1° de odontología, leucemia, moría el 19 de abril.
9. Cfr. JUAN PABLO II, *Fides et ratio,* n 28.
10. COLLINS, Francis S., *The Language of God: A Scientist Presents Evidence for Belief,* Simon and Schuster, 2007, p. 99.

sí mismo. Ante la visión esencialmente lineal y homogénea se impone un cambio de perspectiva, que considere en toda su integridad la vida personal. GUARDINI lo hace con gran acierto, dirá que persona significa que «yo no puedo ser habitado por ningún otro, sino que en relación conmigo estoy siempre solo conmigo mismo; que no puedo estar representado por nadie, sino que yo mismo estoy por mí; que no puedo ser sustituido por otro, sino que soy único. Todo ello subsiste, aun cuando la esfera de la intimidad sea tan perturbada como se quiera»[11].

Profundidad insondable de la persona, el interior exclusivo de sí mismo, esto es la intimidad. J. MARÍAS habla de un *abismo adivinado*[12], un abismo de existencia infinito que hay que conquistar porque es el auténtico lugar de sentido. La persona se encuentra anclada en sí misma, en cierto sentido, existe para sí, y ese rasgo propio de la estructura de la intimidad personal es lo que se entiende por incomunicabilidad. Más allá de la naturaleza humana, de las posibilidades, limitaciones y condicionamientos de su corporalidad está la persona que sólo alcanza a ser conocida parcialmente. Afirmar la incomunicabilidad significa que nunca se puede conocer totalmente a una persona, jamás se logra abarcarla plenamente y se sustrae a toda definición, porque su intimidad es inagotable, pero además de estas consideraciones, la incomunicabilidad da razón por la cual el hombre no puede –sin ser violado– ser mirado únicamente de manera cuantitativa[13], ni existir como un instrumento en manos de otro, ni pertenecer a otros hombres como propiedad suya y tampoco es una parte o un miembro de la especie humana reemplazable por otro. En su sentido literal, incomunicabilidad, indica algo relacional y negativo, al afirmar que una persona no puede repetirse en ningún sentido en otras personas ni comparte su ser con otras (siquiera en el supuesto caso de la clonación).

La persona posee algo esencial que es real y literalmente propio, algo que existe solamente en ella y en ninguna otra. La persona es dueña de sí *(sui iuris)*[14]. No es un mero ejemplar repetido de la humanidad, de cualidades y de perfecciones. La persona vive esta conciencia de la propia singularidad de manera inequívoca. Cuando un paciente se muere

---

11. GUARDINI, R., *Mundo y Persona. Ensayos para una teoría cristiana del hombre,* Encuentro, Madrid, 2000, p. 104.
12. MARÍAS, J., *Mapa del mundo personal,* Alianza, Madrid, 1994, 204.
13. Ver el capítulo de Xavier ESCRIBANO, *El cuerpo enfermo: la doble perspectiva de médico y paciente,* p. 131.
14. Si bien, esto no significa que no haya restricciones morales en lo que la persona puede hacerse a sí misma, de modo semejante a la estructura de la propiedad, el dueño no puede actuar de modo irresponsable con ella.

no se sustituye por otro que tenga el mismo diagnóstico y logre ser curado, un amigo que se pierde, o nos traiciona, no se renueva con otro, un hijo no suple al hijo perdido. Las personas no admiten sustitución, no son intercambiables. Cuando no se capta o se reconoce esta realidad, entonces la desaparición de cada persona humana no es una pérdida irremediable, porque todavía quedan un gran número de personas. Lo que este planteamiento refleja es un total desprecio por la persona, frente a la grandeza de algunos, la mayoría de los seres humanos forman una masa uniforme e indiferenciada. Es insostenible polarizar el valor de la persona en los talentos, en los éxitos o proezas e infravalorar su importancia por las limitaciones y carencias[15]. La incomunicabilidad da razón de la dignidad de la persona, cualquiera que sea su situación o condición y del imperativo moral de respetar a la persona.

La muerte de cualquier persona es una pérdida irreparable en el mundo, es un hueco en la humanidad que jamás puede ser llenado. Lo describe muy certeramente BRITO cuando la muerte de su hijo le hace exclamar: «El sentido de su vida lo tengo, pero el sentido de su muerte no lo encuentro. Busco y sólo hallo un dolor hondo profundo y oscuro»[16].

1.3. LA APERTURA DE LA INTIMIDAD

La incomunicabilidad característica de la intimidad de la persona, no significa clausura, aislamiento, es precisamente lo contrario, el prefijo del término existir significa abrirse, expresarse. La persona es un adentro que tiene necesidad del afuera, no es un ser cerrado en sí mismo, un existir solitario, sino abierto radicalmente a los demás. La lógica de la incomunicabilidad conduce a la lógica de la alteridad y de la comunicación interpersonal. La persona se pliega hacia sí misma pero también se vuelve hacia los otros, y hace visibles aspectos distintos de su intimidad. Es la misma dinámica interior que configura los dos modos propios de la existencia de la persona: la incomunicabilidad y la capacidad de trascenderse a sí misma, articuladas ambas mediante la verdad.

Pero, como señala CROSBY, aunque se han realizado grandes progresos en la comprensión filosófica de lo que en el hombre hay de comunicable de su naturaleza humana, a la vez, se observa un subdesarrollo en la comprensión del hombre en su aspecto incomunicable y por tanto,

---

15. Cfr. CROSBY, John F., *La interioridad de la persona humana,* Encuentro, Madrid, 2007, pp. 93-96.
16. BRITO, M. J., *o.c.* p. 33.

la no clara percepción del hombre como persona de la que deriva la ceguera o incoherencia de su comportamiento. CROSBY pone el ejemplo de PLATÓN, en su obra *La República* se encuentra una magnífica exposición del espíritu humano, del principio que lo gobierna, a la vez en el mismo escrito, habla de la necesidad de matar a los neonatos defectuosos[17].

Igual sucede ahora, existe una gran sensibilidad para defender la vida humana, se dedican ingentes esfuerzos personales e institucionales, se invierten grandes sumas en investigaciones para salvarla, se elaboran leyes para protegerla, a la vez que miles de vidas humanas son rechazadas, maltratadas y manipuladas porque no merecen respeto. Las razones de tal planteamiento es que no se manifiestan en ellas algunos o todos los aspectos de su intimidad. Bien porque no son visibles como es el caso de los fetos, bien porque nunca se han mostrado, como es el caso de deficiencias psíquicas congénitas o bien porque los han perdido, como son los estados de coma, demencias, estadios finales de la vida, etc.

Las dimensiones de incomunicabilidad y trascendencia constitutivas de la persona resultan totalmente extrañas y ajenas a nuestra sociedad. Las repercusiones de esto alcanzan, como se acaba de exponer, a que no se reconozcan todas las personas como tales y a asignarles la categoría de vidas no útiles o improductivas y sucede que «a fuerza de ignorar, olvidamos y a fuerza de olvidar, negamos»[18].

Pero el hombre tiene conciencia de su propio límite, no se basta a sí mismo. Nuestro ser es *ser acompañante,* no sólo vive *junto con* sino que *existe,* y en cierto modo es, *junto* con otros, porque aunque subsistente[19] la persona no es autosuficiente[20], la independencia incluye la fragilidad. Necesita ejercer su apertura al mundo, a los demás para vivir con plenitud sus ser. La experiencia primitiva de la persona es la experiencia de la segunda persona. El *tú,* y en él, el *nosotros,* preceden al yo, o al menos lo acompañan[21]. El aislamiento interior, el individualismo, la autonomía abocan al quebranto humano, como señala MOUNIER, todas las locuras

---

17. Cfr. CROSBY, John F., *o.c.* p. 89.
18. MOUNIER, E., *La petita por del segle XX,* Ed. 62, Barcelona, 1968, p. 76.
19. *Subsistencia* significa no necesitar de elementos externos para ser lo que se es, así es como describe la filosofía medieval a la persona.
20. Cfr. GARCÍA GONZÁLEZ, J. A., Existencia personal y libertad, *Anuario Filosófico,* 42 (95), 327-356.
21. MOUNIER, E., *El personalismo y cristianismo* en Obras Completas (Trad. Carlos Díez e Instituto Mounier), Sígueme, Salamanca, 1990, p. 475.

manifiestan un fracaso de la relación con el otro –el *alter*– que se vuelve *alienus*, y yo me vuelvo a mi vez, extraño a mí mismo, alienado. SPAE-MANN en una entrevista afirmaba «Más bien pienso que el hombre está llamado a descubrirse a sí mismo en el otro; es decir, está situado en el mundo de manera que puede captar al otro, al mundo o a sí mismo como realidades extrasubjetivas»[22].

La vida exterior sin la vida interior desvaría pero la vida interior sin la vida exterior enloquece. El hombre sólo puede perfeccionarse con los demás, es imposible crecer como ser humano al margen de la coexistencia. La convivencia nos es indispensable para nuestra vida, para vivir, es necesario apoyarse en otras vidas. El hombre es un ser que *proviene de otros*, se comprende *con otros*, existe *para otros* y se dirige *hacia otros*.

Pero la constitutiva articulación de comunicabilidad e incomunicabilidad, o de vida íntima y apertura, se halla atravesada por la vulnerabilidad propia de la condición humana[23] y la necesidad por tanto de actitudes o hábitos para saber enfrentar y atender la fragilidad y las dependencias que ocurren no sólo en los otros sino también en nosotros.

La idea de vulnerabilidad constitutiva es distinta a la consideración de la vulnerabilidad limitada a categorías diferenciadas, como la discapacidad, la vejez o dependencias de diversa índole, pues en el primer caso se configura como vulnerabilidad compartida. MARTÍN PALOMO, observa que cada persona es el centro de una red compleja de relaciones de cuidado, en la que generalmente cada una es cuidada y cuidadora, según el momento o las circunstancias. Nuestra existencia, nuestra vida, nuestros proyectos, los sustentan cada día un buen número de cuidados, que nos dispensan otras personas o que nos prestamos a nosotros mismos, tan básicos como son el descanso, la nutrición o el aseo[24]. Esto significa en la práctica que cada persona es receptora de una forma de *cuidado*, de atención, distinta a la de los otros, no todos requerimos lo mismo. Y en la situación de enfermedad, tanto los profesionales como

---

22. *Nueva Revista,* de julio-agosto, 2003, entrevista realizada por Wolfgang Küpper y emitida en el canal de radio alemán Alpha (Der Bildungskanal des Bayerische Rundfunks) el 22 de diciembre de 2000.

23. Remito para este tema al capítulo de Bernard ARS, *Fragilidad y cuidado de la persona enferma,* p. 95.

24. MARTÍN PALOMO, M. Teresa, *Autonomía, dependencia y vulnerabilidad en la construcción de la ciudadanía,* Universidad Carlos II de Madrid. Este artículo está basado en la ponencia que, con el mismo título, fue presentada en el II Congreso Anual de la Red Estatal de Políticas Sociales (REPS), «Crisis económica y políticas sociales», celebrado en Madrid el 30 de septiembre y 1 de octubre de 2010.

los familiares deben saber decidir en la variedad de cuidados cuales son los más adecuados para aquel paciente concreto.

2. LA INTIMIDAD EN EL ENTORNO MÉDICO

Esta segunda parte aborda la intimidad en el ámbito sanitario interpretada a la luz de lo descrito en la primera. Las tensiones y obligaciones dominantes procedentes de contextos sociales y económicos, plantean aplicaciones incorrectas o inclinan hacia conductas impropias del *ethos* de la profesión sanitaria. A continuación, se exponen brevemente algunos de los aspectos propios de la estructura de la intimidad humana que refuerzan la relación de ayuda y servicio hacia el paciente. Son cuestiones que pretenden entrever la riqueza que existe en todo ser humano, sea cual sea su condición y situación, cuando se emprende la tarea de reflexionar acerca del sentido del vivir cuando está próximo el morir y aceptar que la muerte, aún esperada y sabida siempre es un sobresalto al que no estamos preparados.

La relación sanitario-paciente corre el riesgo de sufrir el efecto devastador provocado por el sentimiento dominante hoy en día de incertidumbre, inseguridad y vulnerabilidad, lo que el sociólogo polaco Z. BAUMANN denomina la sociedad líquida, caracterizada por una particular precariedad de los vínculos humanos, de relaciones sin compromiso, por un vuelco a la exterioridad y lo transitorio, de alianzas débiles, que oscurecen su sentido y realización[25]. Resulta especialmente inquietante la descripción de las tensiones sociales, sobretodo existenciales, generadas por la «cultura del consumo y de los residuos» donde todo debe ser reciclado o desechado. El hombre se siente superfluo, inútil y prescindible[26]. Pero el hombre no es una herramienta, un «útil» sino una identidad personal y la pérdida o sustitución de esta verdad se manifiesta en una progresiva devaluación de la persona humana.

Por el contrario, el hombre anclado en su intimidad, es interpelado a su vez por la intimidad de los otros y éstos son entendidos con una nueva profundidad, que conduce a la verdadera relación interpersonal, a la auténtica receptividad activa. La doble dimensión de la intimidad personal, conocer y autotrascenderse, suponen un equilibrio entre conocerse uno mismo y amarse uno mismo, y conocer a los demás y amar a los demás. La autotrascendencia implica un dinamismo relacional que contiene la facultad de ponerse en el lugar del otro, de respetarlo, del

25. BAUMANN, Z., *Modernidad líquida,* Fondo de Cultura Económica, México DF, 2003.
26. BAUMANN, Z., *Vidas desperdiciadas. La modernidad y sus parias,* Paidós, Barcelona, 2005.

interés por comprender incluso aquello de lo que se difiere. Eso significa, en la práctica, que el recto obrar moral de los profesionales de la sanidad ha de englobar las actitudes de escucha, de acogida, de respeto a la persona enferma, más allá de sus cualidades. El paciente es alcanzado entonces por una nueva forma de ser mirado, la mirada de respeto.

Merece la pena detenerse aunque sea brevemente, en la importancia del respeto como categoría antropológica asentada en la intimidad humana. De hecho, su ausencia es causa de desequilibrios interiores, de tensiones y daños que el hombre se provoca a sí mismo y a otros. Todo el mundo advierte la necesidad de respeto, en primer lugar, a uno mismo, para poder respetar a los demás. El respeto ha sido abordado a lo largo de la historia del pensamiento y hoy es profusamente usado y especialmente extendido en el mundo de la medicina y de la investigación con seres humanos. El término *respeto* entraña diversos significados, proviene de la palabra griega *aídomai* y significa sentimiento de vergüenza; pudor; honor; dignidad; consideración; reverencia; perdón; dignidad[27]. Nociones que aluden tanto a aspectos internos como externos del respeto, apuntan a un sentimiento y su manifestación. Autores contemporáneos incluyen y desarrollan algunos de estos significados. Así SCHELER considera el respeto como una especie de pudor hecho espíritu, que permite o posibilita el acercamiento y la penetración a estratos que resultan invisibles para el mundo visible[28]. Resulta sumamente sugestivo el planteamiento de E. LEVINÁS, para este filósofo judío, el rostro, clave de su pensamiento, se presenta en toda su desnudez, es la extrema exposición del otro, de lo indefenso, lo vulnerable, un rostro que me requiere y ante el que no soy, no puedo ser un mero espectador, un rostro que me compromete existencialmente[29]. Desde este plano y en este momento el sentido de responsabilidad y el respeto son convocados a vivirse con autenticidad.

Patricia BENNER[30] recoge el caso paradigmático de una enfermera experta en psiquiatría que cuenta el ingreso de una estudiante de arte en su unidad de hospitalización que había intentado suicidarse con veneno de ratas. La enfermera descubrió, entre otras cosas, una relación simbólica en el método escogido para suicidarse. La elección del veneno

27. CHANTRAINE, P., *Dictionnaire étymologique de la langue grecque. Histoire des mots*, Klincksieck, París, I-IV,1968-1977, Tomo I, pp. 31-32.
28. SCHELER, M., *Sobre el pudor y el sentimiento de vergüenza*, Sígueme, Salamanca, 2004.
29. LEVINÁS, E., *Ética e infinito*, Visor, Madrid, 1991.
30. BENNER, P., *The primacy of caring: Stress and coping in health and illness*. Addison-Wesley/Addison Wesley Longman, 1989, p. 18.

para ratas no era insignificante, por el contrario, era el reflejo de cómo se veía a sí misma, como una rata. La enfermera llegó a esta conclusión después de una observación atenta y de lograr que la paciente se expresara a través del arte. Es crucial en el ámbito de la medicina prestar especial atención al respeto. Es un deseo universal sentirse respetado y reconocido Respeto entre los compañeros (médicos, enfermeros, fisioterapeutas, auxiliares...) hacia los enfermos y su familia. Sobre él se apoya la propia identidad, el sentido del «yo» y garantiza que el recorrido por los pasadizos de la ciudadela interior del hombre, en expresión de LÓPEZ IBOR, no causen daño, sean lo más acertado posible en nuestra vida compartida.

2.1. CONFIDENCIA ES CONFIANZA

La noción filosófica de intimidad ha sido progresivamente desplazada al ámbito jurídico. Donde se produce una equívoca connotación de la tutela jurídica de la intimidad a la tutela de la privacidad, término que pretende traducir la noción anglosajona *privacy*, como un derecho centrado en la información, acceso y control de datos personales[31]. Esta confusión e identificación entre lo íntimo y lo privado pertenece a lo que los filósofos anglosajones llaman *category mistake*. Lo cual supone una desvalorización social de lo íntimo.

Se comprende entonces que la confidencia y el secreto, elementos constitutivos del núcleo de la relación sanitario-paciente, estén hoy en día extensamente regulados. Hay hojas de consentimiento informado para cualquier procedimiento, leyes de protección de datos, registros informatizados, etc. habitualmente se entienden como mero trámite legal. De ahí que sean frecuentes y repetidas las situaciones cotidianas en las que se vulneran: conversaciones del personal sanitario sobre temas estrictamente privados en lugares públicos, llevar a cabo la higiene o la exploración de una persona sin asegurar su intimidad, irrumpir en la habitación sin esperar una respuesta después de haber llamado, el elevado número de profesionales y de estudiantes de medicina y enfermería que diariamente entran en contacto con el paciente, etc.

Pero intimidad no es sinónimo de secreto. Ambos regulan, en cierto modo, el acceso a la información personal, pero son distintos. El secreto puede referirse a cualquier cosa pero la intimidad, como se ha escrito

---

31. *Vid.* PÉREZ-LUÑO, A. E., *Bioética e intimidad. La tutela de los datos personales biomédicos* pp. 77-82 en Bioética y derechos humanos, Ana Mª Marcos del Cano (coord.), UNED, Madrid, 2012.

es lo radicalmente propio del ser de la persona. Todo lo íntimo exige un cierto secreto y confidencialidad pero no todo secreto es íntimo. El secreto es algo objetivo que una vez desvelado deja de ser secreto y pasa a ser público. Por ejemplo, la información que oculta el organismo oficial de salud hasta que se confirma la epidemia, informa sobre la vacuna, los grupos de riesgo... En este sentido se *tienen* secretos. En cuanto a la intimidad no se trata de ocultar «algo» del paciente sino de proteger su núcleo interior, su ser. Precisamente una manera de atentar contra la dignidad del paciente es entrometerse descomedidamente en su intimidad, forzarla a manifestarla, por ejemplo, determinados modos de preguntar, de explorar, de actuar, resultan ofensivos y rayan en el maltrato.

La confidencia del paciente es la entrega de una parte de la propia intimidad a otra persona, es depositar o ceder aquello que es realmente suyo. Como explica LAÍN ENTRALGO, la confidencia no es una confesión–jurídica o religiosa ni una liberación catártica[32]. El paciente expone en la consulta parte de su intimidad pero necesita asegurarse de que esa auto-revelación va a ser comprendida y respetada, que puede confiar con quien habla. Forma parte de la dualidad existencial del hombre la necesidad de la confidencia y el impulso a la reserva. En este contexto se hace presente el *pudor,* que modula y concilia la tendencia a la exteriorización de nuestra intimidad y la tendencia a no compartir, el temor de ser excesivamente visibles a otros, a ser despojados de nuestra integridad personal. El que cada uno es dueño de sí mismo, significa que tiene un «acceso privilegiado a su propia interioridad»[33], a ese castillo de diversas moradas.

De ahí, que cada uno es libre de compartir su mundo interior, lo personal, con quien quiera, como quiera y cuando quiera. Hay un *ethos* de la espacialidad –en expresión de INNERARITY-[34], espacios personales que nunca pueden ser transgredidos. El paciente está sumamente expuesto a ser vulnerado en su intimidad. Es preciso esperar a que voluntariamente quiera abrir las puertas de su morada interior y dejar que nos muestre algunas de sus estancias. Al profesional le toca facilitárselo mediante la confianza. Espacios personales que se abren al otro.

Ciertamente cada persona posee unos límites propios de reserva y de inaccesibilidad que varían según la cultura, el ambiente y las circunstancias personales. En cierto modo, el pudor protege la intimidad de

32. LAÍN ENTRALGO, *Sobre la amistad*, Espasa-Calpe, Madrid, 1985, p. 175
33. SPAEMANN, *Personas*, p. 178
34. Vid. INNERARITY, *Ética de la hospitalidad*, Península, Barcelona, 2001, p. 162.

sus excesos, y no sólo, como explican algunos autores, al miedo social de provocar repugnancia o disgusto[35]. Decía un enfermo: «yo creo que si se comprende al prójimo se le respeta». Comprender es más que conocer, es hacerse cargo.

Hay otro elemento a considerar en el trato con el enfermo estrechamente vinculado al respeto y el pudor, es el de la vergüenza. PLATÓN la consideraba como una de las importantes salvaguardas de la moralidad[36]. En el trato con el paciente hay que saber identificarla y valorarla adecuadamente. La vergüenza está relacionada con los sentimientos de inferioridad y pérdida de la estimación, es como explica NUSSBAUMM tomando como referencia el discurso de Aristófanes en el *Banquete* de PLATÓN[37], una emoción dolorosa de descontrol que responde a la exposición de nuestras debilidades o «anormalidades». Aparece cuando se descubre algún aspecto bajo una luz nueva de nosotros mismos desfavorable[38]; como conciencia dolorosa de inadecuación. El enfermo desvela parte de su intimidad para que se le ayude a conocer y a saber interpretarse en la enfermedad. Se convierte en un ser transparente ante personas desconocidas, lo que le produce generalmente confusión y una penosa sensación de pérdida. La vergüenza surge entonces como un mecanismo de defensa ante la invasión, al advertir el paciente la precariedad del ocultamiento de su intimidad: la desnudez del cuerpo, las preguntas, la manipulación e introducción de instrumentos en su cuerpo, la presentación de su *caso* en un hospital clínico, el aspecto físico, etc. El paciente se siente humillado, expuesto, objeto de examen social, demasiado trasparente ante los otros, la reacción muchas veces es la de clausurar su intimidad a los ajenos, hacerse opaco, ocultarse y cerrarse.

El paciente desvela no sólo el cuerpo sino aspectos de su mundo interior, deja caer las barreras que muestran muchas veces sus incongruencias, sus debilidades, sus temores. El paciente es el prójimo, no es una categoría social, no es el *socius*, el *cliente* o el *usuario* donde media la institución. Hay un encuentro de personas, una relación hombre-hombre, que va más allá de la función social y les dispone a ambos para el reconocimiento mutuo y el servicio[39] La apertura de la intimidad ante

35. *Vid.* NUSSBAUMM, M. C., *El ocultamiento de lo humano: repugnancia, vergüenza*, Katz, Buenos Aires, 2006. pp. 89-138.
36. PLATÓN, *La República* 465 a; Leyes 671 c)
37. NUSSBAUMM, M. C., *El ocultamiento de lo humano*, p. 218
38. Tener vergüenza, dirá KAUFMAN, es sentirse intrínsecamente malo, fundamentalmente feo como persona. *Psicología de la vergüenza*, Herder, 1985.
39. *Vid.* RICOEUR, P., *Historia y verdad*, trad. Encuentro, Madrid, 1990 pp. 88-98.

el médico, la enfermera, el psicólogo o el auxiliar sanitario se realiza de manera diferente de otras relaciones personales, pero aun así, no es posible dialogar sin compartir algo de sí mismo. La persona en situación de fragilidad hace partícipe a otra persona de algo suyo, no es preciso que sean cosas profundas ni graves, pueden ser datos aparentemente triviales. La intimidad es mucho más que informaciones íntimas, hay grados distintos de confidencia pero la persona requiere siempre la seguridad de ser comprendida y aceptada. Es entonces cuando se produce, gracias a la relación interpersonal, la conversión de lo *mío*, de lo que se quiere revelar en lo *nuestro*, porque se comparte el mismo contenido con el otro.

Así, traicionar la intimidad ajena es un acto que no tiene justificación alguna, usar los datos íntimos, mostrar imágenes... con el fin, por ejemplo, de llevar a cabo una investigación, de participar en un congreso o de obtener reconocimiento social. Es especialmente grave e indigno cuando se realiza con personas en situaciones de mayor precariedad y desprotección: discapacitados, niños, ancianos, excluidos sociales, etc. Si bien, es preciso obtener toda la información que se requiera, aunque proporcionada y mesurada; nadie, nunca puede ser reducido a una simple fuente de información.

La coacción, por muy benevolente que sea, se convierte siempre en violación de la interioridad y se opone al obrar personal. Si bien, conviene diferenciar la coacción de la persuasión. Persuadir es capacitar al paciente, o a los familiares que le representan, y ayudarle mediante razones, explicando el sentido de los tratamientos que se le proponen, las alternativas, etc., a actuar por sí mismo, señalando la dirección a tomar. Es por tanto un querer tanto del profesional como del paciente, y son respetadas verdaderamente ambas libertades. Reviste especial importancia el deber de cuidar la intimidad de aquellos pacientes que se hallan inconscientes, como es el caso de los ingresados en las unidades de cuidados intensivos y no tienen siquiera la posibilidad de protegerse.

En el ámbito médico se ha producido, al igual que las restantes instituciones sociales una quiebra de la confianza que es la base imprescindible para la convivencia. Pero, sin confianza no hay posibilidad de relación, es uno de los elementos fundamentales para encauzar el tratamiento, para cuidar adecuadamente al enfermo. Obtener la confianza requiere tiempo y paciencia, supone prestar atención sobre lo que, aquí y ahora, es, piensa, hace y siente el enfermo, es en definitiva dedicarle espacio y tiempo *antropológicos*, en la terminología de MERLEAU PONTY. No es el terminal de la 314, ni la neo de la 207. El enfermo ante su situación de vulnerabilidad solicita la ayuda de los profesionales del médico, de enfermería, del fisioterapeuta... Las dudas, el temor, la suspicacia socavan la confianza. La expresión clásica «ponerse en sus manos» indica que la persona pasa a depender de la buena voluntad de otros.

La confianza se enmarca en la esfera de la esperanza, es una prestación previa. Se da crédito a la palabra, a los gestos, el enfermo confía en la intención de que será asistido, de que se le hará todo lo posible para curarle y sino para cuidarle, de que no se le abandonará a pesar de las dificultades y de la erosión del tiempo. Fácilmente se advierte que lo que garantiza los mejores resultados en la atención a los enfermos crónicos o con enfermedades avanzadas es la imbricación entre las correctas estrategias psicológicas, el tratamiento farmacológico y la actitud de respeto, de reconocimiento y co-vivencia plena de sentido.

2.2. CUIDAR ES CONSOLAR

La experiencia de la propia intimidad capacita potencialmente al hombre para conocer análogamente la intimidad ajena y por eso debe respetar y tratar a los demás como quiere ser tratado. En las relaciones interpersonales es condición necesaria el reconocimiento y la aceptación del otro en su originalidad e irrepetibilidad como persona, no es una posibilidad, una alternativa, siquiera una actitud de paternalismo benevolente. La razón de ello, como señala SPAEMANN, es que los hombres tienen derecho a ser apreciados como tales. «Percibir la realidad de lo real no es sólo asunto *nuestro*, sino también una *exigencia* que se nos hace y de cuya satisfacción somos responsables»[40]. Mirada ambivalente cada cual se reconoce como semejante del otro y a la vez diferente.

Cuando se pierde de vista esta realidad, se producen flagrantes contradicciones. En la visita médica el profesional actúa como si el paciente careciera de identidad propia, sin establecer contacto visual, los ojos fijos en su historia clínica, la mirada que traspasa el cuerpo sin ver la persona, el mutismo como respuesta a las cuestiones que le desasosiegan. El lenguaje usado, unas veces infantiloide, otras con inextricables tecnicismos, se le trata como un objeto, se ofende a la persona. Y la humillación es un insulto particularmente nocivo hacia la dignidad de la persona humana[41]. El primer deber, la primera regla de oro de la medicina desde su inicios en la Antigua Grecia –siglos V-IV a. de C–, es primero no dañar y promover siempre el bien integral del paciente, un

---

40. Cfr. SPAEMANN, *Felicidad y Benevolencia*, p. 253.
41. MARGALIT, A., *La sociedad decente*, Paidós, Barcelona, 1997.

bien que para el médico se dirige principalmente al bien físico y psíquico pero no única y exclusivamente, es decir, no al margen o consideración del bien holístico, de la persona.

Disponer de recursos para ofrecer calidad científica y técnica en la asistencia y tratamiento clínicos es imprescindible pero insuficiente. Debe darse también la calidad moral del médico, de enfermería o del sanitario en general, y esta se acredita en la capacidad de comprender, consolar y compadecer. La conciliación entre ambas no es una quimera. Por el contrario, la separación entre eficacia/remedio y consuelo/compasión es uno de los rasgos éticamente regresivos de la sociedad actual, una tosca interpretación de lo que significa progreso humano en la aplicación de nuevas tecnologías. Pero la experiencia nos dice que la técnica omnipotente deja sin consuelos el alma[42].

No es cuestión de recursos humanos o tecnológicos, tampoco de tiempo, es una actitud o disposición interior que va más allá de estar al lado del enfermo, es compartir con el enfermo, sin inmiscuirse, respetando su libertad,

No exagera ANRUBIA cuando afirma que el personal sanitario es portador de consuelo, es la fórmula humana, con mayor o menor logro, de la restitución y el amparo de la unidad del enfermo[43]. El consuelo trae consuelo. Tratar de hacer más llevadero lo que al otro le resulta insoportable. Consolar procede de la palabra latina *solus,* se consuela al que sufre, al que se siente aislado en su enfermedad, al que está desasosegado, inseguro, al que tiene miedo... y se *padece con* él. Compadecerse, afirma MOUNIER, consiste en dejar de colocarme en mi propio punto de vista para situarme en el punto de vista de otro. No buscarme en algún otro elegido semejante a mí; no conocer a los otros seres con un saber general –el gusto por la psicología no es interés por el otro–, sino abrazar su singularidad con mi singularidad, en un acto de acogimiento y un esfuerzo de concentración [...] es tomar sobre sí, asumir el destino, la pena, la alegría, la tarea de los otros, «sentir dolor en el pecho»[44]. Se consuela a la persona concreta, que posee un nombre propio, una identidad. De este modo, en el encuentro personal, aquel extraño, el paciente que apenas se conoce, se convierte en prójimo. El consuelo es siempre personal, como bien dice SAN MARTIN, nunca puede ser, ni

42. DEL BARCO, J. L., Bioética del consuelo, en Rev. *Persona y Bioética* 3, (1998) febrero-mayo, pp. 24-42.
43. ANRUBIA, E., Dolor, consuelo y silencio en *La fragilidad de los hombres,* ANRUBIA (ed.) Cristiandad, Madrid 2008, p. 165.
44. MOUNIER, E., *El personalismo. Antología,* Sígueme, Salamanca, 2002, p. 699.

anónimo ni institucional, aunque las instituciones sanitarias sean públicas, no quiere decir que también lo sean los enfermos que están en ellas[45].

El hombre enfermo necesita la experiencia de la soledad, un espacio, no solo físico, sino un refugio interior, para descubrirse a sí mismo y resituar su sentido de la vida y del morir, el sentido de su enfermedad y de su muerte. El profesional tiene que considerar y saber discernir cuando la soledad opera como lugar de reconstrucción de la imagen de sí mismo, lo que se llama soledad activa, despierta posibilidades, crea oportunidades vitales, reconsidera positivamente y asume experiencias pasadas o por el contrario, cuando la soledad pasiva, sorprende al enfermo y le sobrecoge, convirtiéndose en una amenaza, que le lleva a aislarse, a la clausura solipsista, a permanecer paralizado, desgarrado, por los miedos y la angustia, convirtiéndose entonces en un mal añadido.

En el primer caso, el profesional se mantiene atento, sin avasallar al paciente durante el proceso de reelaboración que está llevando a cabo en su intimidad. En el segundo caso hay que prestar una atención especial, acercarse, salir al paso y ofrecer respuestas para lograr que se abra. El consuelo se expresa mediante el lenguaje gestual, verbal y el silencio[46]. Son importantes las primeras palabras que se dicen al enfermo desde el primer instante en que se le ve y por extensión a la familia, a la persona que lo cuida. No vale decir cualquier cosa, a veces se experimente la impotencia de encontrar la palabra adecuada por que la palabra consoladora no es una frase hecha, un argumento, una información o conocimiento sobre la enfermedad lo importante es el contenido y el modo de exponerlo. El mutismo por el que optan los enfermos puede manifestar rechazo a mantener una relación que se percibe de indiferencia, de rechazo de quien no encuentra sincera la relación que se pretende establecer. La palabra no basta si no se escucha, asimila y responde. Pero, además de las palabras, está el silencio que es también comunicación. Silencio y palabra no son contrarios, el hombre se hace inevitablemente presente con el silencio. La modernidad ha traído consigo el ruido, no hay interés en ser escuchado, no se pretenden repuestas, la palabra vacía o desbocada ocupa el espacio de la argumentación, del intercambio, del diálogo.

---

45. R. SAN MARTÍN, citado por ANRUBIA en Dolor, consuelo y silencio, *o.c.* p. 166.
46. «El silencio es como el lenguaje y las manifestaciones corporales que le acompañan, un componente de la comunicación», LE BRETON, D., El silencio. Aproximaciones. Sequitur, ed. 2006, p. 7.

Cuando el hombre se encuentra moribundo el fármaco es el medio de proporcionar el confort, el descanso que palía el dolor pero el consuelo proporciona la asistencia que endulza, que alivia, que proporciona el refugio ante el sufrimiento, y calma el temor. La muerte no admite subterfugios o evasivas. Ante la muerte próxima, ineludible, cuando no hay esperanza de curación, nunca las mentiras piadosas pueden ser consoladoras por el contrario provocan el aislamiento y un infinito desaliento en el enfermo.

Por eso, para los profesionales, «tan importante como saber actuar es aprender a hacer frente a la adversidad habitual, conseguir esa virtud que se ejercita cuando ya no es posible hacer nada, cuando sólo cabe resistir, aceptar, compadecer, consolar, esperar»[47]. Esa virtud, que comparece en todas las actitudes hondas y auténticas, nos sitúa en el núcleo del respeto a la intimidad del enfermo, el carácter donal de la persona[48]. «La puerta que no sea capaz de abrir el cariño, la paciencia, el amor no la abrirá nunca nada ni nadie. Nunca, Nada, Nadie»[49].

---

47. INNERARITY, *Ética de la hospitalidad*, p. 199.
48. Este tema lo encontrará el lector, en una buena y fundamentada exposición en el capítulo de A. MALO, p. 169.
49. DÍAZ, C., *La felicidad que hay en la fragilidad*, Fundación E. Mounier, Madrid, 2006. p. 58.

El paciente como parte del equipo sanitario

JOSÉ LÓPEZ GUZMÁN

INTRODUCCIÓN

La labor de los distintos agentes sanitarios está dirigida al bien del paciente, principalmente a la prevención y curación de enfermedades. La contribución de médicos, enfermeros, farmacéuticos y otros profesionales en ese objetivo común ha variado a lo largo de los años, adaptándose a los requerimientos sociales de cada época[1]. Esas relaciones entre los profesionales de la salud no siempre han estado bien definidas, lo que ha dado lugar a discrepancias y roces entre ellos, con el consiguiente perjuicio de los pacientes. De ahí, que se presente como un reto la verdadera integración, de todos los agentes que tienen a su cargo el cuidado de la salud, en un auténtico equipo[2] en el que sus conocimientos y habilidades se complementen de forma armónica.

En este trabajo, y con la finalidad de lograr el objetivo antes aludido, se propone un cambio en el paradigma de las relaciones entre los miembros del equipo sanitario. En primer lugar, a través de la supera-

---

1. En la exposición de motivos de la Ley de ordenación de las profesiones sanitarias se indica que «existe la necesidad de resolver, con pactos interprofesionales previos a cualquier normativa reguladora, la cuestión de los ámbitos competenciales de las profesiones sanitarias manteniendo la voluntad de reconocer simultáneamente los crecientes espacios competenciales compartidos interprofesionalmente y los muy relevantes espacios específicos de cada profesión». Ley 44/2003, de 21 de noviembre. BOE número 280 de 22/11/2003.
2. Este término ha sido cuestionado por las diversas connotaciones con las que puede ser considerado. En el aspecto formal, para que se pueda hablar de equipo debe haber más de un miembro, que esos componentes interaccionen, que tengan un fin y unas normas comunes y que sus distintos roles se integren en una red con una cohesión interpersonal. ERDE E.L. Notions of tems and team talk in health Care: Implications for responsibilities. Law, Medicine & Health Care, 1981; 9 (12): 26.

ción del modelo clásico, anclado en una prevalencia del profesional sobre el paciente (que es contemplado sólo como un agente pasivo), por otro patrón más acorde con las exigencias de nuestra sociedad. Por ello, habrá que comenzar incluyendo al propio paciente dentro del equipo sanitario. Al enfermo le interesa conocer la evolución de su enfermedad, pero también quiere tomar decisiones, providencias acordadas con los profesionales sanitarios.

La propuesta que se realiza es acorde con el cambio de modelo de relaciones sanitarias suscitado en nuestra sociedad, donde el *paternalismo extremo* ha sido desbancado por otro patrón en el que tienen cabida los derechos de los pacientes. De esta forma, apelando a la autonomía (más adelante se hará mención a la *autonomía extrema*), se ha asumido el nuevo papel del paciente en relación a aspectos concretos y puntuales como el respeto a la intimidad (historia clínica, confidencialidad, etc.), o la capacidad de decisión ante un tratamiento (consentimiento informado)[3]. Pero, en cambio, no se ha abordado este nuevo patrón en algunas de las situaciones cotidianas que afectan el cuidado diario de su salud. Este es el caso de la relación que se genera entre los profesionales sanitarios que, sin duda, tiene una repercusión muy directa sobre el paciente. De ahí, que sea conveniente realizar un esfuerzo para vislumbrar un marco de relaciones de los agentes sanitarios, y de éstos con los pacientes, acorde a la nueva situación suscitada en nuestro sistema sanitario.

La segunda línea de actuación conducirá a evitar el clásico debate centrado, casi exclusivamente, sobre qué profesional tiene que liderar el proceso de atención al paciente. Esta dialéctica de tipo corporativo conduce al enfrentamiento y, por ello, resulta ser infructuosa y perjudicial tanto para el paciente como para el propio sistema sanitario. Se ha demostrado reiteradamente que las discrepancias entre los profesionales sanitarios son nocivas para su integridad, se presentan como un riesgo para el paciente, y dificultan la evolución armónica de la política sanitaria. Estas razones justifican que cada uno de los profesionales sanitarios deba procurar imbuirse en un mar de humildad y, en beneficio del paciente, compartir el protagonismo con el resto del equipo sanitario.

En conclusión, es necesario reflexionar sobre la situación del pa-

---

3. Prueba de ello es la Ley 41/2002, básica reguladora de la autonomía del paciente y de derechos y obligaciones en materia de información y documentación clínica (BOE, de 25 de noviembre de 2002). Sobre esta cuestión se puede consultar: LÓPEZ GUZMÁN J. Antecedentes históricos y contexto de la Ley 41/2002. AA.VV. La implantación de los derechos del paciente. Pamplona: Eunsa, 2004; 19-41.

ciente en el proceso asistencial y su inclusión como un miembro más del equipo sanitario. La consideración y las atribuciones que se confieran al paciente serán de vital importancia para el futuro del sistema sanitario. También es preciso contemplar si la relegación del paciente del equipo o, incluso, su exclusión, son factores que pueden llegar a determinar la «salud» de un concreto sistema sanitario.

1. EL EQUIPO DE SALUD

El equipo de salud puede ser contemplado de dos formas distintas. Por un lado, en un marco amplio, en el que se ofrece una visión integradora de farmacéuticos, médicos, enfermeros y pacientes. Sin olvidar que, en ocasiones, habrá que incluir otros profesionales indispensables para esa acción conjunta. Por ejemplo, sicólogos en la atención a toxicómanos, o asistentes sociales en el cuidado a ancianos.

Por otra parte, en un sentido más restringido, se puede contemplar al equipo sanitario como un conjunto de relaciones bilaterales. Por ejemplo, médico-farmacéutico, farmacéutico-paciente,... Esos vínculos se observarán como procesos sencillos que se integran en un marco más general.

En cualquiera de las dos formas de percibir las relaciones sanitarias, expuestas en el párrafo precedente, se requiere que el paciente adopte un papel de equilibrio con aquellos que se ocupan de su asistencia sanitaria. No obstante, en nuestro medio social esa relación equitativa es más una utopía que una realidad. Aunque desde distintos sectores se aboga para que esta situación cambie, ese objetivo todavía parece, al menos en un marco general, lejos de conseguirse. Por lo tanto, cabría preguntarse cuál es la razón que motiva que los pacientes, en líneas generales, no logren alcanzar el rol que les corresponde y, a partir de ahí, ahondar en esas causas para lograr superarlas.

1.1. EL PACIENTE COMO PARTE DEL EQUIPO

Es difícil obtener una respuesta satisfactoria, e inmediata, a la interrogante con la que ha concluido el párrafo anterior, ya que se encuentra afectada por numerosas variables. En la determinación de esas variables, puede servir como elemento de ayuda vislumbrar las tensiones a las que se encuentra sometido el paciente en el entorno sanitario.

Los profesionales sanitarios ofrecen sus servicios a los pacientes y éstos le retribuyen moral y/o económicamente. Es necesario que el agente sanitario y el paciente entablen un diálogo. Un diálogo que pone dos conciencias frente a un bien que trasciende a ambos: la vida y la persona con sus valores[4]. Pero no se trata sólo de que el profesional sanitario sepa lo que le ocurre al otro, sino que el paciente también tiene que conocer lo que el profesional le puede aportar, que va mucho más allá de la simple transacción receta-medicamento-euros. Por ello, es fundamental que el paciente perciba los objetivos perseguidos por el médico, farmacéutico y enfermero ya que, como se ha señalado, en un sentido amplio «el paciente es otro miembro del equipo que debe conocer lo que se pretende conseguir, aceptarlo y tomar conciencia de cuál debe ser su participación en el proceso»[5]. Por su parte, el paciente debe estar dispuesto a asumir sus deberes y su responsabilidad –una autonomía sin responsabilidad no es una autonomía–. En muchas ocasiones se ha aludido a la vulnerabilidad del paciente para contemplarlo como un agente cuasi amoral carente de deberes[6] y dotado de todos los derechos atribuidos a un sujeto desprotegido. Esa es una visión reduccionista de lo que es el paciente, éste tiene sus obligaciones, deberes que tendrán que ser asumidos para lograr una relación fluida dentro del equipo sanitario. En este sentido conviene recordar que si en un grupo humano se establece una situación de injusticia en su seno, como la de contemplar al paciente como un sujeto sin deberes, más tarde o temprano surgirán conflictos que malograran la armonía necesaria para la consecución de sus fines.

Es cierto que el médico tiene que ofrecer una información completa, la enfermera un cuidado respetuoso, etc. Pero también es cierto que el paciente no debe exagerar sus síntomas para ser atendido más rápidamente; no debe acudir a urgencias para evitar esperas; no debe dejar de cumplir el tratamiento de forma caprichosa, etc. En este mismo sentido, también hay que tener en cuenta aquellos procesos que son provocados por estilos de vida y por actitudes egoístas. Por ejemplo, se puede pensar en las hipocondrías provocadas por la denominada *medicalización* de la sociedad, la solicitud de una ambulancia por las quemaduras del sol provocadas en la playa, la ocupación de camas en urgencias por indigestiones alimentarias debidas a una falta de control, o la asistencia a urgencias para conseguir las recetas que no ha ido a recoger en día labora-

4. SGRECCIA E., Manual de Bioética. México: Diana 1996; 197.
5. DEL ARCO J., GOROSTIZA I., Preguntas y respuestas sobre la atención farmacéutica. El farmacéutico 1996; 175: 91.
6. DRAPER H., SORELL T., Patients' responsibilities in medical ethics. Bioethics 2002; 16 (4):335.

ble. En estos ejemplos se pone en evidencia que los deberes de los pacientes no son únicamente con los agentes sanitarios sino que también se suscitan con los otros pacientes y, en un plano más general, con la misma sociedad[7]. Piénsese, por ejemplo, en un paciente que no acude a diálisis cuando le corresponde, eso hace que haya que buscarle un hueco en otro momento, pudiendo afectar a otros pacientes; o en un paciente que no muestra una adherencia a su tratamiento antirretroviral, la eficiencia del tratamiento se ve disminuida y eso repercute sanitaria y económicamente en la sociedad. En este marco adquiere una gran importancia, principalmente en los denominados *estados del bienestar,* los conceptos de calidad de vida[8] y la dicotomía entre pacientes y usuarios[9].

1.2. LA AUTONOMÍA DEL PACIENTE

La integración del paciente en el equipo sanitario era, hasta hace poco tiempo, una quimera por el hecho de que éste quedaba relegado a un plano secundario en el proceso asistencial. Los agentes sanitarios, principalmente el médico, decidían los parámetros que debían guiar el cuidado del paciente. Por su parte, el paciente debía aceptar con agradecimiento, y con escaso espíritu crítico, aquello que se le indicaba. En pocos años este modelo ha dejado de tener consistencia en los países desarrollados, siendo sustituido por otro en el que el paciente ha asumido su protagonismo. Sin embargo, la transformación del modelo, en muchas ocasiones, ha sido drástica y en vez de integrar al paciente en el equipo sanitario lo ha sacado del mismo, aunque de forma inversa a la anterior. Efectivamente, un mal entendido concepto de autonomía[10] ha llevado al paciente a ser un agente externo al equipo sanitario cuya función es dictaminar sobre lo que los profesionales indican o deciden. En términos bioéticos se podría decir que se ha pasado de un modelo

---

7. DRAPER H., SORELL T., Patients' responsibilities in medical ethics. Bioethics 2002; 16 (4):341.
8. ROQUÉ, M. V., Equívocos en torno a los conceptos de vida y calidad de vida. Cuadernos de Bioética 2008; XIX: 223-235.
9. «Otro factor que se debe tener en cuenta es la transición que se ha producido de la condición de enfermo o paciente a la de consumidor o cliente de los servicios sanitarios. Este último concepto caracteriza la salud como un bien, y no sólo como la mera satisfacción de una necesidad, que debe proveerse en unas condiciones en las que el usuario tiene libertad de elección sobre cuándo, qué, dónde, cómo y quién debe proveer el servicio requerido.» JOVELL A. J., NAVARRO M. D., FERNÁNDEZ L., BLANCAFORT S., Nuevo rol del paciente en el sistema sanitario. Aten Primaria 2006; 38 (3): 235.
10. Esta situación ha sido propiciada por el denominado «principialismo» o «Georgetown Mantra» como le denomina irónicamente LOEWY. LOEWY, E., In defense of paternalism. Theoretical Medicine and Bioethics 2005; 26: 450.

de paternalismo[11] excesivo a un modelo en el que la autonomía[12] del paciente prima de una forma extrema, llegando a hablarse de una posible esclavización del facultativo[13]. Ambos supuestos excluyen al paciente del equipo sanitario. Ambos casos dificultan que pueda alcanzarse un modelo de decisión compartida e integrada.

En este marco podríamos preguntarnos si es beneficioso un sistema que abandona al paciente, en las cuestiones clínicas, a la suerte de su propia autonomía[14]. O si es beneficioso un sistema que obliga a los profesionales sanitarios a actuar en contra de sus criterios profesionales en atención a la autonomía del paciente. Nos podríamos plantear si el hecho de no prescribir un medicamento que no se considera adecuado, o el más adecuado, para el paciente es una manifestación de paternalismo o, simplemente, puede estimarse que es una expresión de la buena praxis del profesional[15]. Es importante tener esto en cuenta ya que, en nues-

---

11. En nuestra sociedad el paternalismo está totalmente denostado. Sin embargo habría que intentar mantener lo que de bueno tiene. Sin duda, contempla aspectos positivos en lo que respecta a la atención sanitaria. No me refiero a ese paternalismo que se utiliza como chivo expiatorio, el de no consultar con el paciente o intervenir sin su consentimiento. Me refiero a ese que, en la relación sanitaria, induce a implicarse profesionalmente al máximo en el bien del paciente, a ese tipo de relación que aunque se quiera esconder es muy frecuente en la asistencia y que lleva al paciente a preguntar lo que el médico haría en cada caso.

12. El concepto de autonomía excede los límites de esta contribución y ya es tratado en otros capítulos de este libro. No obstante me gustaría señalar que la autonomía, siguiendo a SANDMAN y MUNTHE puede ser considerada: «self-realisation; preferente satisfaction, self-direction, binary autonomy of the person, gradual autonomy of the person». SANDMAN L., MUNTHE C., Shared decision-making and patiente autonomy. Theo Med Bioeth 2009; 30: 291.

13. Hay autores que reclaman un replanteamiento del concepto de autonomía aplicado mayoritariamente en la bioética actual. Así, por ejemplo, PUYOL, señala que «el tradicional sesgo autonomista de la bioética debe sustituirse por una preocupación prioritaria por la justicia social y su relación con la salud». PUYOL, A., Ética, equidad y determinantes sociales de la salud. En: Gaceta Sanitaria, 2011. *http://dx.doi.org/ 10.1016/j.gaceta.2011.08.007* (Accedido 9 de enero de 2012)

14. LOEWY, E., In defense of paternalism. Theoretical Medicine and Bioethics 2005; 26: 446.

15. Según PELLEGRINO, «la principal obligación del médico es preservar la integridad personal de su paciente. En estas circunstancias, el médico no puede retirarse, sino utilizar las medidas disponibles en una sociedad democrática para proteger los intereses del paciente. Esta protección puede significar la referencia del caso a un comité de ética, el nombramiento de un protector legal o la intervención de los tribunales en casos de emergencia para limitar la autonomía de los sustitutos, cuando el resultado es dudoso y cuando, en ausencia de instrucciones específicas, el médico se ve obligado a obrar de acuerdo con los intereses médicos del paciente, al menos hasta que se conozcan claramente los deseos de este último». PELLEGRINO, E. D., La relación entre la autonomía y la integridad en la ética médica. Bol Of Sanit Panam 1990; 108 (5-6): 379-89.

tra sociedad, el paternalismo es un término políticamente incorrecto y, en cambio, la buena praxis es un concepto en alza. Sin embargo, el paternalismo está presente en las decisiones sanitarias, muchas de ellas alentadas por las propias autoridades sanitarias. Piénsese, por ejemplo, cuando se actúa, desde el prisma sanitario, en el ámbito de las drogas, tabaco, o suicidio se adopta, en muchas ocasiones, una perspectiva paternalista. O, por otra parte, también se podría cuestionar, si tanto se estima la autonomía del paciente, la razón por la cual no se actúa efectivamente sobre uno de los aspectos que más afectan a esa autonomía, me refiero a la falta de tiempo de la que dispone el médico para atender a su paciente, un tiempo necesario para que el paciente entienda lo que se le indica y le sean satisfechas sus inquietudes. Un tiempo necesario para que el facultativo se haga cargo de las necesidades del paciente y sea capaz de satisfacerlas.

En este sentido conviene recordar, como se ha puesto en evidencia en párrafos anteriores, que el criterio del paciente cambia conforme evoluciona su enfermedad, encontrándose sustanciales diferencias cuando el enfermo está en distintos momentos de su vida o de la evolución de su patología[16]. De ahí que se pueda mantener que el respeto a la autonomía es un proceso continuo y que no debe ser abordado desde una perspectiva puntual. En el caso contrario se estarán respetando momentos concretos del paciente pero no su verdadera percepción biográfica de lo que es lo bueno para él. Por ello, por ejemplo, no es infrecuente leer alusiones al grado de representatividad de las voluntades anticipadas. Los criterios que sustentan la decisión del sujeto que las dicta pueden cambiar en distintas fases de su vida y eso hay que tenerlo en consideración. Por último, considero imprescindible no tener miedo a aceptar que los pacientes también se equivocan –los pacientes pueden ser negligentes y contribuir significativamente a unos malos resultados en el cuidado de su salud–, pueden llegar a elegir opciones no adecuadas que, en muchas ocasiones, obligan al médico a realizar acciones que van contra su buena praxis[17]. En esos supuestos se podría llegar a hacer referencia a actos de mala praxis del paciente[18] que si están sustentados en un consentimiento informado pueden atenuar la responsabilidad legal del

---

16. LOEWY, E., In defense of paternalism. Theoretical Medicine and Bioethics 2005; 26: 457.
17. Se puede pensar en la demanda de tratamientos fútiles y la obligación del médico de facilitarlos. LELIE, A., Verweij. Futility without a dichotomy: towards an ideal physician-patient relation. Bioethics 2003; 17 (1): 21-31.
18. DRAPER, H., SORELL, T., Patients' responsibilities in medical ethics. Bioethics 2002; 16 (4): 338.

médico pero no su responsabilidad moral. Ya sabemos que cuando un médico no actúa responsablemente el paciente puede denunciarlo[19]. La gran pregunta es qué deben hacer los agentes sanitarios cuando los pacientes no actúan responsablemente.

La autonomía del paciente también puede ser abordada de una forma menos drástica, en sintonía con lo propuesto por PELLEGRINO y THOMASMA, de forma que el paciente comprenda cual es el papel del profesional sanitario y que este último *intente* actuar en todas las ocasiones como el paciente autónomamente haya elegido[20]. Por otra parte, desde fuentes personalistas se puede encontrar una vía para lograr una conciliación entre los principios de autonomía y beneficencia: pensando en lo que el otro, en este caso el paciente, piensa y percibe[21].

2. LA TENSIÓN EXISTENTE ENTRE LOS PROFESIONALES SANITARIOS

Cuando se hace referencia a la inclusión del paciente en el equipo sanitario hay que tener en consideración una cuestión que dificulta su integración. No es otra que las tensiones existentes entre los distintos agentes sanitarios que dificultan la integración del equipo y, en muchas ocasiones, funcionan como fuerzas que dinamitan su propia cohesión. Se viene de una tradición en la que el médico lideraba indiscutiblemente el proceso asistencial. Los otros profesionales implicados en esa labor tenían un claro papel subsidiario y actuaban al ritmo que les indicaba el médico. Incluso se llegaba a mantener que el responsable de la atención al paciente era el médico y que los otros profesionales tenían, por ello, disminuida su responsabilidad. En los últimos años, la mayor participación de enfermeros y farmacéuticos en la asistencia del enfermo, su

---

19. En las denuncias se suscita otro foco de discordias que pone en peligro la relación de confianza que se debe establecer en el ámbito asistencial. GASCÓN S. *et al.* Desgaste profesional debido a violencia, denuncias y reclamaciones. *http://www.prevencionintegral.com/Articulos/@Datos/_ORP2008/871.pdf* (Accedido el 10 de enero de 2012).
20. PELLEGRINO, E. D., THOMASMA, D. C., For de patient's good: The restoration of Beneficence in Healthcare. New York: Oxford University Press, 1988.
21. Sin embargo, este es un camino que todavía se debe recorrer con rigor ya que, según BURGOS, hay que superar algunos escollos derivados de «la estructura conceptual clásica del tomismo», de «problemas de adaptación ya que algunos conceptos antropológicos básicos están pensados partiendo del análisis fenomenológico de personas en plenitud de sus condiciones y en la fase adulta de su desarrollo», etc. BURGOS J. M. Notas sobre la Bioética Personalista. *http://www.personalismo.org/recursos/articulos/burgos-notas-sobre-la-bioetica-personalista/* (Accedido el 8 de marzo de 2012).

mayor implicación, ha generado reticencias en el sector médico. Según HERRANZ «pocas veces ha sido más activa, y quizás nunca tan conflictiva, como lo es ahora, la frontera entre medicina y farmacia. El principio de la división de funciones (uno es el que prescribe, y otro el que dispensa), que puso fin a siglos de confusión y disputas, parece, en opinión de algunos, insatisfactorio, más aún, insostenible para el tiempo presente»[22]. Incluso se ha llegado a señalar que el farmacéutico quiere invadir campos que no le corresponden[23], llegando por este motivo a tener que dilucidar las competencias profesionales en los tribunales. En la enfermería también se está generando un radical cambio y las funciones de los agentes sanitarios están siendo actualmente muy cuestionadas por el gran empuje que está desarrollando esa profesión. Su consolidación como grado, las especialidades, y la capacidad de prescribir o realizar seguimiento farmacoterapéutico son factores que están distorsionando la clásica estabilidad del modelo sanitario.

Por otra parte, también es preciso pensar en otra consecuencia de la falta de sintonía entre los profesionales sanitarios: la pérdida de confianza por parte del paciente. Esta situación mina la estructura básica sobre la que se asienta el proceso sanitario, por lo que la ruptura en una misma línea de acción de los agentes de la salud tiene unas nocivas consecuencias para la sociedad.

3. EL LIDERAZGO EN EL EQUIPO SANITARIO

En este marco hay que detenerse a considerar el problema, que ya ha sido señalado anteriormente, del liderazgo dentro del equipo sanitario. Aún aceptando que se realice un autentico trabajo en equipo, toda acción humana efectuada en colaboración acostumbra a necesitar de un individuo que la lidere, ya que es difícil pensar en un hecho en el que todos los sujetos implicados actúen en un plano equivalente, puesto que su intervención siempre será distinta. Participación que puede variar en intensidad y también en el tiempo. Esta situación no sólo afecta a la relación entre el médico y otro profesional sanitario, sino que también

---

22. HERRANZ, G., Mirando al futuro de las relaciones entre farmacéuticos y médicos. En: VALVERDE, J. L., ARREBOLA, P., Estudios de ética farmacéutica. Madrid: Doce Calles, 1999; 255.
23. En la Sentencia núm. 346 de la Sala de lo Contencioso Administrativo del Tribunal Superior de Justicia de Extremadura, de 22 de abril de 2005, se confirma que los farmacéuticos tienen funciones en la prevención, en la reducción de riesgos iatrogénicos, en el seguimiento de las prescripciones, y en la evaluación de la medicación total del paciente.

puede apelar a los distintos médicos (por ejemplo, un médico internista y un cirujano) o farmacéuticos y enfermeros que integran el equipo que atiende a un paciente. En estos supuestos es interesante establecer unas reglas de juego, no estrictas ni fijas, que se puedan adaptar a cada caso concreto en beneficio del paciente[24]. También se podría contemplar la posibilidad de que sea el propio paciente el que lidere el proceso, a fin de cuentas es el más interesado en que todo vaya bien y, por otra parte, puede ser el único que conozca quién interviene realmente en el cuidado de su salud ya que, por ejemplo, en un mismo proceso pueden combinarse equipos de medicina especializada del ámbito público y privado que no tengan relación entre sí.

Esta situación tiene un claro reflejo a la hora de asumir o asignar responsabilidades. La forma de interrelacionarse el equipo determinará el grado de responsabilidad de cada uno de sus miembros y, por otra parte, la responsabilidad del propio equipo. En este sentido, habrá que preguntarse si la responsabilidad del grupo viene determinada por la suma de la responsabilidad de cada uno de sus integrantes o si ésta se contrae en su conjunto[25]. Es cierto que la responsabilidad es personal y son los agentes morales los que la poseen. Sin embargo también se puede hacer referencia a una responsabilidad asumida por aquellos colectivos, formalmente articulado en torno a roles y funciones de sus miembros, que establecen un objetivo conjunto[26].

Una posible alternativa es considerar que la atención sanitaria es un proceso armónico donde los distintos agentes no buscan protagonismos o límites sino que buscan estrategias de actuación basadas en la relación solidaria entre ellos que irá determinando, en cada momento, la evolución del proceso y sus protagonistas. Como bien indican COMBS y FREEDMAN el lenguaje de los límites hace disminuir las oportunidades[27]. En este sentido también hay que tener en cuenta los límites que son establecidos por los propios términos utilizados. Piénsese, por ejemplo, en la palabra *prescripción* que se puede convertir en un término de distorsión entre los profesionales sanitarios sin haber ahondado en el significado del propio concepto. No obstante, hay que tener en cuenta que los integrantes del equipo son seres humanos, y que cada uno de

---

24. ERDE, E. L., Notions of tems and team talk in health Care: Implications for responsibilities. Law, Medicine & Health Care, 1981; 9 (12): 27.
25. GREEN, W., Accountability and team care. Theoretical Medicine 1988; 9: 33.
26. GREEN, W., Accountability and team care. Theoretical Medicine 1988; 9: 40.
27. COMBS G., FREEDMAN, J., Relationships, not boundaries. Theoretical Medicine 2002; 23: 204.

ellos tiene su propia personalidad, lo que también determinará que la gestión de cada grupo sea distinta y venga determinada por la fuerza legítima de cada socio y de su habilidad particular, las circunstancias biosociales, y la severidad de la enfermedad[28].

4. UN NUEVO PARADIGMA EN EL ÁMBITO ASISTENCIAL

La historia demuestra cómo las diferencias conceptuales entre los seres humanos se acaban resolviendo por la fuerza; por la conversión de una parte a la concepción de la otra; por un proceso de acuerdo entre las partes; o por una argumentación sólida que haga confluir a los discrepantes[29]. La primera opción no merece ningún comentario. La plena conversión de una parte a las tesis de la otra es, en principio, utópica. La vía del consenso es una solución coyuntural, ofrece una solución momentánea e incompleta al no llegar a abordar el problema de raíz y optar por una solución temporal. La última opción es la que más se adecua al ser humano, le hace esforzarse en la búsqueda de las razones en las que asentar sus decisiones. En definitiva, ese empeño implica a lo más característico del ser humano: su inteligencia y voluntad. El referente ético debe ser el elemento que sustente la integración del equipo sanitario. Pero la ética del cuidado sanitario no se mantiene en el vacío sino que se sustenta en un marco continuo que va desde la institución a cada uno de los miembros del equipo sanitario y de cada uno de éstos a la institución. Y a su vez, esas instituciones requieren de una sociedad justa donde puedan desarrollarse[30].

Teniendo en cuenta lo reseñado en el último párrafo considero que el nuevo paradigma de relaciones en el equipo sanitario no debe venir por la imposición legal; ni es posible que se realice a través de un cambio de actitud en uno de los sectores; ni tan siquiera como fruto de un acuerdo entre las corporaciones que lo representan, ya que siempre dejaría un poso de insatisfacción. Y aunque una ley, una sentencia o un acuerdo puedan, de alguna forma, reafirmar la nueva situación, es preciso que antes se haga una profunda reflexión de cual es el cometido de los pacientes y de cada uno de los profesionales sanitarios dentro del equipo. Un razonamiento de tipo individual, en el que cada uno de los

---

28. LOEWY, E., In defense of paternalism. Theoretical Medicine and Bioethics 2005; 26: 447.
29. ENGELHARDT, H. T., The Foundations of Bioethics. New York: Oxford University Press, 1986; 50.
30. LOEWY, E., In defense of paternalism. Theoretical Medicine and Bioethics 2005; 26: 464.

agentes se vea interpelado y conteste sobre sí mismo y su relación con los demás, favorecerá la consecución de ese fin integrador. Haciendo referencia a la necesidad de una ética en las relaciones sanitarias, hay que señalar que es necesario que el paciente se familiarice con esa ética[31], ya se ha indicado que para asumir su papel en el equipo debe aceptar sus obligaciones y responsabilidades. En este sentido, no es lógico que los códigos éticos sean conocidos, estudiados y aceptados por los agentes sanitarios y, en cambio, sean totalmente desconocidos por los pacientes. Sin duda, al paciente hay que inculcarle el conocimiento de la ética médica y, por esa razón, considero necesario que estos códigos recojan también las obligaciones de los pacientes. Con esta medida se benefician los pacientes por facilitar una relación más horizontal con los sanitarios y, al mismo tiempo, se favorece a los profesionales de la salud ya que se les acerca a la comprensión de las decisiones de los pacientes.

El camino que conduce a la efectiva integración del equipo debería partir del intento de superar la aceptación de vivir –convivir– en sociedad con el resto del equipo, por el establecimiento de una auténtica comunidad, que se desplaza armónicamente en la consecución de un objetivo común, a través de un planteamiento personalista del trabajo profesional. El grado de integración de un equipo puede ser de distintos tipos. Habrá que saber donde se encuentra ubicado para, a partir de ahí, buscar una solución. De esta forma se pueden adelantar los siguientes escenarios: 1) La unificación es externamente imposible. 2) La acción de los miembros del grupo es distributiva, será la suma de la acción de cada uno de sus miembros. 3) Se estima que hay una unificación interna y externa. 4) Por último, se puede hacer referencia a una integración superior que da lugar a una colectividad que, a su vez, se puede diferenciar en dos nuevas categorías. La primera es negativa y no se ajusta a la realidad humana. La segunda es aquella que es definida en relación a funciones y roles sin referencia a los valores. La tercera es definida en relación a los valores y a la identificación de los intereses de los individuos con los intereses de la colectividad sin referencia a las estructuras formales[32].

Considero que es la cuarta propuesta la vía más adecuada para poder llevar a buen puerto las difíciles relaciones suscitadas en el seno del equipo sanitario. En ese caso puede servir como referencia la clásica

31. DRAPER, H., SORELL, T., Patients' responsibilities in medical ethics. Bioethics 2002; 16 (4): 336.
32. GREEN, W., Accountability and team care. Theoretical Medicine 1988; 9: 39.

diferenciación entre comunidad y sociedad elaborada por Mounier[33]. Según este autor sólo habrá comunidad si se ve en el otro a un «tú», a un prójimo, de tal forma que se pueda establecer una relación en la que se asiente un auténtico «nosotros». Ese «otro» nunca será un límite para la persona, sino que será un elemento necesario, una ayuda, para el propio progreso de la persona y por lo tanto del colectivo en el que ésta se integra. En resumen, ese «yo médico» y ese «yo farmacéutico» se encuentran con un «yo paciente» estableciendo un indisoluble «nosotros» que lleva asociado el bien de cada uno de los tres agentes. En este marco, de establecimiento de un clima de comunidad y no de mero individualismo[34], se desfigura por sí sola la cuestión sobre quien lidera el proceso asistencial.

Posiblemente, en la construcción del entramado sanitario español, ha faltado esa reflexión de índole personal. Una de las causas que ha propiciado esa situación es la férrea presión a la que las corporaciones profesionales –algunas de ellas ancladas en anquilosados modelos– han sometido al entorno sanitario. Ese contexto no ha permitido la introducción de planteamientos que tengan en consideración a los otros integrantes del equipo –no dando opción al «nosotros»–. En este punto es preciso hacer mención a la gran responsabilidad de los colectivos profesionales –colegios profesionales, sociedades científicas, etc.–en la consecución del cambio de paradigma de las relaciones interprofesionales. Para ello, deberán desviar su atención hacia los nuevos requerimientos sociales y relegar, a un segundo plano, su preocupación por el mantenimiento del *sistema* a toda costa. Al mismo tiempo, deberán buscar la excelencia profesional antes que la conservación de unos beneficios particulares –sociales o económicos–.

Este nuevo escenario de relaciones del equipo sanitario requiere de un diálogo previo entre todos los estamentos afectados. Un razonamiento que no puede quedar reducido a un consenso coyuntural –intercambio de prebendas– sino que tiene que ser un armónico discurso sustentado en el bien común. Por ello, es necesario que el diálogo se vea determinado por tres cualidades[35]. La primera es la *presencia*, ya que sólo se puede hablar y cuidar si se escucha lo que dice el otro. El paciente no puede ser un agente externo, debe ser conocido, escuchado y,

33. Burgos, J. M., El personalismo. Madrid: Palabra, 2000; 52-79.
34. Torralba i Roselló, F., Filosofía de la Medicina. Madrid: Institut Borja de Bioètica, 2001; 209.
35. Lagrée, J., El médico, el enfermo y el filósofo. Madrid: La esfera de los libros, 2005; 38.

al mismo tiempo, éste debe conocer y escuchar lo que el resto del equipo sanitario opina sobre su salud, la evolución de su enfermedad o las decisiones terapéuticas o quirúrgicas a seguir. La presencia requiere de un esfuerzo que aleje de prejuicios y, en ocasiones, exige cambios en los esquemas relacionales. Por ejemplo, se puede pensar en la deficiente forma de entender al paciente por parte de los agentes sanitarios y de aquellos que se dedican a la bioética cuando unos u otros se olvidan de que la praxis debe ir asociada a la teoría para una comprensión completa de aquello que se cuestiona[36].

La segunda, la *diferencia*, que se traduce en el respeto de las competencias y del rol de cada uno. En este estadio recobra una gran relevancia todo lo que se ha indicado sobre la responsabilidad de cada uno de los integrantes del equipo. En cuanto a la diferencia también hay que pensar que no todas las sociedades, y aún dentro de una misma sociedad, se mueven por idénticos patrones culturales o sociales. Estos aspectos deberán ser tenidos en cuenta si se quiere realmente respetar al paciente. Sin duda, no se plantea un mismo escenario si se quiere aplicar un modelo en un país desarrollado o en vías de desarrollo, en una cultura occidental u oriental[37], etc.

Y, por último, la *equivalencia,* que hace conceder al discurso del otro una importancia equivalente a la del nuestro. En este caso no hay que caer en el error de considerar que la vulnerabilidad del paciente no lo hace responsables de las consecuencias de las decisiones tomadas conjuntamente con los agentes sanitarios[38].

Quizá, la propuesta que aporta este trabajo, solo bosquejada y que necesita de un ulterior desarrollo, puede resultar poco acorde con los estrictos esquemas que dominan el comportamiento profesional que rigen, mayoritariamente, en nuestra sociedad. No obstante, estoy plenamente convencido de que puede convertirse en un medio eficaz para humanizar el trabajo profesional, y establecer una estructura sólida donde asentar los acuerdos, y consensos, que deberán adoptarse ante nuevas situaciones o planteamientos. Por ello, considero que, en primer lugar, es necesario que cada agente sanitario comprenda que el diferen-

---

36. CHAMBERS, T., Theory and the organic bioethicist. Theoretical Medicine 2011; 22: 123-34.
37. En este sentido, puede ser interesante la lectura de l trabajo de CHENG y col.: CHENG K., MING T., LAI A., Can familism be justified? Bioethics. *http://onlinelibrary.wiley.com/doi/10.1111/j.1467-8519.2010.01871.x/pdf* (Accedido el 9 de enero de 2012)
38. DRAPER, H., SORELL, T., Patients' responsibilities in medical ethics. Bioethics 2002; 16 (4): 339.

cial que aporta su formación no tiene sentido si no es para sumarlo al de los otros profesionales que actúan en beneficio del paciente –de la sociedad, del bien común–. Del mismo modo, cada farmacéutico, médico, o enfermero, debe asumir que no hay discursos más importantes que otros –cada profesional es un eslabón necesario–. En segundo lugar, es preciso que las sociedades científicas, los colegios profesionales, etc., acojan este nuevo paradigma que puede contribuir en la configuración de un panorama sanitario más responsable y respetuoso con la sociedad en general, y con los profesionales sanitarios en particular. Por último, el paciente debe conocer su cometido en el equipo, implicándose en el y desterrando comportamientos despóticos o excesivamente sumisos en su relación con los profesionales sanitarios[39]. Sin lugar a duda «los pacientes necesitan encontrar sus propias soluciones y motivaciones, y hacerse responsables de su salud»[40] y, al mismo tiempo, los profesionales de la salud necesitan tener la suficiente libertad para no renunciar a su responsabilidad. La asunción armónica de responsabilidades en un empeño común puede ser el elemento decisivo para la integración de pacientes y agentes sanitarios en un equipo eficaz.

---

39. Hay evidencias de que el paciente está dispuesto a asumir un nuevo papel en el entramado sanitario, un ejemplo de ello es el denominado *paciente activo*, aquel que se preocupa por su salud y se hace responsable de obtener la mejor asistencia sanitaria posible y de controlar la evolución de su enfermedad. JOVELL, A. J., NAVARRO M. D., FERNÁNDEZ, L., BLANCAFORT, S., Nuevo rol del paciente en el sistema sanitario. Aten Primaria 2006; 38 (3): 234.
40. FACCHINI, M., Cambio de conductas en tratamientos de larga duración. Relación médico-paciente. Medicina (Buenos Aires) 2004: 64: 550.

La necesaria complicidad entre pacientes, enfermeras y médicos en la asistencia sanitaria terminal

VICENTE BELLVER CAPELLA

La tesis de este trabajo es la siguiente: todo sistema sanitario se articula en torno a la relación fundamental a tres bandas entre el paciente, la enfermera y el médico[1]. En la medida en que existe una genuina complicidad entre los tres se logra la excelencia en la asistencia sanitaria. Cuando esa complicidad no se da, los derechos de los pacientes se ven amenazados, y los profesionales sufren un inexorable desgaste moral y psicoemocional. Así sucede siempre en la asistencia sanitaria, pero especialmente cuando la asistencia se presta a personas con enfermedades avanzadas o en situación terminal. Y ello porque estos pacientes no requieren sólo, ni principalmente, de tratamientos médicos sino de cuidados de enfermería. Es obvio que toda asistencia está integrada por tratamientos y cuidados; pero en las personas en situación terminal esto es aún más visible.

No se me escapa que la buena asistencia a los enfermos avanzados está condicionada por muchas otras variables: los recursos económicos invertidos, las normas y políticas públicas que los definen y regulan, el

---

1. Antes de que se me critique por emplear un lenguaje sexista e impreciso, ofrezco dos aclaraciones. En primer lugar, respecto a los términos médico y enfermera. El diccionario de la Real Academia Español prescribe que el masculino «médico» sea empleado también para designar a las mujeres que ejercen la medicina. Por otro lado, existe un amplio acuerdo para utilizar la forma femenina «enfermera» para referirse en general a las personas que ejercen la enfermería. Con respecto al uso del término «paciente» reconozco sus limitaciones para abarcar todos los supuestos en los que un individuo entra en contacto con un profesional para recibir algún tipo de servicio o atención sanitaria. Pero finalmente me he decidido por él porque las alternativas me parecen más inadecuadas: enfermo, usuario, cliente, beneficiario, etc.

contexto socio-cultural en el que se realiza la labor asistencial, etc. Tampoco ignoro el papel crucial que desempeñan las familias y el conjunto del personal sanitario. Pero –y esta es la propuesta que desarrollo– *la clave de bóveda de la asistencia a los pacientes terminales está en el núcleo relacional integrado por él, la enfermera y el médico*[2].

Es cierto que la relación médico-paciente es un tema clásico de la ética y la filosofía de la medicina[3]. Pero esta reflexión presenta en la actualidad dos importantes limitaciones que justifican, en buena medida, que volvamos sobre la cuestión.

Una tiene que ver con la evolución histórica de la asistencia sanitaria. Hasta bien avanzado el siglo XX nadie se plantea que la enfermera forme parte del exclusivo núcleo relacional integrado por el médico y el paciente[4]. La irrupción en la intimidad de esa relación de la enfermería (que ya no desempeña un papel estrictamente subalterno sino que, con la debida capacitación y legítima autonomía, se ocupa de los cuidados de enfermería) supone un cambio sustancial en la asistencia sanitaria que merece una atención mayor a la que ha recibido hasta ahora[5].

---

2. En el capítulo del prof. José LÓPEZ GUZMÁN de este libro se desarrolla el papel que ejerce el paciente como parte del equipo de salud.

3. Cfr. Pedro LAÍN ENTRALGO, *El médico y el enfermo*, Triacastela, Madrid, 2003.

4. En 2011 el Consejo General de Colegios Oficiales de Médicos aprobó un nuevo Código Deontológico. Los artículos que tratan del trabajo en equipo me parecen pobres para la importancia que este aspecto tiene en la actualidad tanto en su desempeño profesional como en la calidad de la asistencia sanitaria. El art. 40 dice: «1. El ejercicio de la medicina en equipo no debe dar lugar a excesos de actuaciones médicas. 2. La responsabilidad deontológica del médico no desaparece ni se diluye por el hecho de trabajar en equipo. 3. La jerarquía del equipo médico deberá ser respetada, pero nunca podrá constituir un instrumento de dominio o exaltación personal. Quien ostente la dirección de un equipo cuidará que exista un ambiente de exigencia ética y de tolerancia para la diversidad de opiniones profesionales». El art. 41 dice: «1. Los médicos que ostentan cargos directivos, están obligados a promover el interés común de la profesión médica. Su conducta nunca supondrá favoritismo o abuso de poder. 2. Si un médico tuviera conocimiento de que otro compañero está siendo sometido a acoso moral o a coacciones en su ejercicio profesional, deberá ponerlo en conocimiento del Colegio». En todo caso, resulta llamativo que ni este Código contenga una sola referencia explícita a la enfermería, ni el de la Enfermería a los médicos. Si esto ocurre en los respectivos códigos «éticos», ¿qué no sucederá en la práctica cotidiana?

5. Aunque existe amplia bibliografía sobre el papel de la enfermera en el equipo multidisciplinar, es frecuente hablar de él como de un cambio que se lleva a cabo para mejorar la eficiencia de la atención, no como una exigencia fundamental del sentido de las profesiones sanitarias. El Patient-Focused Care (PFC) surge para dar respuesta a la necesidad de mejorar la atención a las demandas de los pacientes sin incrementar los costes; cfr. Elizabeth THOMPSON, Patricia RODA INAMA, «Ensuring competencies of multidisciplinary staff in patient-focused care», *Dimensions of Critical Care Nursing*, 18 (1999), pp. 36-44.

La otra limitación tiene que ver con la errónea interpretación de la relación sanitaria que se ha instalado en el discurso bioético dominante. Se insiste hasta el aburrimiento en que, durante el siglo XX, hemos pasado en occidente del paternalismo médico de raigambre hipocrática a la asistencia basada en la autonomía del paciente[6]. Aunque tampoco es el momento de abundar en ello, entiendo que los veinticinco siglos de medicina que van desde HIPÓCRATES hasta el «mantra de Georgetown»[7] no se pueden despachar con la etiqueta del paternalismo y, desde luego, la medicina actual está lejos de realizar la autonomía del paciente por razones muy diversas[8]. En todo caso, me parece un error tratar de comprender la asistencia sanitaria exclusivamente desde la perspectiva de la autonomía del paciente. Entiendo que la asistencia sanitaria se comprende y practica mejor si se aborda desde la perspectiva relacional. Y es entonces cuando advertimos que la relación sanitaria fundamental es la formada por el médico, el paciente y la enfermera.

Aunque la he mencionado de pasada, no se puede dejar en segundo plano el papel de la familia en la asistencia sanitaria y el buen funcionamiento del trinomio paciente-enfermera-médico. Ese papel se incrementa exponencialmente cuando se trata de personas con enfermedades en estado avanzado o terminal. No sólo constituyen un apoyo y una

6. Los puntos principales del paso del modelo paternalista al autonomista son los siguientes: 1. El enfermo, que tradicionalmente había sido considerado como receptor pasivo de las decisiones que el médico tomaba en su nombre y por su bien, llega a finales del siglo veinte transformado en un agente con derechos bien definidos y amplia capacidad de decisión autónoma sobre los procedimientos diagnósticos y terapéuticos que se le ofrecen, pero ya no se le imponen. 2. El médico, que de ser padre sacerdotal (como correspondía al rol tradicional de su profesión) se transforma en un asesor técnico de sus pacientes, a los que ofrece sus conocimientos y consejos, pero cuyas decisiones ya no asume. 3. La relación clínica, que de ser bipolar, vertical e infantilizante, se colectiviza (con la entrada en escena de múltiples profesionales sanitarios), se va horizontalizando y adaptando al tipo de relaciones propias de sujetos adultos en sociedades democráticas; cfr. Diego GRACIA y José LÁZARO, «La nueva relación clínica», en Pedro LAÍN ENTRALGO, *El médico y el enfermo*, Triacastela, Madrid, 2003, pp. 9-36.
7. Término despectivo acuñado para referirse a los cuatro principios de la ética biomédica propuestos por BEAUCHAMP y CHILDRESS en su famoso manual, en la medida en que son invocados de forma mecánica como si fueran el núcleo de toda la reflexión bioética, «What is Wrong with Global Bioethics. On the Limitations of the Four Principles Approach», *Cambridge Quarterly of Healthcare Ethics*, 10 (2001), pp. 72-77.
8. La medicina basada en la evidencia, la medicina defensiva y la juridificación de la medicina, la medicina lucrativa, la medicina burocratizada, la medicina funcionarial, la medicina altamente tecnológica e invasiva, la medicina hospitalaria no contribuyen a cultivar la autonomía del paciente; cfr. David J. ROTHMAN, *Strangers at the Bedside. A History of How Law and Bioethics Transformed Medical Decisión Making*, Basic Books, Nueva York, 1991.

ayuda imprescindibles para el paciente sino también para el equipo asistencial, al que proporcionan ayuda y informaciones que resultan de gran utilidad para modular los cuidados que deben procurarse al paciente. A su vez, el familiar-cuidador debe ser objeto de los cuidados necesarios por parte del equipo sanitario, para evitar que el inevitable desgaste físico y emocional que comporta el desempeño su labor lleve a incapacitarle para realizarla adecuadamente. En la medida en que sea tenido como cómplice necesario del equipo asistencial podrá desempeñar su papel de familiar-cuidador de manera más eficaz y con menor desgaste personal. En todo caso, en las próximas páginas me centraré en los tres agentes fundamentales de la relación sanitaria, aunque incluya alguna referencia aislada al familiar. Dejo para otro trabajo el modo en el que el familiar-cuidador debe integrarse en este equipo.

Comienzo mi exposición dando por supuesto que la relación profesional entre médicos y enfermeras es frecuentemente problemática y que ambos suelen tener dificultades con los pacientes a la hora de informar y de solicitar el consentimiento a los pacientes. Es decir, que tanto entre los profesionales, como entre estos y los pacientes, la comunicación no siempre es fluida y correcta. El trabajo se estructura en dos partes. En la primera me pregunto por qué los profesionales tienen dificultades tanto para informar como para recabar el consentimiento libre e informado del paciente. Aunque sucede con carácter general, se agudiza cuando se trata de enfermos avanzados. En la segunda parte me pregunto por la raíz de estos problemas de información y consentimiento.

1. ¿POR QUÉ A LOS PROFESIONALES LES CUESTA INFORMAR BIEN AL PACIENTE, ESPECIALMENTE AL AVANZADO?

Por muchas y variadas razones:

1.1. PORQUE A NADIE LE GUSTA COMUNICAR MALAS NOTICIAS

Es cierto que no siempre la información sanitaria consiste en malas noticias. Pero indudablemente son frecuentes y es en esos casos cuando el profesional siente una mayor incomodidad.

El desagrado a la hora de dar malas noticias tiene, a su vez, causas muy diversas. Puede que prefiramos no involucrarnos en el problema del paciente porque no queremos sufrir, o porque entendamos que nuestro trabajo es curar o cuidar pero no participar del drama que vive el paciente y su familia. Optamos entonces por no informar o hacerlo en unos términos técnicos que nos mantengan ajenos y no implicados en la situación: «esto es lo que hay y ahora le toca a usted tomar decisiones».

1.2. PORQUE NO SABEMOS HACERLO

Puede suceder que tengamos la mejor voluntad a la hora de informar a nuestros pacientes, pero que no sepamos cómo hacerlo porque nadie nos ha enseñado. Esta falta de recursos y habilidades comunicativas puede generar inseguridad en nuestra relación con ellos.

Sospecho que esta es la situación en la que se encuentran la mayoría de los profesionales. Su sincera preocupación por el paciente no se ve respaldada por una formación académica, que apenas ha incluido algún contenido sobre el modo de informar. Además, en los últimos cuarenta años, se ha asistido a un cambio radical en el modo de plantear estas cuestiones en la asistencia sanitaria. Ahora nadie se plantea (o debería plantearse) ocultar información al paciente o darla a la familia sin que el paciente lo sepa y lo consienta. Y no sólo porque la ley lo prohíba, sino porque el ethos de las profesiones sanitarias ha cambiado en este aspecto[9].

Antes del cambio, los más jóvenes aprendían de los veteranos un determinado modo de comunicación con los pacientes. En estos cuarenta últimos años, cuando se ha producido el gran cambio en la relación profesional sanitario-paciente[10], esas comunidades intergeneracionales en las que los jóvenes aprendían la técnica y la ética de la profesión se han diluido. El liderazgo de los mayores se tambalea. Los jóvenes tienen, muchas veces, un mejor conocimiento técnico; y la praxis moral

---

9. «Es responsabilidad de la enfermera/o mantener informado al enfermo, tanto en el ejercicio libre de su profesión como cuando ésta se ejerce en las instituciones sanitarias, empleando un lenguaje claro y adecuado a la capacidad de comprensión del mismo» (art. 10 del Código Deontológico de la enfermería Española). El Código de Ética y Deontología de la Enfermería de la Comunitat Valenciana concreta más, al señalar que: «La enfermera informará a los familiares del paciente sólo cuando éste lo autorice, o cuando no sea capaz o competente para recibir la información» (art. 9.3). El Código de Deontología Médica del Consejo General de Colegios Oficiales de Médicos dice sobre este particular: «1. El médico informará al paciente de forma comprensible, con veracidad, ponderación y prudencia. Cuando la información incluya datos de gravedad o mal pronóstico se esforzará en transmitirla con delicadeza de manera que no perjudique al paciente. 2. La información debe transmitirse directamente al paciente, a las personas por él designadas o a su representante legal. El médico respetará el derecho del paciente a no ser informado, dejando constancia de ello en la historia clínica» (art. 15).
10. Cfr. Albert J. Jovell, «El paciente del siglo XXI», *Anales del Sistema Sanitario de Navarra,* 29 (2006) supl. 3, pp. 85-90.

con arreglo a la cual los mayores desarrollaron su profesión está, al menos parcialmente, en entredicho. No teniendo una formación académica rigurosa sobre el modo de informar, y careciendo de comunidades en las que aprender el buen hacer, las nuevas generaciones de profesionales sanitarios se encuentran perplejas a la hora de manejar una información con el paciente y su familia como la que recibe duramente el enfermo terminal.

Es cierto que las unidades de cuidados paliativos suelen formar a sus integrantes en estos aspectos y, en consecuencia, informan y obtienen consentimientos de modo más correcto. Pero, independientemente de esta formación específica, es urgente incorporar el aprendizaje de estas habilidades en los años universitarios.

1.3. PORQUE EXISTE MUCHA CONFUSIÓN ACERCA DEL DEBER DE INFORMAR

Los profesionales de la sanidad han sido bombardeados desde distintos frentes en el tema de la información al paciente, recibiendo orientaciones muchas veces contradictorias entre sí. Para colmo, la proliferación de leyes y normas sobre esta materia ha generado cierto desconcierto por dos motivos.

Primero, porque se insiste tanto en regular la acción de los profesionales a través de las normas jurídicas que, al final, los propios profesionales se quedan con la impresión de que lo importante es cumplir con los mandatos de la ley, y no preguntarse por el sentido que realmente tiene esa norma.

Segundo, porque no es nada fácil saber qué es lo que debe hacerse y, menos aún, cómo hacerlo. La ley 41/2002 *de la autonomía del paciente y de derechos y obligaciones en materia de información y documentación clínica*, que es la norma básica para España en esta materia, dice lo siguiente sobre el derecho a la información: «1. Los pacientes tienen derecho a conocer, con motivo de cualquier actuación en el ámbito de su salud, toda la información disponible sobre la misma, salvando los supuestos exceptuados por la Ley. Además, toda persona tiene derecho a que se respete su voluntad de no ser informada. La información, que como regla general se proporcionará verbalmente dejando constancia en la historia clínica, comprende, como mínimo, la finalidad y la naturaleza de cada intervención, sus riesgos y sus consecuencias.

2. La información clínica forma parte de todas las actuaciones asistenciales, será verdadera, se comunicará al paciente de forma compren-

sible y adecuada a sus necesidades y le ayudará a tomar decisiones de acuerdo con su propia y libre voluntad» art.4)

De la lectura de este fragmento se desprende que los profesionales de la sanidad tienen que dar *toda* la información disponible al paciente (siempre que no haya manifestado lo contrario), hacerlo de forma *comprensible,* y asegurándose de que le sirva para *decidir con libertad.* A nadie se le escapa lo difícil que es determinar en qué consiste dar *toda* la información, cómo se sabe exactamente si el paciente quiere o no recibir esa información, qué se debe hacer para que la información sea comprensible, y cómo se consigue que la información ayude realmente al paciente a decidir con libertad. Dar la respuesta correcta a cada una de estas cuestiones cuando nos encontramos con un paciente con enfermedad avanzada, y no digamos si (como suele suceder con frecuencia) sus capacidades están limitadas, es más difícil que acertar en el diagnóstico o en el tratamiento que se le haya de prescribir.

1.4. PORQUE NOS FALTA TIEMPO Y/O ESTAMOS QUEMADOS

A nadie se le escapa que la presión sanitaria que soportan los profesionales de la sanidad dificulta, cuando no hace imposible, dedicar a cada paciente el tiempo necesario para tener con él una buena comunicación e informarle de forma adecuada sobre su salud y atención sanitaria. Si una actividad de suyo difícil, y para la que no se forma específicamente, tiene que hacerse además con escasez de tiempo, resulta sorprendente que aún se haga bien en tantos casos. Esa falta de tiempo, unida al stress y responsabilidad de la propia actividad, contribuye enormemente al agotamiento psíquico y emocional. Y en esas condiciones, que desgraciadamente son más frecuentes de lo que podríamos considerar inevitable, es difícil informar adecuadamente a los pacientes y a sus familias.

1.5. PORQUE FALTA COORDINACIÓN DENTRO DEL EQUIPO SANITARIO Y, EN ESPECIAL, ENTRE MÉDICOS Y ENFERMERAS

Se puede pensar que cada profesional tiene un área concreta en la que se es competente para informar al paciente y que el «médico responsable»[11] controla que todos cumplan con su cometido. Pero sabemos que muchas veces las cosas no son así por distintas razones:

---

11. Según el art. 3 de la Ley 41/2002 se entienden por «Médico responsable: el profesional que tiene a su cargo coordinar la información y la asistencia sanitaria del paciente o del usuario, con el carácter de interlocutor principal del mismo en todo lo referente a su atención e información durante el proceso asistencial, sin perjuicio de las obligaciones de otros profesionales que participan en las actuaciones asistenciales».

1. Porque existen áreas brumosas en las que resulta difícil determinar a quién corresponde principalmente el deber de informar.

2. Porque los pacientes acuden a unos y otros indistintamente, y los profesionales no siempre se ajustan al papel informador que les corresponde adoptar en cada momento.

3. Porque no siempre está claro quién es el «médico responsable» y, aunque lo esté, no siempre ejerce como tal.

4. Porque en ocasiones falta la comunicación entre profesionales y pacientes que aseguraría el buen desempeño de los deberes informativos por parte de los primeros.

5. Porque el número de profesionales que pueden llegar a estar implicados en la atención de un paciente es tan grande que resulta ilusoria cualquier pretensión de coordinación.

Si queremos cambiar esta situación urge adoptar, al menos, tres tipos de medidas. En primer lugar, adaptar los planes de estudios de las titulaciones sanitarias para que no sólo atiendan la capacitación técnica sino también ética de los profesionales. Esta última, que debería tener el mismo rigor científico que las otras, abarca aspectos tan esenciales como el respeto a los derechos de los pacientes y, más aún, el compromiso profesional con ellos. Junto a la preparación académica, se requiere de una política sanitaria firmemente orientada a incrementar el tiempo que los profesionales puedan dedicar a la comunicación con cada paciente. En tercer lugar, resulta imprescindible crear o fortalecer una nueva cultura de equipo sanitario y multidisciplinar en la que, reconociendo la figura del responsable último de la información, se reconozca igualmente el papel insustituible de cada uno de sus miembros y de la comunicación entre ellos para transmitir entre todos la información que corresponde al paciente. Si el equipo sanitario pluridisciplinar es clave para procurar una asistencia adecuada a las personas en fase terminal, también lo es para lograr que la información que recibe sea correcta (en el sentido de completa, adaptada a su capacidad, que facilite su toma de decisiones, conforme a sus deseos, etc.). Sobre estos aspectos volvemos en el siguiente epígrafe y en el último del trabajo.

2. ¿POR QUÉ LOS PROFESIONALES (TODAVÍA) CONSIDERAN EL CONSENTIMIENTO INFORMADO UNA MOLESTIA O UN MECANISMO DE DEFENSA?

La exigencia del consentimiento informado se formaliza en España con la ley 14/1986 *General de Sanidad*[12]. Tras más de 25 años de vigencia, todos los profesionales cumplen (al menos formalmente) con él. Sin embargo, no todos los pacientes deciden con pleno conocimiento y libertad acerca de la atención sanitaria que van a recibir. Los optimistas dirán que es cuestión de tiempo. Los pesimistas, en cambio, sostendrán que esta práctica produce más efectos negativos que positivos, al incrementar la desconfianza entre profesionales y pacientes. Esta situación no es exclusiva de España sino que se da, en mayor o menor medida, en todo el mundo. ¿A qué es debido? Podemos destacar las siguientes causas:

2.1. LOS PROFESIONALES DESCONOCEN EL SENTIDO DEL CONSENTIMIENTO INFORMADO

Las personas que trabajan en la asistencia sanitaria son formadas para curar y cuidar con arreglo a conocimientos y técnicas basados en evidencias científicas. De acuerdo con este paradigma biologicista y reglamentista de la asistencia, la persona concreta a la que se trata es irrelevante: lo fundamental es acertar en el diagnóstico, el tratamiento y los cuidados a través de los potentes recursos tecnológicos disponibles y los protocolos de actuación aprobados al efecto. Pero si la persona es irrelevante, ¿qué sentido tiene pedir su consentimiento informado antes de intervenir sobre él? La única razón para solicitarlo, preferiblemente por escrito, será entonces evitar las reclamaciones judiciales que pueda emprender un eventual paciente insatisfecho. Lejos de ser una garantía de la libertad del paciente, los documentos de consentimiento informado se convierten, así, en instrumentos de una asistencia sanitaria defensiva.

2.2. LA PERNICIOSA INFLUENCIA DEL DERECHO SOBRE LAS ACTUACIONES SANITARIAS

Es lógico que los derechos fundamentales cuenten con el recurso a las sanciones para asegurar su efectividad; y que, llegado el caso, también se apliquen en el ámbito sanitario. Pero en los últimos decenios asistimos a una escalada reglamentista que pretende regular exhaustivamente hasta el último detalle que tenga que ver con los derechos del paciente. Ante este estado de cosas, encontramos dos respuestas igualmente perniciosas. La más común consiste en asociar el respeto a los derechos del paciente con el estricto cumplimiento de toda esa norma-

---

12. Cfr. Pablo Simón Lorda, *El consentimiento informado,* Triacastela, Madrid, 2000, pp. 98 ss.

tiva. Se entiende que, así como el seguimiento de los protocolos garantiza los mejores resultados en la asistencia sanitaria, el cumplimiento de todas las prescripciones resultará automáticamente en una asistencia sanitaria respetuosa con los derechos del paciente. La respuesta minoritaria consiste en rechazar esa normativa por percibirla como una intolerable intromisión del Derecho en los legítimos márgenes de la autonomía profesional. Como consecuencia, se evita cumplir con esas normas o se hace de manera puramente formal. En cualquier caso, nos encontramos con un profesional perdido en una maraña normativa, ante la que reacciona bien sometiéndose mecánicamente a ella o bien tratando de soslayarla más o menos sutilmente. En ninguno de los dos casos se acaba de lograr el objetivo de una asistencia sanitaria a la altura de lo que merece todo ser humano.

2.3. LA FALTA DE COMPLICIDAD ENTRE MÉDICOS Y ENFERMERAS

El paradigma biologicista dificulta comprender que el objeto de la asistencia sanitaria no es un organismo sino una persona, es decir, que no hay objeto de la atención sanitaria sino sujeto de la relación sanitaria.

El paradigma reglamentista, característico del Derecho actual, nos mantiene en la ilusión de que aplicando mecánicamente los procedimientos estaremos garantizando los derechos del paciente y, en particular, su libertad de elección.

Junto a estas dificultades, debemos señalar también la que tiene que ver con el deficiente funcionamiento del equipo sanitario.

Aunque médicos y enfermeras tengan que requerir el consentimiento informado para sus respectivas actuaciones lo cierto es que sólo la complicidad entre ambos, también en este campo, puede garantizar la libertad de decisión de los pacientes.

Las enfermeras pasan más tiempo con los pacientes. Los conocen mejor y pueden proporcionar al médico informaciones relevantes (sobre la capacidad, los valores, los temores, etc. del paciente). Las enfermeras pueden ayudar, a su vez, a que los pacientes comprendan la información que les ha proporcionado el médico; y trasladar al médico las dudas de los pacientes o ayudar a que las manifieste. Es cierto que los médicos incrementan su presencia junto a la cama del paciente cuando padecen enfermedades avanzadas; pero nunca llegan a tener la presencia constante de la enfermería. En esos estadios de la enfermedad, la observación atenta y continua del paciente –que sólo puede llevar a cabo la enfermera– es fundamental tanto para modular los cuidados como para proporcionar informaciones valiosas para el clínico.

Los médicos, a su vez, deberían contar con la enfermera para discernir la capacidad cognitiva y volitiva del paciente, para confirmar que el paciente comprende adecuadamente la información y se encuentra en condiciones de prestar un consentimiento verdaderamente libre e informado, etc. Pero esa complicidad no siempre se produce, con el consiguiente menoscabo en la asistencia sanitaria, al menos por tres causas:

1. *Un currículo formativo deficientemente diseñado e implementado.* Ya he dicho que los planes de estudio de las titulaciones sanitarias apenas prestan atención a los aspectos éticos y relacionales de los respectivos ejercicios profesionales. Lo poco que en ellos se encuentra relacionado con la ética es visto como un complemento formativo menor, un anacronismo o incluso una pérdida de tiempo. Aunque no han faltado intentos por dar una orientación humanística a estos estudios, la deriva biologicista no ha hecho más que incrementarse.

2. *La crisis de la cultura sanitaria.* No se puede negar que, desde mediados del siglo pasado hasta el presente, la atención sanitaria y las concepciones acerca del médico y de la enfermera han cambiado radicalmente. Quizá en el caso de la enfermera esa evolución haya sido aún más acusada[13]. La profundidad y rapidez en esos cambios mantiene a muchos de los profesionales sanitarios perplejos entre una cultura que ya ha quedado en buena medida obsoleta y otra que no acaba de emerger. En ese contexto, las fuerzas del mercado, de la administración pública y de la ciencia ganan terreno frente a la cultura de las profesiones y, en consecuencia, nos encontramos con muchos profesionales que se ven y actúan como puros prestadores de servicios: bien como funcionarios públicos, o bien como investigadores. La subordinación que caracterizaba la relación de la enfermera con el médico tiende a desaparecer, pero no acaba de ser reemplazada por un modelo relacional más idóneo.

3. *Una regulación jurídica defectuosa.* Ya hemos hablado de la escalada reglamentista, que produce el efecto perverso de considerar como lo más importante la obtención de un documento firmado por el paciente en lugar de garantizar que éste consiente libre y

---

13. Cambios en el Código Internacional de Enfermería. Sobre este punto volvemos en el último epígrafe del trabajo.

conscientemente a una determinada prueba, intervención o cuidado. Cuantas veces los documentos de consentimiento informado, que presuntamente cuentan al paciente lo que se le pretende hacer, sólo sirven para asustarle, confundirle y lograr que se someta ciegamente a la intervención que corresponda.

Si nos fijamos en el modo en que la obtención de ese consentimiento está regulado nos encontramos con que se trata de una competencia exclusiva del médico, pero ¿tiene sentido que lo que debe ser un proceso a lo largo del cual el paciente va haciéndose cargo de lo que se le propone y decide dar su consentimiento sea encomendado en exclusiva a quien apenas le ve, dejando de lado a quien está con él continuamente? Probablemente esta regulación facilite la delimitación de las responsabilidades jurídicas, repercutiéndolas en exclusiva sobre el médico (o, en su caso, sobre la enfermera), pero desde luego no contribuye a que verdaderamente el paciente se ponga en condiciones de dar su consentimiento libre e informado.

Pondré un par de ejemplos de la deficiencia a la que me refiero. Tanto Andalucía[14] como Navarra[15] y Aragón[16] aprobaron leyes sobre la atención a las personas al final de su vida[17]. Las tres regulan de igual manera tanto la valoración de la incapacidad de hecho del paciente como la limitación del esfuerzo terapéutico. En el primer caso, la valoración corresponde al médico responsable de coordinar la información al paciente, quien podrá contar con la opinión de otros profesionales implicados directamente en la atención de los pacientes[18]. Llama la atención que una decisión de tal envergadura puede llevarse a cabo sin que necesariamente sea escuchada la voz de la enfermera encargada del cuidado del paciente.

El otro ejemplo tiene que ver con la decisión de limitar el esfuerzo terapéutico «cuando la situación clínica lo aconseje». En este caso, las tres normas coinciden en el texto: «Dicha limitación se llevará a cabo oído el criterio profesional del enfermero o enfermera responsable de

14. Cfr. Ley 2/2010 de derechos y garantías de la dignidad de la persona en el proceso de la muerte.
15. Cfr. Ley Foral 8/2011 de derechos y garantías de la dignidad de la persona en el proceso de la muerte.
16. Cfr. Ley 10/2011 de derechos y garantías de la dignidad de la persona en el proceso de morir y de la muerte.
17. Son un ejemplo de lo que he denominado leyes clónicas con algunas variaciones fenotípicas; cfr. Vicente BELLVER CAPELLA, «Una aproximación a la regulación de los derechos de los pacientes en España», *Cuadernos de Bioética*, 59 (2006), p. 19.
18. En el caso de Navarra, no sólo podrá si no que deberá hacerlo.

los cuidados y requerirá la opinión coincidente con la del médico o médica responsable de, al menos, otro médico o médica de los que participen en su atención sanitaria». Entiendo que habría sido más correcto incluir a la enfermera en la toma de decisión o, al menos, prescribir que «el criterio profesional de la enfermera será tomado en cuenta». Dicho en estos términos, y no en los recogidos por la ley, el médico tendría que reflejar en la historia clínica el modo en que el criterio enfermero ha sido tomado en consideración a la hora de decidir.

Si para decidir sobre la limitación del esfuerzo terapéutico la ley requiere en todo caso la opinión de la enfermera, ¿es razonable no exigirlo cuando de lo que se trata es de valorar la capacidad del paciente? ¿Tiene el médico una formación específica que lo cualifique para hacer esa valoración por encima de la enfermera? No. ¿Dispone el médico de informaciones relevantes sobre la capacidad del paciente a las que la enfermera no acceda? No. Más aún, es la enfermera la que, por mantener una relación más continua y estrecha con el paciente y su familia, dispondrá de tantos o más elementos para valorar esa capacidad que el propio médico.

3. ¿QUÉ CARACTERÍSTICAS HA DE TENER LA RELACIÓN ENTRE EL PROFESIONAL SANITARIO Y EL PACIENTE?

Me he referido hasta ahora a los deberes de informar y de recabar el consentimiento libre e informado de los pacientes para someterse a cualquier intervención. Pero esos deberes y los correspondientes derechos de los pacientes deben contemplarse dentro del marco general de relación entre el profesional y el paciente. Como ya hemos dicho, lo que tradicionalmente se ha conocido como la relación médico-paciente[19] debe reformularse para incluir a las enfermeras, en cuanto que son las principales cuidadoras del paciente.

La pregunta ¿qué características ha de tener la relación entre el profesional sanitario (médico y enfermera) y el paciente? es, probablemente, la más importante que se debe afrontar a la hora de dar un sentido a la asistencia sanitaria. No pretendo ahora ofrecer una respuesta exhaustiva. Por el momento, me limitaré a identificar tres actitudes que en ningún caso se pueden tolerar, y a proponer tres principios que, a mi

---

19. Cfr. Mª. Victoria ROQUÉ, *Médico y paciente. El lado humano de la medicina*, Duxelm, Barcelona, 2007. Llama la atención que la «amistad médica» hipocrática, analizada en esta obra, contenga elementos valiosos para comprender cómo debería ser la nueva relación sanitaria.

entender, deberían ser los que ordenaran esa relación. Obviamente, cuando la relación asistencial es más prolongada y, sobre todo, cuando la persona con la que se relacionan los profesionales está en un estado de mayor fragilidad, el seguimiento de estas pautas resulta mucho más vinculante. Es lo que sucede, por ejemplo, cuando nos encontramos con un neonato prematuro, un enfermo crónico grave, un paciente con una enfermedad avanzada o en estado terminal.

3.1. LO QUE NUNCA SE DEBE HACER

Las actitudes inaceptables son la imposición, el abandono y la manipulación del paciente.

3.1.1. No imponerse al paciente

Es difícil encontrar hoy en día defensores del paternalismo en la atención sanitaria. No existen teorías éticas relevantes que la justifiquen. Sin embargo, en la práctica siempre existe el riesgo de incurrir en imposiciones. Y no sólo por la inercia del pasado. La relación sanitaria es una relación asimétrica, en la que una de las partes se encuentra en una situación de poder mientras que la otra está en la debilidad y la necesidad. En esas condiciones, la tentación de querer imponerse está siempre latente y los profesionales sanitarios –especialmente el médico y la enfermera, que son los que tienen más contacto con el paciente– deben vacunarse periódicamente para no caer en ella. Aunque los derechos del paciente constituyen una formidable garantía frente a las imposiciones, no podemos confiar exclusivamente en el Derecho para evitarlas ya que pueden llevarse a cabo en ámbitos tan minúsculos o de modos tan sutiles que pasen desapercibidas al control jurídico.

Médicos y enfermeras tienen unos tiempos limitados de dedicación al paciente y el sistema sanitario requiere de unas pautas de funcionamiento que asegure su eficiencia. Dentro de esos límites, son los profesionales los que tienen que adaptarse a las necesidades y requerimientos (que no caprichos) de los pacientes. Por supuesto que podrán y deberán persuadir, educar, sugerir cursos de acción que se consideren preferibles, pero nunca a costa de sofocar la libertad del paciente. Aunque a veces la línea de separación sea tenue y difícil de identificar, es fundamental no traspasarla.

No imponerse no en absoluto incompatible con exigir que el paciente se sujete a las normas que hacen posible su asistencia y el buen funcionamiento del sistema. Sin excesos, pero con firmeza, médicos y enfermeras tienen que exigir al paciente que cumpla con sus deberes. Y las autoridades sanitarias tienen que respaldar y facilitar a los profesionales el cumplimento de esta misión. No imponerse tampoco quiere decir que los profesionales dejen de actuar cuando el bien del paciente lo exija, aunque en ese momento se oponga, si tienen la certeza moral de que el rechazo no es fruto de una voluntad firme y reflexiva sino de una obcecación pasajera.

3.1.2. No abandonar al paciente

En la actualidad conviene estar tan alerta frente al riesgo de abandono de los pacientes como ya se está frente al de imposición. No me refiero al abandono total, que afortunadamente es una práctica desconocida en nuestro mundo sanitario, sino a otras formas de abandono menos burdas pero no menos reales. Me referiré a tres, en orden creciente de gravedad:

1. *El formalismo.* La primera, y menos grave, es también la más frecuente. Se da en el profesional que, en principio, cumple con el paciente porque le proporciona una información exhaustiva sobre su estado de salud y deja en sus manos la decisión acerca de los cuidados de salud que recibirá; pero se trata de un cumplimiento «formal», que esconde su falta de compromiso real con el paciente. Así sucede, por ejemplo, cuando la información no se presenta adaptada a la capacidad de comprensión y al estado anímico del paciente; o cuando el profesional no se ofrece como ayuda para resolver dudas e inquietudes, o para aconsejar. Detrás de estos errores no suele existir un desinterés por el paciente sino, más bien, una falta de preparación que podría haberse evitado con una mejor formación en los años de universidad.

2. *La indiferencia.* Se produce cuando el profesional se preocupa de realizar las pruebas diagnósticas, prescribir el tratamiento, realizar los cuidados de enfermería, etc. pero sin importarle quién sea el sujeto sobre el que interviene. Ni siquiera se toma en serio los deberes de informar y de requerir el consentimiento informado. Sobre este punto existe una amplia literatura. Lo cierto es que si, al menos uno de los dos miembros del binomio formado por el médico y la enfermera rompe con la inercia de la indiferencia, se multiplican las posibilidades de introducirse en una espiral de mejora y, en todo caso, la calidad de la atención al paciente se incrementa sustancialmente.

3. *La hostilidad.* Siendo la más grave, es afortunadamente la menos frecuente. La hostilidad a la que me refiero aquí no es la que podría desembocar en responsabilidades penales sino la que podríamos denominar hostilidad menor pero pertinaz. Es la que se produce cuando los profesionales no disimulan su impaciencia ante un paciente que resulta más incómodo de atender que los otros; cuando adoptan actitudes arrogantes, autoritarias o displicentes, ante las que sólo cabe someterse o rebelarse; cuando reducen su atención al mínimo imprescindible; cuando descuidan sistemáticamente las normas de cortesía en el trato; cuando incurren en pequeñas vulneraciones de la confidencialidad, la intimidad, la integridad moral, etc.

3.1.3. No manipular al paciente

No me refiero aquí a los engaños escandalosos, que podrían ser constitutivos de delito y condenados por la justicia. Me refiero a formas de manipulación menores pero generalizadas, que se llevan a cabo desde la posición de poder que el profesional mantiene con relación al paciente. Por ejemplo, puede resultar bastante sencillo manipular la voluntad de un paciente para que consienta como sujeto de investigación, o para que se decida por un determinado tratamiento (cuando podría haber otros más recomendables para sus necesidades), o para que vea su situación como a nosotros nos interesa desde una perspectiva puramente utilitaria.

Se me podrá rebatir que prácticamente todos los profesionales de la sanidad comparten el rechazo a estas tres prácticas. Y no dudo que así es, pero una cosa es dar por buenos unos criterios de acción y otra tenerlos siempre presentes en el ejercicio profesional. No hay que olvidar que evitar esos comportamientos exige revisar las propias prácticas e incluso someterlas al escrutinio de quienes nos ofrezcan confianza y criterio. Además, en ocasiones puede resultar heroico no dejarse llevar por ellas, cuando hacerlo favorece notablemente los intereses utilitarios del profesional. El riesgo, por tanto, de incurrir en esas faltas no es desdeñable y, puesto que el Derecho no puede ni debe perseguir la mayoría de ellas, sólo podrán prevenirse con una nueva cultura relacional de los profesionales con el paciente. Los principios que señalo a continuación dan sustento a esa nueva cultura.

3.2. LOS PRINCIPIOS DE LA RELACIÓN SANITARIA: RESPETO, CONFIANZA, AMOR

3.2.1. El principio de respeto

El principio basilar que debe informar toda la relación entre el profesional y el paciente es el respeto.

Aunque no se suele incidir en ello, considero que la primera muestra de respeto hacia el paciente será presentarnos felices de hacer lo que hacemos, es decir, de poder ejercer la profesión médica o enfermera y así ayudar a la persona que tenemos delante. En el caso de la asistencia a personas con enfermedades avanzadas esa alegría será percibida por ellos como una manifestación fundamental del reconocimiento que les otorgamos, y que tanto necesitan a la vista de la frágil situación en la que se encuentran. Como cualquier ser humano en nuestro trabajo tendremos días buenos y malos, pero si tomamos conciencia del privilegio que supone dedicarse libremente a una actividad tan fundamental para el bien moral de las personas y la sociedad, nos resultará natural mostrarnos felices al hacer nuestro trabajo. No soy tan ingenuo como para desconocer las dificultades para mostrarse así diariamente. Ni los jefes y compañeros de trabajo son perfectos, ni los medios de que disponemos son siempre suficientes, ni los pacientes muestran permanentemente su lado más amable. Ninguna de esas contrariedades cotidianas no puede empañar la ilusión y el buen hacer profesional, que el paciente tiene derecho a ver reflejado en nuestro rostro.

Si bien la que acabo de mencionar es la tarjeta de presentación del profesional (unida a la identificación ante el paciente), en su relación con él deberá mostrar una serie de virtudes que manifiesten el respeto y propicien la confianza. Sin afán exhaustivo, destacaré las siguientes:

1. *Seguridad, que no arrogancia.* Para generar confianza es imprescindible que médicos y enfermeras estén seguros de lo que hacen y no transmitan una actitud titubeante. Ahora bien, la seguridad no tiene nada que ver con la arrogancia, el trato distante, o la ocultación de las incertidumbres que toda asistencia sanitaria de cierta complejidad genera.

2. *Afecto profesional.* El afecto, que resulta de dar cabida a las emociones en el trabajo y que se manifiesta de múltiples formas según las personas y las circunstancias, es un aspecto básico de la alianza y relación terapéutica. Ahora bien, la afectividad no puede ir en detrimento de la calidad del trabajo desarrollado, ni en perjuicio de la igual atención a todos los pacientes, ni mucho menos, propiciar las relaciones íntimas con los pacientes. Sin afecto no se alcanza la excelencia profesional, pero sin excelencia profesional el afecto es una farsa.

3. *Disponibilidad sin servilismos.* Los profesionales de la sanidad tienen que estar dispuestos a atender todas las demandas de los

pacientes. Ahora bien, ese deber no puede conducir a actitudes serviles, que no sólo dañarían al profesional, sino también al paciente y a todo el sistema sanitario. Por eso, el profesional se debe proteger frente a la excesiva demanda por parte de los pacientes, para evitar el uso ineficiente de recursos materiales, e incluso el deterioro de su propia salud y de su capacidad profesional. Y debe enseñarles a no hacer demandas desmesuradas. Para llevar a cabo estas medidas es imprescindible el respaldo de la Administración pública, que deberá promover una adecuada educación sanitaria en la que se subraye la corresponsabilidad de los usuarios de los servicios de salud en su buen funcionamiento.

El principio de respeto no se ciñe al respeto exclusivo de la autonomía del paciente. Los profesionales de la salud no tratan con sujetos morales autónomos. Esa abstracción sólo existe en la mente de algunos filósofos, pero no en los hospitales ni en los centros de salud. Ahí los interlocutores son seres humanos de carne y hueso, que necesitan de nuestra ayuda en un ámbito que afecta a toda su existencia: la salud. Claro que esas personas no van a querer que les mantengamos en la ignorancia acerca de su enfermedad ni, mucho menos, que les impongamos un determinado comportamiento en contra de su voluntad. No se conforman con que respetemos su autonomía y les proporcionemos el servicio sanitario que demanden. Piden mucho más: piden confianza.

3.2.2. El principio de confianza

Cuando acuden a los profesionales de la sanidad, los pacientes desean, al menos en la mayoría de los casos, encontrarse con un cómplice, con una persona en quien confiar y a la que confiarse. Alguien que les ayudará a recuperar la capacidad para decidir por sí mismos, en el caso de que la hayan perdido o en la medida en que haya disminuido; alguien que les ayudará a ordenar los valores que orientan su vida y con arreglo a los cuales quieren tomar las decisiones relativas a su asistencia; alguien que, llegado el caso, les ayudará a discernir cuál es el bien que debe perseguir en su asistencia sanitaria.

Esa relación de confianza sólo se forja con dedicación de tiempo, que principalmente consistirá en escuchar al paciente para hacerse cargo de su persona y circunstancias: de sus valores, deseos, afectos, dudas, metas y miedos. La escucha tiene que ser activa y ello no sólo requiere concentrarse en lo que dice verbalmente el paciente sino también en descifrar su lenguaje corporal.

Por supuesto que médicos y enfermeras también tienen que hablar, pero lo justo. Detrás del exceso de palabra frecuentemente se camuflan actitudes que imposibilitan la relación de confianza: la arrogancia, la rutina, la falta de interés, el miedo al compromiso, la incapacidad para escuchar, la ausencia de empatía, etc. Con el tiempo y la escucha se llega a conocer y a querer a quien se tiene delante.

Los profesionales tienen que crear las condiciones óptimas para la comunicación con el paciente. Junto a la escucha, la observación y la palabra, médicos y enfermeras cuentan con el extraordinario recurso del lenguaje corporal: gestos, miradas, expresiones del rostro, posturas, movimientos, distancias entre los cuerpos, atuendo, etc. Se trata, en definitiva, de que nuestro cuerpo se exprese de forma coherente con lo que decimos y hacemos.

Todo lo dicho para la relación con el paciente se puede extender a la familia. En casos especiales, como cuando el paciente ha delegado en la familia la recepción de la información sobre su asistencia o cuando carezca de la capacidad para recibirla, habrá que promover especialmente el principio de confianza con la familia. Es más, salvo excepciones (que el paciente se niegue a incorporar a la familia a la relación sanitaria, que la familia no esté dispuesta a colaborar con los profesionales sanitarios, etc.) la familia habrá de ser incorporada al equipo sanitario como una ayuda imprescindible en la atención del paciente.

La relación sanitaria tiene infinitas manifestaciones. En algunas ocasiones el contacto será único, breve y superficial. Bastará entonces con que la relación se mantenga en el terreno del respeto. Pero la mayoría de las relaciones sanitarias se prolongan en el tiempo y llegan a afectar las fibras más íntimas de la persona. En esos casos, es imprescindible que comparezca la confianza y, para lograrlo, los profesionales necesitan disponer de tiempo para dedicar a los pacientes. Por ello, el sistema sanitario debería priorizar las políticas sanitarias que contribuyan a incrementarlo.

Igualmente entiendo que sería conveniente que cada paciente pudiera identificar con toda claridad quiénes son el médico y la enfermera que se responsabilizan globalmente de su atención. No es suficiente con que los profesionales tengan tiempo para los pacientes, es necesario que el paciente pueda reconocer con claridad las personas a las que puede acudir con carácter general, porque se hacen cargo de todo lo que tiene que ver con su asistencia y atención. Médicos y enfermeras de urgencias, de planta, de guardia, especialistas varios que tienen relación con el paciente: ¿quién se hace cargo de la asistencia coordinada del paciente? ¿Y a quién se puede dirigir el paciente para cualquier consulta sin tener que hacer un ejercicio de adivinanza?[20].

La ley 42/2001 quiso dar un paso adelante al establecer en el art. 3 la figura del médico responsable al que me he referido anteriormente. Siendo una propuesta idónea para garantizar la calidad de la atención, sin embargo, no ha sido objeto de implementación general. Además, entiendo, que esta propuesta debería completarse con la figura de la «enfermera responsable», que ejerciera una labor análoga a la que desarrolla el médico responsable en el ámbito de los cuidados de enfermería. Ambas figuras serían complementarias y proveerían al paciente de unos referentes inequívocos a los que acudir para orientarse en la confusión que suele percibir cuando acude a un centro sanitario, no digamos si se trata de un hospital y si es un paciente con sus capacidades disminuidas y un pronóstico de no recuperación. Médico y enfermera responsables proporcionarían al paciente no sólo las claves para orientarse en el complejo universo sanitario, sino también el contexto adecuado para que las relaciones con el resto de los profesionales fueran de igual confianza.

3.2.3. Principio de amor

El término amor tiende a identificarse en la actualidad con algunas de sus manifestaciones, principalmente la romántica y la erótica, marginando las demás. No es el momento de referirse al amplio espectro de manifestaciones que abarca el amor. Sólo quiero detenerme en la que subyace a las relaciones de ayuda como la sanitaria.

Entiendo por relaciones de ayuda aquellas en las que concurren los siguientes elementos: primero, una persona necesitada y otra que puede atender esa necesidad; segundo, un deseo compartido de alcanzar entre ambas el bien del que carece una de ellas; tercero, el reconocimiento de que ese bien no resulta del mero intercambio contractual sino del mutuo reconocimiento personal.

La relación docente, junto con la sanitaria, son paradigmas de esta relación. En ambas la meta que se ambiciona no es el respeto por la autonomía de la parte más débil, bien sea el paciente o el estudiante. Ese es el punto de partida, que deberá ser escrupulosamente salvaguardado en todo momento. La meta es la alianza entre dos personas, una

---

20. Cfr. Kathleen M. NOKES, «Becoming Part of a Multidisciplinary Health Care Team», en John DALYet alt. (eds.), *Professional Nursing. Concepts, Issues and Challenges*, Springer, Nueva York, 2005, p. 231.

necesitada y otra que puede y quiere atender esa necesidad. El sanitario y el profesor adquieren un compromiso público de anteponer los intereses del paciente y el alumno a los suyos. Lo que en cualquier otra actividad sería altruismo, en su caso es deber profesional. El paciente y el alumno, por su parte, tienen el deber de confiar en aquellos.

No hablo de derechos por ninguna de las dos partes, porque el Derecho nunca podrá exigir a los profesionales que antepongan los intereses de los pacientes o los estudiantes a los propios; ni que aquellos confíen en los profesionales. Sí se podrá exigir jurídicamente a ambas partes el cumplimiento de unas normas, pero no asumir un determinado compromiso moral. Ahora bien, si ese compromiso no se da, al menos por parte de los profesionales, ninguna de las dos profesiones alcanza su meta.

Pues bien, ese compromiso sólo puede surgir del amor, del desinteresado interés por el otro. Volviendo al campo concreto de la asistencia sanitaria, es el amor el que lleva a relativizar los intereses propios ante el bien del paciente. Es el amor el que lleva a ponerse en el lugar del paciente y descubrir sus necesidades. Obviamente, la primera y más elemental manifestación de amor es el desempeño técnico adecuado, pero ese quehacer está completamente condicionado por las circunstancias del paciente. Por tanto, sólo desde el amor que se convierte en conocimiento de la persona, podrá desarrollar el profesional sanitario su actividad. Y precisamente porque ese conocimiento del paciente es imprescindible, pero no sencillo de alcanzar, es necesario contar con otras perspectivas además de la propia, que la complementen e incluso la corrijan. Las tres perspectivas que, en todo caso, tienen que comparecer son las del propio paciente, la enfermera y el médico. Entre estos dos últimos, en concreto, debe haber una complementariedad total, que es de lo que me ocupo ahora para finalizar esta reflexión.

4. ¿QUÉ RELACIÓN DEBE EXISTIR ENTRE EL MÉDICO Y LA ENFERMERA?

La atención sanitaria actual es prestada por equipos en los que participan personas de diversas profesiones. El éxito de la alianza y relación terapéutica entre los profesionales y el paciente está completamente condicionado por el tipo de relación que exista entre los miembros del equipo asistencial[21] y, en particular, entre el médico y la enfermera. Si

---

21. Los efectos positivos de una buena relación entre médicos y enfermeras en las unidades de cuidados intensivos están acreditados, al menos, desde finales de los noventa. Pero también está acreditada el diferente modo de manejar la información en

la relación entre ellos es buena, será sencillo ganarse la complicidad del paciente. Por eso, debe ser prioridad entre ellos la unidad y la cooperación[22]. Este objetivo debe anteponerse a los criterios personales que cada uno pueda sostener en contra del parecer del otro. No digo que uno no pueda tener criterios propios, sólo que deberá estar dispuesto a renunciar a ellos si, después de haberlos expuesto y defendido, no ha logrado persuadir a la otra parte, y esa renuncia resulta necesaria para lograr un buen nivel de coordinación entre médico y enfermera. Por lo general, esas situaciones serán excepcionales. Lo habitual será que, de forma espontánea o mediante la deliberación, se logren acordar las líneas de actuación. Obviamente, en la medida en que el médico es el responsable último de la atención al paciente, lo ordinario será que sea la suya la última palabra.

Si médicos y enfermeras carecen de unidad de criterio su trabajo resulta menos eficaz; y si el paciente percibe esa falta de unidad tenderá a recelar de la asistencia que recibe. Las situaciones de discrepancia se pueden dar con facilidad en el modo y en la cantidad de información que deba darse. Pues bien, sería muy negativo que, por ejemplo, un médico o una enfermera actuaran ante un paciente determinado con un criterio distinto al señalado por el médico responsable.

El principio de renunciar al criterio personal por la unidad del equipo pierde su vigencia, al menos, en cuatro casos. Los dos primeros se plantean en las relaciones entre médicos y enfermeras, mientras que los otros dos se pueden plantear a cualquier miembro del equipo santiario.

1. Cuando se trata de cuidados de enfermería, la enfermera es la responsable última y no puede ser obligada a «asumir» decisiones contrarias a su *lex artis* o competencia[23].

---

22. I. M. Barrio, A. Molina, C. M. Sánchez, M. L. Ayudarte, «Ética de enfermería y nuevos retos», *Anales del Sistema Sanitario de Navarra*, 29 (2006) supl. 3, pp. 41-47.
El objetivo común del equipo sanitario es el bienestar del enfermo y en esta tarea, la enfermera tiene una responsabilidad compartida con los otros colaboradores. La contribución de la enfermera al trabajo cooperativo ha de ser flexible y adaptarse a la situación concreta del paciente, de los miembros del equipo y al contexto donde se realice la atención.

esas unidades por parte de médicos, que se centran en el «conocimiento del caso», y las enfermeras, que atienden más al «conocimiento del paciente»; Jane Stein-Parbury, Joan Liaschenko, «Understanding Collaboration between Nurses and Physicians as Knowledge at Work», *American Journal of Critical Care*, 16 (2007), pp. 470-478.

23. «La enfermera, como profesional de la salud titulada y colegiada, posee un legítimo ámbito de autonomía y discreción en el ejercicio de sus tareas de cuidado, que siempre debe preservar» (art. 31 del Código de Ética y Deontología de la Enfermería

2. La enfermera también podrá y deberá negarse a obedecer la decisión del médico cuando esté segura de que se trata de una decisión negligente o dolosa[24]. Esta situación enlaza con la siguiente.

3. Si la discrepancia del profesional con respecto al resto del equipo está originada por acciones que considera que atentan contra los derechos del paciente, su deber ya no será adaptarse al criterio general sino el contrario: poner los medios proporcionados para evitar la mala praxis de sus compañeros o superiores con respecto a los pacientes. En la película *Amar la vida* (Wit, 2001) encontramos un buen ejemplo de lo que estoy diciendo[25]. La enfermera sabe que la paciente, que sufre un cáncer terminal de útero, ha renunciado a la reanimación en el caso de que sufra una parada cardio-respiratoria. Llegada la situación, la enfermera no duda en enfrentarse al equipo que inicia las maniobras de reanimación y al médico responsable de la paciente.

Adoptar este tipo de medidas es sumamente difícil. Por un lado, existe el riesgo de que nos opongamos a decisiones que valoramos como atentados contra los derechos del paciente, cuando en realidad son decisiones que no compartimos pero que no pueden interpretarse de forma inequívoca como atentatorias contra el paciente. En esos casos, nuestra oposición ocasionaría un conflicto grave que iría en perjuicio del buen funcionamiento del

---

de la Comunitat Valenciana, aprobado en 2010). En línea semejante, el Código Deontológico de la Enfermería Española afirma: «Para lograr el mejor servicio a los pacientes, la Enfermera/o colaborará diligentemente con los otros miembros del equipo de salud. Respetará siempre las respectivas áreas de competencia, pero no permitirá que se le arrebate su propia autonomía profesional» (art. 63).

24. «La Enfermera/o está obligada a denunciar cuantas actitudes negativas observe hacia el paciente en cualquiera de los miembros del equipo de salud. No puede hacerse cómplice de personas que descuidan deliberada y culpablemente sus deberes profesionales» (art. 61 del Código Deontológico de la Enfermería Española) no se debe interpretar, por el citado artículo, que el Código español consagre un modelo de enfermería basado en la confrontación. De hecho, en su art. 62 afirma lo siguiente: «Las relaciones de la Enfermera/o con sus colegas y con los restantes profesionales con quienes coopera deberán basarse en el respeto mutuo de las personas y de las funciones específicas de cada uno». El art. 7 del Código de Ética y Deontología de la Enfermería de la Comunitat Valenciana se consagra un criterio análogo de actuación: «Si llegase a advertir prácticas inapropiadas, negligentes o que puedan poner en riesgo innecesario la vida o integridad del paciente lo comunicará de inmediato a su superior jerárquico. Dará cuenta de ello al Colegio al que esté adscrita si se mantienen esas prácticas sin que se adopten medidas para atajarlas».

25. Cfr. Vicente BELLVER CAPELLA, «La enfermería como salvaguarda de la fragilidad humana», *Rol de Enfermería*, 32 (2009), pp. 106-112.

equipo y, por tanto, de la atención al paciente. Por otro lado, podemos encontrarnos con que nuestra resistencia a determinada actuación esté completamente justificada, pero nos resulte difícil llevarla a cabo por las consecuencias negativas que nos pudiera acarrear. Para adoptar decisiones acertadas convendrá recabar toda la información, hacer juicios imparciales, buscar el punto de vista de otras personas no implicadas, y no dejarse llevar por el miedo ni por criterios estrictamente personales.

4. En los supuestos en los que se haya acordado una actuación que sea conforme a la ley, pero vaya en contra de la propia conciencia de un miembro del equipo, el discrepante podrá retirarse de la asistencia sin obstruir la línea de actuación acordada. Los demás deberán facilitarle esa retirada y no estigmatizarle, sino reconocer el mérito de haber obrado con fidelidad a la propia conciencia[26].

Más allá de estas situaciones excepcionales, la relación entre médico y enfermera puede dificultarse por una serie de factores que merecen, al menos, una referencia somera y una propuesta de solución:

4.1. LAS INERCIAS DEL PASADO

Históricamente el perfil de la enfermera era el de una mujer, con un nivel de formación limitado, y completamente subordinada a los mandatos del médico. En función de su actitud ante el paciente, las enfermeras se dividían entre maternales y castrenses. Las primeras trataban al paciente como a un hijo, al que había que mimar, mientras que las segundas lo trataban como si fuera un soldado, que debe sujetarse a una férrea disciplina para combatir la enfermedad.

A partir de los años sesenta, el modelo tradicional de enfermera

---

26. «De conformidad con lo dispuesto en el artículo 16.1 de la Constitución Española, la Enfermera/o tiene, en el ejercicio de su profesión, el derecho a la objeción de conciencia que deberá ser debidamente explicitado ante cada caso concreto. El Consejo General y los Colegios velarán para que ningún Enfermero/a pueda sufrir discriminación o perjuicio a causa del uso de ese derecho» (art. 22 del Código Deontológico de la enfermería Española). El Código de Ética y Deontología de la Enfermería de la Comunitat Valenciana dedica dos extensos artículos a la objeción de conciencia y, entre otras cosas, afirma: «La enfermera no será estigmatizada o discriminada a causa del ejercicio de este derecho en ningún ámbito de su profesión (destinos, responsabilidades, etc.). Si esto se produjera, podrá denunciarlo al colegio profesional para que adopte las medidas oportunas» (art. 22.2).

inicia una rápida transformación[27]. La enfermería deja de ser cosa «de mujeres» (aunque sigan siendo mayoría); su nivel formativo se incrementa hasta alcanzar el rango universitario; se establece que, manteniendo el deber de colaborar con el médico, las enfermeras dispongan de una esfera de trabajo autónomo; ya no se ven ni como madres ni como militares sino como profesionales. También los médicos han sufrido una evolución semejante en cuanto a la rapidez y profundidad de los cambios en su profesión.

En la actualidad nos encontramos ante un escenario sumamente complejo. Ninguna de las dos profesiones se reconoce en su respectivo modelo histórico, pero tampoco han construido un modelo bien definido. Los trabajos que médicos y enfermeras llevan a cabo en la actualidad se han diversificado tanto que resulta difícil descubrir la identidad de cada una de estas profesiones. Si la identidad profesional no está clara, menos aún lo estará el tipo de relación que deben mantener médicos y enfermeras. En este mar de confusión algunas de las peores herencias del anterior estilo mantienen su presencia, aunque afortunadamente va disminuyendo. Destacaré dos:

Algunos médicos siguen pensando que las enfermeras son «sus» enfermeras y que, por tanto, están enteramente a lo que ellos dispongan; y algunas enfermeras siguen pensando que su trabajo es menor, en cuanto al nivel de formación y responsabilidad exigidas. El autoritarismo de los unos y el empequeñecimiento de las otras no contribuyen a construir un modelo de relación satisfactorio para ambas partes y, sobre todo, adecuado para la atención del paciente. Como digo, aunque estas malas praxis sigan presentes, están afortunadamente en retroceso.

4.2. LOS PREJUICIOS DEL PRESENTE

En el complejo sistema sanitario actual parece que cada profesional tenga asignadas unas tareas determinadas, que son las únicas de las que tiene que responder. Esta necesaria parcelación del trabajo y de las responsabilidades trae consigo dos efectos colaterales. Por un lado, se tiende a pensar que *los trabajos se desempeñan en paralelo*. La comunicación entre los profesionales es valorada, en el mejor de los casos, como una circunstancia favorable para la buena ejecución del trabajo, pero no un elemento esencial. Por otro, *la insuficiencia de los marcos* (no tanto legales y científico-técnicos como culturales) para trabajar coordinada-

---

27. Cfr. Deidre WICKS, *Nurses and Doctors at Work. Rethinking professional Boundaries*, Open University, Buckingham, 1999.

mente multiplica los desencuentros y refuerza los prejuicios entre médicos y enfermeras.

4.3. LAS RIVALIDADES CORPORATIVAS

El incremento formativo y competencial de la enfermería en las últimas décadas ha contribuido al aumento de áreas de la actividad sanitaria compartidas con los médicos. El ejemplo más visible es el de la prescripción enfermera, pero no sólo. La consecuencia ha sido también el incremento de la rivalidad entre los colectivos de la medicina y la enfermería. Los unos consideran que las segundas pretenden asumir competencias para las que no están preparadas; por el contrario, las enfermeras entienden que los médicos se oponen a ceder cuotas de poder ante el paciente para mantener su hegemonía. Estas rivalidades no contribuyen a la necesaria cooperación que debería existir entre dos profesiones que son totalmente complementarias.

La referencia a algunas de las dificultades que existen para la buena relación entre médicos y enfermeras no puede hacernos olvidar que, en general, esa relación alcanza unos umbrales aceptables y, en ocasiones, excelentes. Para que ese nivel se mantenga e incremente resulta necesario indagar en los problemas, sus causas y sus posibles soluciones.

Sin un afán exhaustivo, propongo aquí tres tipos de actuaciones que podrían contribuir al robustecimiento de las relaciones entre médicos y enfermeras:

4.3.1. Actuación en el campo académico

Los planes de estudio de las titulaciones en ciencias de la salud están sobrecargados. Pero entiendo que habría que hacer hueco para un conjunto de cuestiones de carácter filosófico, jurídico y psicológico sobre las que es imprescindible que los profesionales tengan una formación rigurosa:

1. Cuestiones filosóficas: Es imprescindible que los profesionales de la sanidad reflexionen sobre los conceptos fundamentales en torno a los que se articula su actividad, como son los de persona, salud, enfermedad, asistencia sanitaria, sostenibilidad, etc.

2. Cuestiones psicológicas: La comunicación es un aspecto esencial de la relación sanitaria, especialmente en la actualidad, en la que la asistencia resulta técnicamente tan compleja, y en la que profesionales y pacientes no siempre comparten una base cultural. La psicología de la salud, que trata de ésta y otras cuestiones esen-

ciales para el buen desempeño en la relación sanitaria, no puede entenderse como una materia superflua o un simple entretenimiento en la formación universitaria.

3. Cuestiones ético-jurídicas: Una excelente manera de contribuir a la garantía de los derechos de los pacientes es formar a los profesionales de la salud en su contenido y modo de respetarlos.

Estas materias ya son parcialmente atendidas en algunos grados, pero carecen del respaldo institucional para que sean vistas como basilares en la formación de todo profesional sanitario.

4.3.2. Actuación en el campo asistencial

En los últimos veinte años se han ido desarrollando los comités de ética asistencial. A diferencia de los comités encargados de la valoración ética de los proyectos de investigación –que cuentan con una enorme vitalidad, pues tienen que aprobar cualquier investigación sanitaria– los comités de ética asistencial están frecuentemente en una situación crítica. Entiendo que si entre sus funciones se incluyera la de preocuparse por la mejora continua de las relaciones entre médicos y enfermeras, su existencia cobraría mayor sentido y realizarían un servicio impagable al sistema sanitario[28].

4.3.3. Actuación en el campo intercolegial

Es lógico que las organizaciones colegiales velen por los intereses de la profesión y de sus colegiados. Con ese objetivo, los Colegios de Médicos y de Enfermería se han venido enfrentando por lo que cada uno entiende que le corresponde y el otro trata de arrebatarle. En lugar de promover espacios de encuentro para el debate y el acuerdo, los Colegios profesionales se han encastillado en la defensa numantina de sus posiciones. Sería deseable que, frente a esta lógica de la confrontación, se instalara un espíritu de cooperación. Probablemente la propuesta sea tenida por ingenua, pero entiendo que el presente y el futuro de la asistencia sanitaria sólo puede concebirse desde la más estrecha

---

28. Esta función se entiende que tiene que ver con la ética de la organización y que, en todo caso, debería ser abordada desde los comités de ética de la organización sanitaria. A mi entender, es un error pensar en una nueva clase de comités de ética cuando los de ética asistencial no están funcionando; Pablo SIMÓN LORDA, «La ética de las organizaciones sanitarias: el segundo estadio del desarrollo de la bioética», *Revista de Calidad Asistencial,* 17 (2002), pp. 247-259; sobre los comités de ética de las organizaciones sanitarias, cfr. Juan Carlos SIURANA, «Comités de ética en la empresa sanitaria», *Veritas,* vol. II, 17 (2007), pp. 255-279.

colaboración entre médicos y enfermeras. Y, para alcanzarla, las organizaciones colegiales pueden ejercer un papel decisivo actuando de forma cooperativa. Si lo hacen, cumplirán algunas de sus misiones fundamentales, porque contribuirán a mejorar las condiciones de trabajo de sus colegiados y la calidad de la asistencia a los pacientes.

5. CONCLUSIÓN

Resulta llamativa la escasa atención que han recibido las relaciones entre médicos, enfermeras y pacientes, siendo como son el eje de todo el sistema sanitario. Ante la rapidez de los cambios acontecidos tanto en estas dos profesiones como en los sistemas sanitarios los modelos del pasado resultan en buena medida anacrónicos, pero la situación presente tampoco resulta adecuada.

En estas páginas, además de incidir en algunas de las principales dificultades para el buen desarrollo de esa relación, propongo algunas propuestas para mejorar. Concretamente subrayo la importancia de actuar en el campo de la formación universitaria, introduciendo ciertos cambios en los planes de estudio; en el campo jurídico, con alguna propuesta de cambio pero, sobre todo, controlando la incontinencia reglamentista; y en el campo cultural, generando una cultura sanitaria no centrada en la enfermedad o la autonomía del paciente, sino en la persona como ser vulnerable e interdependiente.

Fragilidad y cuidado de la persona enferma

BERNARD ARS

INTRODUCCIÓN

Valorada en su aceptación intuitiva, la fragilidad reposa en una precariedad vital, relacionada con una condición de finitud que el ser humano comparte con todos los seres vivos. El hombre, como cualquier ser vivo, es frágil en la medida en que, en cualquier momento es potencialmente quebrantable; esto coincide con la definición misma de la fragilidad que puede expresarse de manera neutra como lo que es susceptible de romperse, alterarse, deteriorarse, hasta la destrucción posible. Dicho de otro modo, el hombre está expuesto sin cesar a los acontecimientos que pueden afectar su entorno y su vida. Por otra parte, la fragilidad del ser humano también está relacionada con los vínculos de los cuales depende necesariamente el desarrollo de su vida: familiares, sociales, etc. Aunque estos lazos no estén exentos de riesgo, están en la raíz del segundo aspecto de la fragilidad en su definición canónica, pues protegen al ser humano y son por definición bienes deseables que exigen la contribución y la presencia del otro.

Considerar la fragilidad humana, es, por lo tanto, reconocer que el hombre está lejos de bastarse a sí mismo. La fragilidad del ser humano implica admitir que su realización depende de la presencia del otro como fin en sí, y que posee, además, una perentoria necesidad de multitud de bienes elementales que no puede procurarse por sí mismo.

Esta condición inicial del hombre hace aparecer la dimensión del cuidado como contrapartida indispensable en la vida de cada ser humano que requiere y espera del otro una solicitud adaptada a su dignidad. ¿Qué encierra esta dimensión del cuidado? parental, educativo, doméstico... El cuidado reviste múltiples aspectos. Interviene cuando hay trastorno o ruptura de equilibrio en la manera de vivir, llegando, a veces, hasta la disfunción que anuncia la deriva patológica y el sufrimiento. El cuidado no es, pues, atributo propio de ninguna profesión. Y cualquier profesión se inscribe en una continuidad ininterrumpida de actos de cuidado de los que ninguno puede ser aislado legítimamente. El cuidado es pues, en primer lugar, el derecho de cada uno a recibir la ayuda necesaria para hacer frente a un estado fundamental de fragilidad tanto física como psíquica, relacionado con una situación de equilibrio que está en juego constantemente durante el curso de la existencia.

Es en esta continuidad del cuidado donde se despliega la especificidad del cuidado médico, entendido como una de las formas del cuidado en general. El cuidado médico tiene como objetivo primordial preservar y/o restaurar la salud del hombre. También se esfuerza en contribuir a mejorar su vitalidad y longevidad.

Fragilidad y cuidado son términos universales y omnipresentes. Están íntimamente relacionados, comparables a las dos caras de una moneda, la presencia de una requiriere la intervención necesaria de la otra. De tal modo están conectados e insertos en la historia de la humanidad y en la naturaleza del hombre, que en cierto modo, podría afirmarse que tienen algo que ver con nuestra especificidad humana en el ámbito de la vida.

Efectivamente, recientes descubrimientos paleoantropológicos han permitido certificar la existencia de inhumaciones intencionales de neandertales de todas las edades, y constatar la supervivencia de varios individuos a pesar de sufrir graves minusvalías. Estos descubrimientos parecen llevar a la conclusión de que nuestros antepasados de más de 100.000 años, ya concedían un sentido constructivo a la fragilidad y compartían con el hombre actual la característica propiamente humana de apoyo mutuo y de atención social.

Estas primeras ideas sobre las nociones de fragilidad y de cuidado, así como sobre su impacto en la existencia humana, nos permiten abordar este estudio a través de una doble interrogación, que se corresponden con la dos partes del presente texto: en primer lugar, un análisis de la fragilidad humana desde el punto de vista antropológico y, en segundo lugar, el sentido del cuidado, siempre y especialmente en la situación de enfermedad.

1. LA FRAGILIDAD

¿Cuál es el sentido que se da actualmente a la fragilidad humana?

La definición de fragilidad que nos da el diccionario Petit Robert de la Lengua Francesa 2009 específica cuatro campos distintos: facilidad para romperse, falta de solidez, delicadeza o debilidad de la constitución y carácter efímero. Propone como antónimos: resistencia, robustez, solidez, fuerza, estabilidad e infalibilidad.

Lejos de limitarse a un concepto, la fragilidad es una realidad que nos concierne a todos y que afecta a todos los ámbitos de nuestra existencia cotidiana: desde la fragilidad de los materiales a la debilidad de una constitución física o psíquica, al fallo de un organismo, de un órgano, de un tejido; la precariedad del pequeño o del oprimido. Y esta realidad, al igual que una moneda, ofrece dos caras distintas que hay que considerar: anverso y reverso, la cara y su opuesto, tan distintas y dependientes la una de la otra como lo son el positivo y el negativo, el éxito y el fracaso, la fuerza y la debilidad.

1.1. LA EMERGENCIA DE LA FRAGILIDAD EN LAS DISCIPLINAS PRÁCTICAS HUMANAS

En el ámbito de las ciencias de la materia, la física por ejemplo, un material frágil es un material que se rompe en lugar de deformarse. La ruptura se produce como consecuencia de un impacto, un choque o un esfuerzo al doblarlo. El cristal, la fundición, el hormigón, la cerámica son materiales frágiles. Eminentemente resistentes, ceden bajo la acción de una fuerza a veces relativamente mínima, pero aplicada precisamente en un punto vulnerable.

En el contexto biológico, fragilidad y fuerza en tensión dinámica constituyen la plasticidad, característica propia de la vida[1]. La fragilidad del código genético puede estar en el origen de una infinidad de reacciones tan opuestas como muertes celulares o, al contrario, optimización, creación de nuevas células, motores de evolución. En efecto, una transmisión y replicación más o menos fieles del patrimonio genético pueden unas veces determinar la aparición del hombre o, por el contrario, en otras, conducir al desarrollo de enfermedades genéticas incurables y a menudo letales.

Más específicamente, en la práctica médica diaria, la fragilidad significa alteración. Esta puede referirse al organismo en general, a un órgano en particular, a un tejido o también a una o varias funciones inherentes a una parte, o incluso al conjunto del cuerpo humano. Siempre

---

1. LAMBERT, D., Plasticité: Lecture blondélienne d'un concept biologique. *Angelicum* 86, 2009, 115-135.

en este contexto médico, el término fragilidad también está relacionado con el sufrimiento y con la minusvalía. Si la clínica geriátrica constituye un ejemplo de práctica médica diaria, también instaura, con sus escalas de normas, de evaluaciones y de clasificaciones, una ilustración elocuente de la emergencia del concepto de fragilidad en la sociedad contemporánea.

En el campo de la salud pública, la noción de fragilidad aparece a través del concepto de vulnerabilidad. Considerado como un concepto que permite identificar individuos o grupos que son más susceptibles de estar expuestos al riesgo de la enfermedad o que presentan pocas capacidades para resistir a ella, la difusión reciente del concepto manifiesta la evolución de la medicina contemporánea hacia el campo de la prevención y de la objetivación de los riesgos. La geriatría, con la misma intención de predicción y de protección, también se ha encargado de definir la fragilidad como un estado de menor resiliencia que altera la capacidad del individuo para preservar un equilibrio dado con su entorno[2]. Debido a la pérdida de un cierto número de defensas y de capacidades en términos de adaptación a su entorno, la persona anciana frágil está expuesta a un riesgo superior de incapacidad o de muerte frente a las perturbaciones internas o externas. La fragilidad no se identifica, pues, ni con la patología múltiple, ni con la pérdida de autonomía, ni con el envejecimiento pura y simplemente. La noción de fragilidad se ha convertido así, en geriatría, en un concepto emblemático que permite circunscribir una nueva población de personas mayores aparecida con el incremento de la esperanza de vida y la evolución epidemiológica que han conocido nuestras sociedades occidentales durante estos últimos cincuenta años.

En el campo de las ciencias humanas, la vulnerabilidad no se sitúa tanto en el plano de una ontología del individuo como en el de las relaciones intersubjetivas. El hecho de traspasar al individuo la tarea de realizarse a pesar de la fragilización de los apoyos sociales y de las estructuras de sentido, contribuye al incremento de la noción de vulnerabilidad relacionada con la del sufrimiento social. La vulnerabilidad, entendida como el correlato negativo de la responsabilidad de uno mismo, hay que comprenderla en la relación entre un grupo o un individuo que tiene unas características particulares –principalmente un déficit de protección para resguardarse de la posibilidad de ser herido– y

2. Cfr. F. ARMI, E. GUILLEY, La frágil ité dans le grand âge, Gérontologie et société, 2/2004 (n° 109), pp. 47-61.

un contexto social que potencia o debilita la capacidad de actuar a partir de sí mismo.

En el ámbito del derecho, la vulnerabilidad aparece a nivel internacional y nacional como una categoría pertinente para designar individuos o poblaciones que tienen que beneficiarse de un régimen de protección jurídica particular ya que no tienen la capacidad natural –o a los que ésta les ha sido retirada– de ejercer sus derechos como sujetos jurídicos o porque están más expuestas a los riesgos de accidentes o de heridas presentes potencialmente en su medio de trabajo o de vida. La vulnerabilidad se define aquí como un estado de fragilidad anterior a un atentado contra un derecho jurídicamente protegido[3].

Desde el punto de vista de la ética clínica y de la bioética, el reconocimiento oficial más conocido de la vulnerabilidad humana se encuentra en la Declaración universal sobre la bioética y los derechos del hombre de 2005. Ésta dedica su artículo 8 al «*respeto de la vulnerabilidad humana y de la integridad personal* estipulando que *en la aplicación y el avance de los conocimientos científicos, de la práctica médica y de las tecnologías que se le asocian, la vulnerabilidad humana tendría que tenerse en cuenta. Los individuos y los grupos particularmente vulnerables deberían estar protegidos y la integridad personal de los individuos concernidos debería respetarse*». Si el artículo 8 mantiene la noción de vulnerabilidad en una generalidad formal completa, el artículo 24 estipula que «*los Estados deberían respetar y promover la solidaridad entre ellos así como con y entre los individuos, las familias, los grupos y comunidades, en particular con aquellos que su enfermedad o hándicap, u otros factores personales, sociales o medioambientales, hacen vulnerables y aquellos cuyos recursos son más limitados*». Aunque la noción de vulnerabilidad se hace patente en particular en las personas con discapacidades o enfermas, sin embargo en el artículo 24 aparece también la idea según la cual las condiciones contextuales pueden afectar a una persona en buen estado de salud hasta el punto de hacerla más vulnerable. Una comprensión todavía más amplia de la vulnerabilidad puede, por consiguiente, sostener que todos los seres humanos son vulnerables –todos tienen la necesidad de una forma u otra de protección–.

En el campo de la filosofía, la fragilidad y la vulnerabilidad siguen siendo términos imprecisos de los cuales Emmanuel LEVINAS, Paul RICOEUR, Hans JONAS o también Judith BUTLER intentaron aportar en el

---

3. Cfr. B. LAVAUD-LEGENDRE, La paradoxale protection de la personne vulnérable par elle-même: les contradictions d'un droit de la vulnérabilité en construction, en *Revue de droit sanitaire et social*, N° 3/2010, pp. 520-535.

siglo XX una primera clarificación. A pesar de estas tentativas, la labor de la construcción fundamental de los conceptos de fragilidad y de vulnerabilidad permanece inmensamente abierta y disponible. Aunque la filosofía del cuidado iniciada con Carol GILLIGAN, profundizada por Joan TRONTO y prolongada en la filosofía política por Martha NUSSBAUMM, retoma estos últimos años estos conceptos para intentar pensarlos con más rigor, ningún diccionario que trate las nociones de la tradición filosófica propone todavía ninguna para este término que no aparece en las enciclopedias[4]. Ahora bien, aunque haya sido escaso el esfuerzo de la conceptualización filosófica moderna, debido a un dualismo empírico-transcendental que separó durante mucho tiempo la esfera del espíritu de la esfera de la carne sensible y vulnerable, y esta última consignada a la esfera *infra* de la animalidad (E. KANT), sin embargo, hoy parece justificado considerar la fragilidad como un concepto que debería ser tenido en cuenta en filosofía. Debería serlo al igual que la autonomía, en nuestra comprensión más profunda de la dignidad humana. Por consiguiente, esta sugerencia apela a un nuevo proyecto de antropología filosófica que propone una visión más unificada de lo humano, a la vez autónomo y frágil.

Si bien, las nociones de fragilidad/vulnerabilidad, así como los criterios de su objetivación y de su medida son frecuentemente criticados en medicina geriátrica, en derecho, en bioética o en ciencias humanas, por ser demasiado imprecisos, sin embargo, podemos pensar que no conseguiremos descubrir la relevancia de estos conceptos si nos limitamos al uso que se hace de ellos en un procedimiento determinado. En efecto, la fuerza del concepto de «fragilidad»[5] se sitúa a la vez en el

---

4. La historia del concepto de fragilidad/vulnerabilidad es muy reciente y todavía no ha sido escrita. El incremento de su uso, completamente impresionante en los diez últimos años, confirma sin embargo una tendencia social e histórica de toma de conciencia de la fragilidad humana en un momento de la historia de la humanidad en que, paradójicamente, los poderes humanos nunca han sido tan importantes gracias al desarrollo de la ciencia y de las técnicas de control de la vida. Sean cuales sean los contextos y los objetivos concretos de la acción, el reconocimiento de la fragilidad humana subraya la necesidad de tener en cuenta la noción para calificar una dimensión constitutiva del ser humano y de su dignidad al igual que la consideración de su autonomía. Los dos conceptos de autonomía y de fragilidad, por otro lado, normalmente están relacionados en la literatura de las ciencias humanas, de la ética biomédica y del derecho internacional e interno.

5. De ahora en adelante, emplearemos los conceptos de «fragilidad» y de «vulnerabilidad» como sinónimos sin olvidar, sin embargo, les diferencias conceptuales que hemos puesto en evidencia anteriormente. El uso del concepto de «fragilidad» a nivel antropológico será, pues, metafórico en relación a la adecuación más directa de la noción de «vulnerabilidad» con este ser vivo que es el hombre.

reconocimiento de su *universalidad* y en una interpretación de la fragilidad *singular* de cada ser humano en su condición y su situación *particular*. La fragilidad que experimentará cualquier individuo vivo diferirá, por otro lado, poco más o menos en función de una doble variable temporal y contextual. Será a partir de esta experiencia íntima de su fragilidad que el hombre designará luego «frágil» un cuerpo, una persona o un estado psíquico por analogía con su relación íntima con lo real. La fragilidad del ser humano lo pone en conexión con una dimensión de lo real siente su magnitud en la sensibilidad de su carne que comulga con el mundo. Esta cualidad del ser aflora en la textura afectiva e íntima de la experiencia.

1.2. LA COMPLEJIDAD DE LA FRAGILIDAD HUMANA

Generalmente, en muchos aspectos de la vida, el término fragilidad tiene inmediatamente una connotación negativa y se reserva solo a algunas personas. Más específicamente, en la práctica médica corriente, la fragilidad conlleva el sentido de debilidad. Remite a la situación de un ser expuesto a los riesgos o a las consecuencias de una alteración invalidante de un órgano, de un tejido. Así, distinguimos muy rápidamente entre personas frágiles y personas en plena salud, entre individuos inválidos e individuos normales, etc. Esto incluso puede convertirse en una fuente de exclusión social y de actos inhumanos. Sin embargo, la fragilidad es ante todo una constatación universal: el ser humano es intrínsecamente frágil.

Desde nuestro nacimiento, nos encontramos en una situación de dependencia respecto a nuestro entorno humano. Corresponde a las personas que nos rodean la tarea de hacernos acceder al lenguaje, a la educación y a la cultura. Por lo general, a lo largo de la vida, la plasticidad cerebral humana pone al hombre en una situación de necesidad y de fragilidad en relación con un tejido social sobre el que se apoyará y que lo marcará de forma duradera. Cuando se expone al entorno, se enfrenta también al riesgo de ser herido, es cuando el hombre aprende y se constituye en una identidad suficientemente sólida para convertirse a su vez en un apoyo humano para sus semejantes[6].

Sin romper con el substrato empírico que la condiciona, la experiencia humana está atravesada por la fragilidad. Como sugiere Dominique LAMBERT, «nuestra condición de seres vivos nos pone en tensión perma-

---

6. D. LAMBERT, D. «Plasticité: lecture blondélienne d'un concept biologique», *Angelicum* 2009/86, p. 123.

nente entre un estado de fuerza y de fragilidad siempre latente. Efectivamente, nacemos desprovistos, extremadamente frágiles. Pero al final de nuestra vida también somos cada vez más vulnerables y entre estos dos momentos límite no paramos de zigzaguear entre afecciones más o menos importantes, relacionadas con nuestras fragilidades innatas o adquiridas, fisiológicas o psicológicas»[7].

Existen pues múltiples experiencias de fragilidades particulares. Pero solo se pueden aislar de manera abstracta del campo total de experiencia de un individuo cuya condición, de principio a fin, es constitucionalmente frágil. Incluso las más elocuentes manifestaciones de la potencia humana se inscriben en un horizonte cuya textura movediza se caracteriza por una propiedad de fragilidad. En todos los niveles, la fragilidad aparece como un concepto que unifica una diversidad de observaciones y de experiencias concretas.

Algunos biólogos señalan que sin la fragilidad del código genético no habría mutación, o sea no habría evolución y nosotros no estaríamos aquí hoy para hablar de ello. Otros, como Marie BALMARY, psicoanalista, afirman que una vida invulnerable sería como una cáscara de huevo tan sólida que no dejaría que el pollito saliera y viviera su vida. Esta metáfora de la cáscara evoca así lo que nuestra vida relacional o política nos enseña que «la fragilidad instaura fallos que rompen el círculo de los repliegues sobre uno mismo»[8].

Podemos decir, pues, que nuestro ser biológico, psíquico, social, incluso político, está marcado por una irreductible fragilidad.

Pero, por supuesto no pretendemos decir que la fragilidad es siempre positiva. Además de la tentación, apuntada anteriormente, de reducir la fragilidad a una de sus manifestaciones o a una categoría específica de personas, hay que evitar un segundo defecto. Si ciertamente, hay que renunciar a un enfoque puramente despectivo y reduccionista de la fragilidad, también hay que huir de la atracción que pueda suscitar una lectura puramente positiva de la fragilidad. Puesto que hay consecuencias detestables y horribles que hay que combatir. Además es aquí donde intervendrá el tipo de cuidado que es la práctica médica.

Por ejemplo, una vez más, subrayamos que a nivel biológico, la fragilidad del código genético por una parte hace posible la evolución,

---

7. Extraído de D. LAMBERT, *Soins palliatifs: quel reflet sociétal? Quelles références éthiques?*, Conferencia pública en ocasión de las festividades del Foyer Saint François, 2009.
8. Extraído de D. LAMBERT, *Soins palliatifs: quel reflet sociétal? Quelles références éthiques?*, Conferencia pública en ocasión de las festividades del Foyer Saint François, 2009.

permitiendo que las mutaciones se produzcan. Si el genoma fuera excesivamente robusto, los organismos no podrían exponerse a ninguna modificación a nivel de su constitución genética. En este caso, no habría evolución, ni historia, ni la aparición de una especie como la nuestra. Pero tampoco hay que olvidar que esta misma fragilidad de las estructuras de transmisión y de replicación del ser vivo es también lo que favorece la aparición de enfermedades genéticas particularmente graves. Otro ejemplo: los psicólogos nos explican que la fragilidad psíquica del ser humano es necesaria como una condición de su estado de salud mental. En efecto, una vida psíquica sana consiste en la búsqueda permanente de una estabilidad interior que siempre permanece potencialmente expuesta al riesgo del desequilibrio y de deformación patológica. Por el contrario, un estado de equilibrio absoluto indicaría que la vida mental se ha cristalizado en una forma patológica y que no puede adaptarse plásticamente a las circunstancias constantemente cambiantes del entorno. El equilibrio frágil de la costumbre y de la inventiva comportamental se sustituye por una forma fija invadida por la repetición de los gestos, el desarrollo de manías, la permanencia de antojos y de sentimientos recurrentes. Entonces ya no se trata de la fragilidad positiva del sujeto con buena salud psíquica, puesto que la vulnerabilidad que aparece aquí en la enfermedad mental manifiesta su negatividad en el debilitamiento de las facultades de adaptación y en el sufrimiento a veces extremo del sujeto. La fragilidad puede ser el objeto de una u otra de nuestras apreciaciones morales por razones del todo evidentes. Si permanecemos en el nivel ambivalente de la fragilidad y de la experiencia interior podemos ir más allá de una ilustración biológica o psicológica al profundizar en la descripción fenomenológica en la aparición de los fenómenos de la fragilidad.

Las experiencias conscientes de fragilidad que encontramos en nuestras vidas humanas nunca son del todo fáciles ni agradables. Remitiendo al carácter potencialmente destructible de todas las cosas, su tono afectivo atañe al orden de la pasividad y a veces pueden despertar angustias de muerte. Cuando surgen en el ámbito de la reflexividad provocan un sentimiento consciente de impotencia, de falta de control en relación a lo que sucede y a lo que nosotros sentimos. Pueden conducirnos negativamente al desaliento íntimo, a la desesperación social o al estigma. Pero, ¿podemos considerar la fragilidad en primer lugar una prueba, a menudo asociada a esta experiencia interior de desestabilización, a veces de sufrimiento?¿debemos prevenirnos de ella o rechazarla? ¿Podemos considerar nuestras situaciones de fragilidad como una riqueza que ayuda a crecer?

Es preciso afirmar que nunca la fragilidad puede ser deseada por ella misma, pero al mismo tiempo es difícil evitar constantemente las experiencias reveladoras de nuestra fragilidad. Esta estrategia de esquivar está condenada al fracaso puesto que estas experiencias siempre nos sobrevienen cuando no nos las esperamos. La fragilidad, que a menudo se manifiesta a causa de una situación, puede aparecer, en efecto, negativamente. Pero también puede ser interpretada positivamente como un principio de retorno que hace consciente al sujeto de la realidad. La experiencia de la fragilidad demuestra que lo real no se identifica con la conciencia del sujeto afectado: las experiencias de situaciones de fragilidad rompen cualquier idealismo. Firman la derrota del racionalismo y de una concepción absolutamente acabada del ser. Al contrario, éste aparece como en íntimo dolor de alumbramiento. La ambivalencia de la fragilidad coincide con esta dolorosa-alegría del esfuerzo que precede al nacimiento. Manifiesta la alternativa del fracaso o del éxito en las figuras que la hacen sensible, en el aspecto de la intuición humana.

1.3. LA FRAGILIDAD COMO LLAMADA AL COMPROMISO HUMANO

Desde el punto de vista de la experiencia humana, las situaciones de fragilidad pueden abrir brechas liberadoras insospechadas y dirigirnos hacia el prójimo gracias al desposeimiento que comporta. Entonces dejan entrever transformaciones profundas. Es lo mismo que hacía decir al viejo Edipo, cojo y ciego: «Cuando ya no soy nada es cuando llego a ser realmente un hombre». Pero también puede replegarnos de nuevo sobre nosotros mismos, romper cualquier impulso de confianza en la vida y abrir las puertas de la angustia y de la depresión. Una vez más, es aquí donde aparece la necesidad de las formas sociales del cuidado y de la interdependencia humana. El cuidado, bajo todas sus formas parentales, educativas, médicas, espirituales, aparece necesario para acoger esta negatividad potencialmente contenida en las experiencias de fragilidad y acompañar el desarrollo de las virtualidades positivamente creadoras que el acontecimiento de la fragilidad puede suscitar en el seno de las relaciones humanas.

La experiencia universal, pero variable, de la fragilidad que apela al cuidado humano no puede, pues, ser tratada nunca a la ligera en la medida en que no es necesariamente buena en sí misma, ni exclusivamente mala. Su apreciación dependerá en parte de la manera cómo sea acogida, trabajada, confiada y asumida. La fragilidad apelará, pues, siempre a una creatividad atenta para construir tejidos relacionales que ofrecen medios humanos para acompañarla e integrar su polaridad ambivalente en nuestra sociedad humana. Suscitará constantemente la responsabilidad moral y política del hombre. En todos los sentidos del término, reclamará continuamente sus recursos creativos. También hay que tomar conciencia de la tentación de un discurso moral esencialista, exclusivamente negativo o ciegamente alabador sobre la fragilidad. La primera constatación a la que estamos invitados precede la evaluación de sus consecuencias positivas o negativas. Se trata ante todo de reconocer que hay originariamente fragilidad en el universo. La fragilidad se inscribe, en un sentido, en un orden de realidad que nos precede, dejando nuestros juicios libres de una apreciación a posteriori negativa o positiva. Sin embargo, esta fragilidad ontológica, inscrita en el ser de las cosas creadas, se expresa en la vida humana a través, por una parte, de la constitución somática original del hombre y, por otra parte, de la diversidad de las experiencias que son las suyas en virtud de su condición real. La respuesta práctica que el hombre despliega en correlación con esta expresión de la fragilidad del ser, pasa, en primer lugar, por la manera cómo se comportará hacia él mismo y en segundo lugar, por las experiencias de fragilidades vividas por sus semejantes.

2. EL CUIDADO

Más allá de la apreciación moral positiva o negativa, a veces ambigua, se impone una constatación objetiva: la fragilidad es una realidad universal. Como reacción, esta fragilidad impone naturalmente estrategias inexorables de compensación que se manifiestan particularmente en la indispensable interdependencia social entre los seres humanos. Aquí se sitúa el acompañamiento del hombre por el hombre, en su fragilidad constitutiva. Pero, ¿qué es esto sino el cuidar? Como respuesta aportada al hecho que apela a la condición frágil del hombre, el cuidado no podría reducirse a una de las dimensiones de esta condición sin que se perdiera la actitud adecuada que requiere la persona humana en todos los aspectos en los que aparece su fragilidad; a nivel psíquico, biológico, psicológico, social, espiritual, cultural y político. No se puede aislar completamente ningún aspecto del cuidado al igual que no es legítimo limitar el punto de vista sobre la fragilidad a uno solo de los numerosos niveles en los que se manifiesta. Allí donde se impone legítimamente un punto de vista de especialista, se impone, no menos legítimamente, una atención holística que califica el horizonte de la relación en el cual se inscribe la competencia, pero también una articulación necesaria de las especialidades en torno a la persona humana. Esta doble exigencia que proviene de la relación del cuidado y de la fragilidad humana, nos permitirá evaluar el alcance de nuestros conocimientos teóricos respecto a un modo específico del cuidado humano: el cuidado médico.

2.1. HACIA UNA DEFINICIÓN DEL CUIDADO

El origen etimológico del verbo cuidar, en bajo latín: *soniare*, significa «ocuparse de...», es un amplio campo que comprende todo a la vez.

Aportar cuidados, en el sentido de esmerarse en restablecer la salud, lo que concierne más a las personas enfermas y a sus cuidadores. Se trata entonces del *cure* de los anglosajones, pero también: cuidar en el sentido de ocuparse del bienestar y del buen estado, acompañar al hombre en su fragilidad, por la compasión, la escucha y la presencia. Aquí ya estamos en el *care* que se aplica a todos y cada uno, del principio al final de la vida, enfermo o en buen estado de salud, que traduce una atención particular que se da al otro. Para realizarse, cualquier persona humana necesita una atención a la vez preocupada y afectuosa prodigada por el otro, que, a su vez, es dependiente de algún otro generoso en la atención.

Esto coincide con las reflexiones de Joan TRONTO. En efecto, el cuidado no consiste ante todo y únicamente en socorrer a los más frágiles. La vida de cada ser humano requiere de otro una atención adaptada a sus aspiraciones. Así pues, no es razonable pensar que los grandes, los poderosos y los ricos hayan llegado a serlo sin el cuidado de tantos otros que los rodean. El reto filosófico de Joan TRONTO consiste en proponer una definición global del *care* que designa como: *una actividad genérica que comprende todo lo que hacemos para mantener, perpetuar y reparar nuestro mundo, de manera que podamos vivir en él lo mejor posible. Este mundo comprende nuestro cuerpo, nosotros mismos y nuestro entorno, todos los elementos que intentamos relacionar en una red compleja, como apoyo a la vida*[9]. TRONTO replantea así el cuidado, no en términos de atención que se da a otros más frágiles, sino como la suerte y el destino común de cualquier individuo humano, para que se conserve, persevere en su ser y despliegue su poder de actuar. Por lo que se refiere al esquema del cuidado, la autora distingue cuatro fases principales que constituyen las diferentes etapas de la práctica del cuidado en general:

La primera fase se preocupa por *caring about,* lo que implica constatar la existencia de una necesidad y evaluar la posibilidad de darle una

---

9. TRONTO Joan, FISCHER Bérénice: *Un monde vulnérable. Pour une politique du care. (Moral Boundaries:* en *Political Argument for an Ethic of Care, 1993),* traducido del inglés por Hervé Maury, Editions La Découverte, París, 2009, p. 143.

respuesta. La segunda fase *taking care of,* o hacerse cargo de..., implica asumir una cierta responsabilidad respecto a la necesidad identificada y determinar la naturaleza de la respuesta que hay que dar. El *care giving,* tercera fase, corresponde al trabajo efectivo a realizar. Implica un trabajo material y exige casi siempre un contacto directo con el objeto del *care.* Y la cuarta fase, el *care receiving,* consiste en acoger el cuidado y la reacción al cuidado; es decir la manera cómo el beneficiario lo evalúa.

TRONTO extrae de estas cuatro fases del cuidado, cuatro elementos éticos: la atención, la responsabilidad, la competencia y la evaluación por el beneficiario del cuidado dispensado, que vendrá a confirmar o a invalidar la calidad del cuidado recibido. Los cuatro elementos, todos esenciales, estructuran el cuidar. En efecto, la práctica del cuidado implica actos detallados, puestos en una disposición de espíritu que lleva a la solicitud y que, idealmente, se supone que deben impregnar todos los aspectos de la vida práctica. Este cuidar concierne al hombre en su totalidad y constituye la contrapartida de la fragilidad de su naturaleza.

2.2. CUIDADO MÉDICO: ESTADO, RETOS Y RIESGOS ACTUALES

Evocar el cuidado médico[10], en nuestra sociedad europea contemporánea, conduce a plantearse, por lo menos, dos preguntas importantes. La primera: una práctica médica que ignorara la fragilidad constitutiva de la persona humana ¿no se expondría a derivas eugenésicas? Y la segunda: una práctica médica sometida únicamente a la sobrevaloración de la simple lógica económica y tecnológica ¿responde a la definición del cuidar, del acompañamiento del hombre en su fragilidad, tal como se ha definido más arriba?

2.2.1. Fragilidad y eugenesia

El eugenismo se define en el Nuevo Diccionario Robert, como la ciencia que estudia y pone en práctica los medios para mejorar la especie humana, buscando o favorecer la aparición de ciertos caracteres, o eliminar las enfermedades hereditarias. Está fundada en los progresos de la genética.

La evaluación de los retos éticos actuales, de la evolución y del estatus contemporáneo de la medicina institucional, conduce a preguntarse si el debilitamiento de los procesos que existen de reequilibrado y de rehumanización del cuidado no exponen a la medicina a nuevas for-

10. ARS Bernard: *The meaning of medicine: the human person.* Kugler Publications, La Haya, Países Bajos, 2001, ISBN: 90-6299-183-1, p. 194.

mas solapadas de derivas eugenésicas. Estas formas serían, por supuesto, incomparables con las que conocieron los dos siglos precedentes. Pero su *modus operandi*, aunque más difuso y facilitado por el consentimiento íntimo del individuo, a nivel del ámbito privado, no estaría menos alentado por las opciones políticas y económicas a nivel social.

En el marco de este pensamiento eugenésico, la práctica médica institucional se desvía radicalmente de su finalidad específica, la del cuidado, destinada a acompañar al hombre en su fragilidad. Ya no se trata de apoyar, ayudar, preservar, proteger la vida, sino de seleccionar individuos útiles para el progreso de una sociedad donde la rentabilidad económica y los procedimientos de gestión son las distintivos. Ya no existirían más que dos categorías de individuos, unos fuertes y los otros débiles.

Esta noción simplista y reductiva de división binaria de la humanidad se sustenta sobre el rechazo categórico del concepto de la existencia de una fragilidad del ser humano constitutiva, intrínseca, común y universal. Privilegiar así los intereses del grupo, en detrimento de la protección de los individuos, conduce a relativizar el valor de la persona humana cuya dignidad será cuantificada en la medida de su capacidad más o menos grande de contribuir al progreso de la especie. En consecuencia, se niega claramente el importante papel que ha jugado en nuestra humanización la protección de los miembros más frágiles de nuestra sociedad humana, así como la preocupación por el respeto de cualquier persona humana, como fin en sí mismo, sea cual sea su estado.

Una práctica médica que ya no vibra en armonía con el cuidado, en otras palabras, que ya no acompaña al hombre en sus fragilidades, ve invertida su finalidad de auxilio en control de la vida.

2.2.2. La alienación de la práctica médica institucional

En cuanto a la segunda cuestión planteada, ¿respeta los cuatro elementos éticos citados anteriormente, es decir: la atención, la responsabilidad, la competencia y la evaluación por parte del paciente?

La sociedad europea contemporánea se caracteriza, sin duda alguna, por un hiperconsumo de bienes, de imágenes y de informaciones. Se somete a los dictados de la industria, de las técnicas y de la mediasfera cada día de manera más servil. La búsqueda desenfrenada de la eficiencia excluye cualquier otro planteamiento, principalmente el del tiempo y de su obra, así como el del sentido. Así, cuando el lema ya no es la salud, sino el lado rentable de la actividad, la preocupación central ya no es el enfermo, sino la cuenta de explotación de la institución de cuidado. El pensamiento mercantilista reduce lo cualitativo a lo cuantitativo, entonces el enfermo está considerado según la tarifa de su enfermedad.

La tecnicidad de la medicina científica tiende a reducir el encuentro médico-enfermo a un inventario de los resultados objetivos de las funciones biológicas esenciales. Sin embargo, el enfermo espera otra cosa del médico. Si bien no es indiferente al sufrimiento de su cuerpo, a la amenaza de una enfermedad que planea sobre su futuro y el de su entorno, también espera del médico que le enseñe a vivir con la enfermedad y que, así, pueda descubrir su sentido.

La Convención sobre los derechos del hombre y la biomedicina, llamada Convención de Oviedo, es el primer instrumento internacional que obliga dentro del ámbito jurídico. Firmado por la mayoría de los Estados europeos, es un instrumento que tiene como objetivo proteger al ser humano en su dignidad y su identidad, y garantizar a cualquier persona, sin discriminación, el respeto de su integridad y de sus otros derechos y libertades fundamentales respecto a las aplicaciones de la biología y de la medicina.

Este tratado parte de la idea que el interés del ser humano debe prevalecer sobre el interés de la ciencia o de la sociedad. Enuncia una serie de principios y de prohibiciones que conciernen la genética, la investigación médica, el consentimiento de la persona concernida, el derecho al respeto de la vida privada y el derecho a la información, el trasplante de órganos, la organización del debate público sobre estos temas, etc.

Aunque estas normas se consideren fundamentales, no siempre tienen la fuerza necesaria para ganar en efectividad sobre otras normas; y, así, aparecen otros sistemas normativos como competidores, incluso como destructores del sistema de derechos del hombre.

Lejos de subestimar sus aportaciones incontestablemente constructivas, sugerimos, dicho de otro modo, que la evolución del contexto económico, tecnológico y jurídico del mundo médico contemporáneo, podría sin embargo conducir a la pérdida del sentido del cuidado. Es lo que nosotros llamamos la alienación del cuidado médico, que surge cuando sus medios sustituyen a su fin, a menudo de forma imperceptible. Esta alienación aparece siempre relacionada con la sobrevaloración de algunas lógicas de comportamientos que no conciernen al cuidado como tal. Ahora bien, el aumento de algunos esquemas de acciones, ajenos en sus fines, al cuidado en general de los que forma parte el cuidado médico, se produce en detrimento de otras actitudes vitales. Este aumento introduce desequilibrios que, cuando no se compensan, corren el riesgo de hacer perder, o desaparecer, las condiciones de ejercicio de la vocación del médico para el cuidado, una llamada al acompañamiento del hombre en su fragilidad.

Los indicios de este desequilibrio aparecen en la doble tentativa, empíricamente observable, de reducir, por una parte, la fragilidad transversal y constitutiva de la persona humana confinándola a uno de los niveles en los que se manifiesta (para limitarla luego a categorías específicas de poblaciones de personas enfermas, minusválidas, dependientes, etc.) y, por otra parte, de proseguir sin reservas una rentabilidad insatisfecha sin cesar que transforma los progresos de la medicina en medios de comercialización de los cuerpos. Reproducción asistida, manipulaciones genéticas, clonación, extracción prematura o abusiva de órganos... eutanasia, terapias mutilantes, se convierten entonces en tantos retos donde se manifiesta la doble tentativa a la vez paradójica de eliminar el cuerpo y de imitarlo, y de apartar al *hombre* enfermo de la medicina institucional para considerar solamente los procesos orgánicos defectuosos que se producen en él.

En su evaluación de los cuidados de salud, la doctora Anne BERQUIN[11], especialista en medicina física y readaptación, señala que la práctica médica se ve obstaculizada por un número impresionante de controles de rentabilidad económica, así como por un conjunto de protocolos y de procedimientos estandarizados, reproducibles y cuantificables, sean las que sean las personas presentes, eliminando así la dimensión propiamente humana y subjetiva.

El doctor Jean-Guillem XERRI[12], médico en hospitales y miembro del Consejo Nacional francés de las políticas de lucha contra la exclusión, presidente de la asociación *Aux captifs la libération,* califica nuestro tiempo en estos términos: «Curiosa época la que quiere hacer del cuidado médico una práctica exclusivamente objetivable, validada por procedimientos y protocolos, que no quiere ver en un sujeto que sufre más que un objeto de ciencia».

En este sistema, ¿qué sitio hay todavía para la vivencia del sufri-

---

11. BERQUIN, Anne: *Les soins de santé, entre standardisation et personnalisation.* Editions Seli Arslan SA, 2009, ISBN: 978-2-84276-151-6, p. 155.
12. XERRI, Jean-Guillem: *Le soin dans tous ses états.* Desclée de Brouwer, París, 2011, ISBN: 978-2-220) 06283-9, p. 244.

miento, del consuelo, de la compasión, de la escucha, del consejo, del apoyo? Para la persona que sufre, el cuerpo no es, ante todo, un espacio que se inspecciona, se palpa, se ausculta, se radiografía y se analiza, sino mucho más, es el lugar donde ella vive.

El cuidado médico contemporáneo no satisface al cuarto elemento de la definición general del cuidado según la profesora TRONTO. La evaluación por parte del beneficiario es negativa. El enfoque técnico del cuidado médico debe asociarse a una atención dirigida a la globalidad de esta persona singular, considerada en la historia de su existencia, en relación con su entorno.

La humanización del cuidado médico, ¿se detendrá en la expresión de derechos? Nuestra sociedad debe hacer frente a una alternativa: un cuidado médico sometido a la mera lógica económica y tecnológica, o bien a un cuidado que asume plenamente sus diferentes dimensiones, técnica, relacional y espiritual. Aquí no se trata de cualquier dimensión espiritual sino de aquella que da un sentido, la que se basa en una visión del hombre en todas sus dimensiones, la que se apoya en virtudes antropológicas compartidas y experimentadas en cualquier existencia, dejando sitio y dando sentido a los más frágiles de nosotros. J.G. XERRI plantea la cuestión en estos términos: «deslumbrados por espejismos tecnológicos, ¿nos convertiremos en seres cosificados, bioinformáticos, miembros de una sociedad de la información en la que solo los más útiles de nosotros tendrán su lugar?, ¿o bien personas dotadas de alma y de profundidad humana, portadoras de fragilidades capaces de gratuidad y dotadas de interioridad?»

Mientras que, por primera vez en la historia, en los aspectos científico y técnico, la humanidad ha llegado a ser apta para aportar un cuidado competitivo, ya es hora de entrar en una concepción holística del cuidado médico.

CONCLUSIÓN

El objetivo de la reflexión inicial era pues doble. Se proponía apreciar el valor otorgado hoy a la fragilidad y analizar algunos retos a los que se expone el cuidado en general y, más particularmente, el cuidado médico. Desde un punto de vista antropológico, la fragilidad humana y el cuidado humano son atributos de la vida humana, lo que los hacen transversales y de carácter universal.

Diversos indicios sugieren que la medicina institucional de hoy se interesa por el cuerpo, por la enfermedad, prioritariamente en relación al enfermo, y que esta prevalencia comporta riesgos eugenistas. Nuestra intención fue mostrar, por una parte, que el médico debe ser perfectamente consciente de que su vocación es la de cuidar un enfermo y no una enfermedad y, por otra parte, que esta vocación se inscribe en la condición humana, intrínsecamente relacionada con nuestra naturaleza frágil.

En torno a la categoría del cuidado, debería confirmarse la comprensión del ser frágil como un *alter ego* de pleno derecho, más allá de sus síntomas y que espera una escucha atenta en su sufrimiento. Esta exigencia procede de la condición universal de fragilidad y de interdependencia de los individuos humanos, sin la cual la sociabilidad humana, sustrato de nuestras realizaciones más altas, sería incomprensible. Dicho de otro modo, cada vez que opera la negligencia hacia este deber, no solo el individuo sino también, nuestra estructura social se ve por completo inevitablemente afectada. Esta es la apuesta que contiene la plena comprensión de las nociones de fragilidad y de cuidado.

PARTE II

LA ATENCIÓN INTEGRAL DE LA PERSONA EN LA ENFERMEDAD AVANZADA

Sufrimiento e identidad personal

FRANCESCO RUSSO

1. LA IDENTIDAD ONTOLÓGICA Y LA TAREA DE AUTORREALIZARSE

Hagamos la prueba de mirar una fotografía de cuando éramos pequeños, recién nacidos o niños. Si se la enseñamos a alguien que no nos reconoce, seguramente diremos: ¡este soy yo! Incluso aunque haya pasado tiempo y hayamos cambiado mucho, no dudamos y pretendemos que tampoco duden los demás.

Esta banal experiencia refleja una verdad antropológica fundamental. La persona humana está constituida al mismo tiempo por una identidad ontológica, que está en la base de sus cambios fisiológicos y psíquicos, y por el conjunto de su recorrido biográfico. Al afirmar «¡este soy yo!» estoy indicando que en mí coexisten la continuidad de mi ser y el dinamismo de mi existencia.

Por eso Romano GUARDINI explica que en el ser humano no se puede hablar de «naturaleza» de la misma manera como se habla de ella para los animales y para las plantas. No porque él esté privado de una esencia que lo constituya y lo defina como tal, sino porque «el existir del hombre no depende del desarrollo de una configuración fundamental depositada en él –como afirman, tanto el individualismo biológico como el idealismo espiritual [...]. El hombre existe en una modalidad diferente, mucho más dinámica y arriesgada: lo que él deber ser se realiza auténticamente solo cuando encuentra a Dios»[1].

Los recientes descubrimientos de la genética y de las neurociencias

---

1. R. GUARDINI, *L'uomo. Fondamenti di una antropologia cristiana*, Opera omnia, vol. III/2, trad. de M. Borghesi-C. Brentari, Morcelliana, Brescia 2009, p. 319.

no desmienten la afirmación de GUARDINI, que evidencian el componente fundamental del dinamismo de la persona, o sea su libertad. La realización de mí mismo está en manos de mi libertad y en este sentido es siempre «arriesgada», no está del todo predeterminada como el crecimiento de un pino o el adiestramiento de un caballo. La primera tarea que cada individuo debe cumplir es el de recorrer el propio camino biográfico, es decir, realizarse a sí mismo de manera auténticamente humana y auténticamente suya. Pero puede fracasar o renunciar.

Quizás alguien puede considerar impropia la referencia de GUARDINI a Dios, acusándolo de sostener *a priori* una posición de tipo confesional. En cambio se trata de una alusión indispensable, por dos motivos. Primero, porque la dinámica del cumplimiento de mí mismo puede desarrollarse adecuadamente solo en relación con una realidad que me transciende, aunque no siempre se llegue a llamarla Dios; en palabras sencillas: para crecer, hay que ir hacia arriba y no hacia abajo. En segundo lugar, en la alusión al encuentro con Dios se indica que para realizarse uno mismo y para forjar la propia identidad es indispensable la relacionalidad.

2. LA ESTRUCTURACIÓN DE LA IDENTIDAD PERSONAL A TRAVÉS DE LAS RELACIONES

Hasta qué punto es decisivo el papel de las relaciones en la estructuración de la identidad personal es, o debería ser, tan evidente que puede bastar con recordar brevemente su necesidad. Al hecho de que el individuo nace con una dependencia ontológica, es decir no se autocrea, se une la constatación de que los otros contribuyen de manera relevante a la configuración de mi yo, no solo desde el punto de vista psicológico sino también fisiológico. Por esto las exageraciones deterministas de algunas posiciones de la genética, se moderan con la llamada biología epigenética, según la cual la presencia de predisposiciones genéticas es un dato interesante pero no suficiente para prever la evolución clínica de un individuo, porque en el desarrollo individual intervienen muchos factores, entre ellos los ambientales y relacionales.

De ahí, que la frase de GUARDINI antes citada toca un punto crucial de la antropología. En efecto, «el hombre no es un bloque de realidad cerrado en sí mismo, o una forma autosuficiente que se desarrolla por virtud propia, sino [...] que existe ascendiendo hacia lo que le sale al encuentro»[2]. La noción de «encuentro» (con la realidad, con los otros y

---

2. R. GUARDINI, *Mondo e persona*, Morcelliana, Brescia 2002, pp. 20-21.

con Dios) es, para GUARDINI, tan relevante que indica la esencia de la persona en el ser-en-relación-a[3]. Las relaciones establecidas a través de los diversos encuentros de nuestra vida nos modelan: somos conscientes de ello en las ocasiones de los que reconocemos como encuentros decisivos, pero su efecto se nota aun cuando no nos demos cuenta.

Esta concepción pone una vez más de relieve el dinamismo y la libertad del ser humano: la existencia de la persona no se desarrolla de modo autárquico y rígidamente preestablecido; incluso en los encuentros más significativos se puede notar el influjo tanto de la tendencia a una edificación positiva de uno mismo como de las tendencias perversas y autodestructivas que anidan en el corazón de cada uno[4].

3. EL SUFRIMIENTO QUE «PONE A PRUEBA»

Las premisas que he querido dibujar rápidamente hasta aquí tendrían que constituir la base adecuada para comprender de qué modo el dolor entra en relación con la identidad personal[5]. Se puede decir que ante el evento doloroso, aunque sea pequeño, pero sobre todo si es grande, cada uno se siente «puesto a prueba», en el sentido que se mide la autenticidad de sus actitudes y de sus relaciones, por consiguiente quedan al descubierto las falsas seguridades y las máscaras del yo, las relaciones fuertes y las verdaderas cualidades personales.

También es posible hablar de autointerrogación de cada uno. Definida como aquel proceso interior que SAN AGUSTÍN describió, en términos autobiográficos, cuando afligido por la muerte de un queridísimo amigo, se atormentaba sin pausa por el dolor: «me había convertido para mí mismo en un gran enigma e interrogaba mi ánimo»[6]. La palabra latina traducida como «enigma» es *quaestio,* que también tiene el significado de indagación o de proceso para aceptar la verdad de los hechos: AGUSTÍN no alude pues a un interrogarse como objetivo en sí mismo o a un encerrarse en uno mismo, sino a un examen atento para verificar quien soy yo, mi origen, mi destino.

---

3. Cfr. R. GUARDINI, *L'uomo. Fondamenti di una antropologia cristiana,* cit., pp. 307-319.
4. Cfr. *ibidem,* pp. 308-309.
5. Aunque sea legítimo hacerlo, en estas páginas no distingo entre «dolor» y «sufrimiento», ya que comparto plenamente la tesis de LE BRETON según el cual «el dolor está siempre contenido en un sufrimiento» (D. LE BRETON, *Expériences de la douleur. Entre destruction et renaissance,* Métailié, París 2010, p. 24). Solo una visión dualista de la persona sostendría una separación neta entre la percepción fisiológica del dolor y su inevitable resonancia interior.
6. SAN AGUSTÍN, *Confessioni,* 4, 4, 9 («factus eram ipse mihi magna quaestio et interrogabam animam meam»).

La aparición del dolor en la propia vida obliga a menudo a un cambio de perspectiva: en primer lugar, cambia la percepción que tenemos de nosotros mismos y a veces se desmorona la imagen de nosotros que nos habíamos forjado y que ostentábamos con jactancia. Como veremos, este cambio algunas veces tiene como consecuencia el que nos aislemos de los otros, bien porque percibimos su distancia o porque tememos su juicio y la falta de comprensión. Pero el proceso provocado por este trastorno puede conducir a una nueva percepción de nuestra singularidad que no excluye la dependencia y la limitación de las que nos damos cuenta con nueva evidencia.

Por consiguiente, intentaré ilustrar algunos pasajes de estas tres fases del itinerario del *homo dolens*.

4. LA METAMORFOSIS EN LA PERCEPCIÓN Y EN LA IMAGEN DE NOSOTROS MISMOS

El contexto cultural actual indica como modelo de la autorrealización personal el individuo eficaz, productivo, brillante en su activismo y en su prestancia física. Y así, cuando sobreviene el dolor, el enfermo tiene la imagen de una entidad extraña que le desmantela desde su interior[7]. Se inicia una metamorfosis, en el transcurso de la cual el sufrimiento es visto inicialmente como una fuerza externa, que actúa amenazadora, puesto que experimentamos que se tambalean aquellos proyectos o aspiraciones que contribuían a construir nuestra configuración personal.

La primera reacción ante el dolor puede ser precisamente la de disponerse a hacer frente a un reto, en el cual estamos llamados a demostrar la propia capacidad de autocontrol y de autodominio. Un síntoma de ello, entre otros, es el modo como a veces se habla de los propios males y del propio dolor[8], con un tono de superioridad y de distancia, que quiere expresar precisamente la capacidad de afrontar con la cabeza bien alta la enfermedad y de no dejarse dominar por ella; se quieren preservar la propia estima y respetabilidad, basadas sobre la aparente invencibilidad. Pero, si la reacción de cada uno no va más allá, nos quedamos en la actitud de la «voluntad de dominio», de la conservación de una imagen de uno mismo caracterizada por el vigor y por la eficiencia. Nos quedaríamos en el nivel de la visión épica de la vida o de

---

7. Cfr. D. Le Breton, *Anthropologie de la douleur*, Métailié, París 1995, p. 25.
8. Cfr. *ibidem*, pp. 156-157.

un estoicismo, que despierta admiración pero no transforma en profundidad el sujeto[9].

En cambio, si nace la conciencia de encontrarse ante una prueba, en el sentido indicado más arriba, la situación dolorosa se ve como una «solicitud de validación de todo lo que existe y más especialmente de interrogación sobre el valor de la existencia»[10], tanto por lo que respecta a la vida individual como por lo que respecta al mundo en el que se vive[11]. Aquí omito los interrogantes que surgen en el que sufre con respecto al mundo y al existir en general, para detenerme en los que conciernen a sí mismo, el modo de percibir y de gestionar su vida, de autorealizarse como persona en la situación bien precisa en la cual se encuentra. Incluso si recibiera exhaustivas explicaciones médicas, el que sufre igualmente sería consciente que no le bastan aquellos datos clínicos, ya que es él el responsable de la actitud existencial con la que afronta incluso una gripe o un mal de espalda. Como observa David Le Breton[12], en el laboratorio o con una investigación sociológica se pueden recoger muchos elementos clínicos o estadísticos, pero se olvidan del miedo, la ansiedad, la sorpresa, la disgregación de la propia identidad, que inevitablemente forman parte de la experiencia del dolor. La observación típica de la técnica, que proviene siempre del exterior, no es capaz de captar la especificidad de lo humano[13].

El sufrimiento nos coloca delante de nosotros mismos. Por esto el psiquiatra Viktor Frankl hablaba de la capacidad de sufrir como de una

9. Natoli retoma en este sentido las referencias a la compostura en el dolor contenidas en el libro X de la *República* de Platón: cfr. S. Natoli, *L'esperienza del dolore. Le forme del patire nella cultura occidentale,* Feltrinelli, Milán 1998[8], p. 110. En cambio, Marcel observa convenientemente que frente a dolor o a la enfermedad «el estoico permanece encerrado en sí mismo: sin duda se fortifica, pero no irradia. Diría que él nos presenta la más alta expresión, el más alto grado de sublimación del "yo". Se comporta –y esto quiere decir ante todo que se orienta interiormente– como aquel que no tiene prójimo, que depende solo de él, que responde solamente de él mismo» (G. Marcel, *Homo viator. Prolegomeni ad una metafisica della speranza,* traducción de L. Castiglione y M. Rettori, Borla, Roma 1980, p. 48).
10. S. Natoli, *L'esperienza del dolore. Le forme del patire nella cultura occidentale,* cit., p. 24.
11. Cfr. *ibidem.*Heidegger evidencia que en determinados momentos de la vida (como la desesperación o el tedio existencial) surge una pregunta radical sobre la totalidad de lo que es y sobre el porqué (cfr. M. Heidegger, *Introduzione alla metafisica,* Mursia, Milán 1979, pp. 13-17).
12. Cfr. D. Le Breton, *Anthropologie de la douleur,* cit., p. 158.
13. Cfr. P. Donati, *Il problema della umanizzazione nell'era della globalizzazione tecnologica,* en P. G. Palla, S. Grossi Gondi (al cuidado de), *Prendersi cura dell'uomo nella società tecnologica,* Edizioni Universitarie dell'Associazione Rui, Roma 2000, p. 48.

conquista, como de un acto de autoconfiguración[14], mostrando que la respuesta consciente al dolor requiere el compromiso de la autosuperación, de quien no permanece aferrado a una imagen de sí mismo que se está desvaneciendo.

Podemos decir que cuando la aparición del sufrimiento pone en dificultad nuestros proyectos y nuestras certezas empíricas, penetra en nosotros el aguijón de la precariedad: nos damos cuenta de que todo está expuesto a la nada[15], incluso nuestras cualidades físicas y las personas que nos son queridas, y constatamos que no escapamos de la ley universal del sufrir. En teoría, deberíamos ser siempre conscientes de ello, pero esta conciencia se adquiere o se reaviva solo con la vivencia personal: cuando nos sentimos vulnerables e inseguros, notamos que disminuye la confianza con la que hemos cultivado nuestro irreprimible deseo de perpetuidad, por consiguiente podríamos concluir que la experiencia del dolor siempre hace referencia, por lo menos implícitamente, a la muerte y por lo tanto a una posición personal respecto a la religión.

A causa de esta relación profunda, los síntomas dolorosos, que cada uno puede reconocer e identificar, a menudo sufren una amplificación: «El sufrimiento reduce de hecho las posibilidades de los individuos, y precisamente por esto se perfila como posible la *conclusión* de cualquier posibilidad»[16]. Esta experiencia del límite destaca todavía más en contraposición con el ideal de productividad imperante en nuestro tiempo, por eso se entiende por qué algunos estudiosos afirman que hoy se tiene más miedo de sufrir que de morir. El dolor se considera un residuo cruel e inútil del que el progreso se tiene que liberar[17].

En cierto modo, podemos afirmar que la confianza absoluta en los descubrimientos tecnológicos ha privado al hombre de los recursos morales y axiológicos para hacerse cargo del dolor; éste está tecnificado, pero esto aumenta la ansiedad del paciente que reclama cada vez con más frecuencia prestaciones médicas[18]. Sin embargo si llegara a faltarle del todo la percepción del dolor, el hombre no solo viviría desconocedor

---

14. Cfr. V. E. Frankl, *Homo patiens. Soffrire con dignità*, Queriniana, Brescia 1998, pp. 77-78.

15. Cfr. S. Natoli, *L'esperienza del dolore. Le forme del patire nella cultura occidentale*, cit., p. 25.

16. *Ibidem*, p. 26. Por su parte Le Breton ratifica: «Todo dolor empuja hacia una metafísica» (D. Le Breton, *Expériences de la douleur. Entre destruction et renaissance*, cit., p. 40).

17. Cfr. *ibidem*, p. 168.

18. Cfr. *ibidem*, pp. 166-167.

de peligrosas patologías, sino que podría quedarse desorientado, porque estaría privado de una experiencia personalísima o mejor dicho personalizante[19].

Esta misma idea la expresa con fuerza MOUNIER en una de sus cartas, donde escribe: «solo queda el sufrimiento para reconciliarse con las cosas y con la propia vida»[20]. Y unas líneas después, aludiendo irónicamente a los docentes de la Universidad de La Sorbona, que hacen ostentación de una postura objetiva, añade: «Y creo que esto es lo que les falta, sobre todo, a estas almas engreídas de profesores: el sacrifico aceptado espontáneamente, o la prueba, que es un sacrificio impuesto a la fuerza. La misma noción, la noción concreta de la miseria humana (como de su verdadera grandeza): no conocen el hospital más que desde el recinto de su comisión de higiene»[21].

El hombre tiene que conocer personalmente el sufrimiento. El propio NIETZSCHE afirmó que el rango (der Rang) del hombre depende de su capacidad de sufrir[22]; el conocimiento de la transitoriedad le ayuda a ser receptivo hacia el otro y a posar la mirada sobre el ser en general[23]. Pero también es verdad que, si se deja a su suerte y sin orientación transcendente y relacional, esta capacidad de sufrir podría transformarse en decadencia, en predilección por lo patológico y en gusto por el sufrimiento, en un secreto resentimiento hacia lo que es fuerte y creativo[24].

Por eso el que se encuentra al lado del que sufre no puede limitarse a eliminar lo antes posible y a toda costa el dolor. Es más, según KIERKEGAARD ni siquiera hay que apresurarse a consolar, mitigando así el momento de la prueba, ni contentarse en obtener una mera resignación[25].

---

19. Una confirmación indirecta de todo lo que acabamos de decir viene de la difusión de las prácticas del *piercing*, que recuerdan los rituales dolorosos y cruentos de algunas culturas: nos sometemos voluntariamente al dolor en búsqueda de una autoafirmación y de una experiencia iniciática (cfr. C. GATTO TROCCHI, *La sofferenza e l'antropologia culturale*, en R. ESCLANDA-F. RUSSO (al cuidado de), Homo patiens. *Prospettive sulla sofferenza umana*, Armando, Roma 2003, pp. 185-190).
20. E. MOUNIER, *Lettere sul dolore. Uno sguardo sul mistero della sofferenza*, Rizzoli, Milán 1995³, p. 25. En otra carta observa: «Hay que sufrir para que la verdad no cristalice en doctrina, sino que nazca de la carne» (*ibidem*, p. 40).
21. *Ibidem*, pp. 25-26.
22. Cfr. F. NIETZSCHE, *L'Anticristo*, in *Opere filosofiche*, trad. di S. Giametta, parte V, p. 435, nota 10.
23. Cfr. R. GUARDINI, *L'uomo. Fondamenti di una antropologia cristiana*, cit., p. 512.
24. Cfr. *ibidem*, pp. 513-514.
25. Cfr. S. KIERKEGAARD, *La ripetizione. Un esperimento psicologico*, Guerini, Milán 1991, pp. 95-97; L. PAREYSON, *Kierkegaard e Pascal*, Mursia, Milán 1998, p. 95.

Y todavía menos, observa MOUNIER, hay que dedicarse a buscar una explicación racional que objetive el sufrimiento en el tentativo de distanciarse de él: «Todas las explicaciones no disminuyen el gran escándalo del sufrimiento. Su grandeza está en la aceptación. No tenemos que intentar disminuirlo con nuestras palabras, y admitir de una vez por todas que el dolor de cabeza más banal es querido por Dios, y es más fecundo que un artículo»[26].

Pero, para comprender mejor el cambio de la imagen de uno mismo, tenemos que volver a la trama de relaciones con el mundo y con los otros, con las que está tejida nuestra identidad existencial o narrativa.

5. EL AISLAMIENTO Y EL TEMOR DEL JUICIO AJENO

Hemos ya señalado la experiencia del sentirse solos respecto al sufrimiento. La frecuente reacción de encerrarse en sí mismo a menudo solo es la consecuencia de sentirse incapaz de comunicar, de la dificultad de hablar adecuadamente del propio dolor. Si bien quizás es exagerado afirmar que «el dolor es un fracaso del lenguaje»[27], en el sentido de considerarlo imposible de contar, tal afirmación subraya, en cualquier caso, que se produce una transformación sensible, puesto que el sufrimiento escapa al lenguaje habitual, tanto verbal, la voz se convierte en grito o lamento, como corporal y gestual, las facciones se deforman y los gestos se descontrolan.

Por otro lado, es una experiencia común que no es fácil informar sobre la propia sintomatología ni siquiera al médico, aunque éste pueda insistir con sus propias preguntas; a veces parece realmente difícil responder a preguntas del tipo «¿Dónde le duele?», o bien ¿Qué siente?, «¿Cómo le duele?». Aunque no pretenda detenerme en las relaciones médico-paciente, por lo menos se puede apuntar que cuando se trata de valorar percepciones dolorosas, ocurre que «el dolor no tiene la evidencia de la sangre que corre o de un miembro roto, exige la sagacidad de la observación o la confianza en la palabra del enfermo»[28]. Este último puede vivir esta dificultad comunicativa como el peligro de que el propio dolor no se reconozca o se crea, por lo tanto la mayoría de las

---

26. E. MOUNIER, *Lettere sul dolore*, cit., p. 43.
27. D. LE BRETON, *Anthropologie de la douleur*, cit., p. 39. Es un aspecto que también recoge S. MORAVIA, *L'esistenza ferita. Modi d'essere, sofferenze, terapie dell'uomo nell'inquietudine del mondo*, Feltrinelli, Milán 1999, p. 37.
28. D. LE BRETON, *Anthropologie de la douleur*, cit., p. 41.

veces no consuela en absoluto oír decir al médico «está todo bien» o bien, «no encuentro nada patológico o fuera de lo normal». Esta afirmación puede conducir al desaliento, porque puede reforzar el sentido de incomprensión y de alejamiento de los otros.

Efectivamente, me parece oportuno observar, siguiendo todavía a Le Breton, que en un cierto sentido el doctor ofrece un reconocimiento social al dolor. Cuando un médico, vinculado con una visión organicista, no encuentra causas orgánicas de los síntomas manifestados y le comunica al enfermo que no tiene nada, éste puede sentirse considerado como un hipócrita y puede concluir que su condición de sufrimiento no es aceptada o reconocida por los otros y por la sociedad[29]. Casi se podría decir que, a fin de cuentas, un diagnóstico asigna al individuo un papel social: «usted es diabético», «usted es hipertenso», «usted tiene artrosis»; son frases que nos hacen sentir enmarcados en una categoría precisa y disipan el halo misterioso de un dolor o de un malestar sin una causa demostrada. A menudo el diagnóstico ofrece implícitamente modelos de comportamiento a seguir, asimilados culturalmente y observados en los otros.

En cambio, cuando somos víctimas de aquello que se define como «dolores rebeldes», puede empezar una especie de peregrinaje de un especialista a otro, con la esperanza que al final un instrumento diagnóstico pueda certificar el fundamento de las propias quejas. La clase médica, entonces, es vista con un sentimiento que es una mezcla de prevención y de desconfianza, mientras que son un consuelo los contactos con otros pacientes que sufren los mismos problemas, conocidos tal vez en las salas de espera de los médicos o en las comunidades virtuales de las páginas web[30].

Volviendo a la expresión ya utilizada anteriormente, la aparición del sufrimiento pone a prueba la red de nuestras relaciones con los otros, en un doble sentido: por una parte nos muestra su consistencia o su autenticidad y por otra las hace menos evidentes y fáciles. Obviamente este cambio depende directamente de lo que modifica la imagen de sí mismo que tiene cada uno: de hecho, determinadas actitudes relacionales del que sufre reflejan conflictos interiores y deseos de autoafirmación. Pero no quiero profundizar en este terreno más estrictamente psiquiátrico. En cambio, quiero recordar la noción guardiniana de en-

---

29.   Cfr. *ibidem*, p. 53.
30.   Cfr. D. Le Breton, *Expériences de la douleur. Entre destruction et renaissance*, cit., pp. 53-55.

cuentro que he mencionado al inicio para subrayar cómo el que sufre tiene más necesidad de encuentros significativos y percibe de manera más viva su constitutivo ser en relación.

Es evidente que determinadas reacciones individuales ante el sufrimiento se transmiten desde la cultura social, en la educación y sobre todo en la familia, siguiendo convenciones sociales y cánones comunicativos. Pensemos en las frases de contenido educativo «tienes que portarte como un hombre», «no tienes que llorar como una niña», que los padres o los parientes repiten al niño[31]; estas exhortaciones indican un papel y una actitud bien precisos que hay que asumir y desempeñar. Lo evidencia también WITTGENSTEIN, el cual, concediendo una atención prevalente al papel de la comunicación lingüística, sostiene que el concepto de «dolor» se aprende a través de las palabras y las exclamaciones de los adultos[32].

Está claro que no hay que atribuir a estos factores socioculturales una fuerza irreprimible, porque las respuestas individuales pueden variar mucho, no solo por las diversas condiciones psíquico-físicas, sino sobre todo gracias a la libertad y a la creatividad. No obstante, es verdad que en la interpretación individual del dolor interviene la mediación de los otros, es decir el modo en que me han enseñado a afrontar las enfermedades y el modo en que he visto sufrir. La inserción en una tradición lingüística históricamente configurada y la pertinencia a un contexto dialogístico (en el sentido que nos encontramos siempre en una relación comunicativa con los otros) permiten reconocer y expresar el dolor propio y ajeno. Por otro lado, con el sufrimiento se experimenta la propia fragilidad pero también se comprenden mejor la fragilidad y el sufrimiento ajeno, se es más capaz de ponerse a la escucha[33].

La mediación relacional conserva a lo largo de toda la vida su importancia. Los operadores sanitarios saben bien cómo es de importante la gestualidad de quien sufre, para reclamar la atención y manifestar la necesidad del cuidado, para sentirse alentados y protegidos por los otros. NATOLI se refiere a las «máscaras» del dolor y evidencia que con la «máscara» adoptada por cada uno el dolor se traiciona y se transmite, en el sentido del verbo latín *tradere*[34]. Aunque no siempre es fácil encon-

---

31. Cfr. *ibidem*, pp. 114-115, 131.
32. Cfr. L. WITTGENSTEIN, *Ricerche filosofiche*, Parte primera, n. 244 y 384, al cuidado de M. TRINCHERO, Einaudi, Turín 1983, pp. 118 y 156.
33. Cfr. D. LE BRETON, *Expériences de la douleur. Entre destruction et renaissance*, cit., p. 72.
34. Cfr. S. NATOLI, *L'esperienza del dolore. Le forme del patire nella cultura occidentale*, cit., pp. 11-13.

trar la comunicación adecuada: el que sufre a menudo oscila entre una actitud de manifestación o de disimulo del dolor, sin saber nunca si ha adoptado el papel correcto. Se instaura una relación singular con la dimensión pública y relacional, una relación que en el caso del ambiente laboral es todavía más complejo[35].

Esto expresa la necesidad de establecer con los otros, en el sufrimiento, relaciones apropiadas o en cualquier caso diferentes de las estandarizadas. Según algunos estudiosos, por ejemplo, el alivio producido en algunos casos por una medicina «placebo» indica precisamente el efecto de la mirada del otro sobre el dolor[36], en el sentido que el producto recibido se convierte en signo de atención, de interés y de solidaridad; esto quita al dolor experimentado la impresión de la absurdidad y, por lo tanto, lo hace parecer más tolerable. Por otro lado, es bien sabido que el dolor llega a ser más soportable cuando es reconocido y comprendido por los otros; la compasión produce alivio no tanto porque el que está al lado pueda asumir una parte del peso del dolor, sino porque nos sentimos amados y mitiga la tristeza del alma[37].

Cuando se sufre, necesitamos no solo ser escuchados, sino también el contacto físico, un signo más tangible de afecto: una caricia, una mano en el hombro, causan un importante consuelo. Así el personaje tolstoiano Iván Illich, venciendo la inicial reticencia y la abatimiento de la enfermedad, consigue encontrar un poco de tranquilidad solo en las atenciones desinteresadas de un joven sirviente y siendo atendido por sus brazos vigorosos[38].

El ser correspondido por alguien cuando se sufre provoca una nueva y particular percepción de nosotros mismos; en un cierto sentido, el contacto físico vuelve a despertar el vínculo materno-filial[39].

---

35. Cfr. D. Le Breton, *Expériences de la douleur. Entre destruction et renaissance,* cit., p. 58.
36. Cfr. D. Le Breton, *Anthropologie de la douleur,* cit., pp. 66-67, 76. Aunque el efecto del placebo sobre el organismo sea clínicamente analizable, éste siempre está relacionado con la actitud del paciente: cfr. P. Zucchi-B. Honings-M. R. Voegelin, *Dolore, fede, preghiera. Compendio di Semantica del Dolore. 11,* Instituto para el Estudio y la Terapia del Dolor, Florencia 2001, pp. 77-79.
37. Cfr. Tomás de Aquino, *Summa Theologiae,* I-II, q. 38, a. 3; se encuentra la referencia a Aristóteles, *Etica Nicomachea,* IX, 11, 1171a 29-1171b 12. Respecto a otros aspectos de la reflexión tomasiana sobre el dolor véase U. Galeazzi, *Il problema del dolore alla luce dell'antropologia di Tommaso d'Aquino,* «Acta Philosophica», f. II, vol. 19 (2010), pp. 321-338.
38. Cfr. L. Tolstoi, *La morte di Iván Il'íc e altri racconti,* al cuidado de I. Sibaldi, Mondadori, Milán 1999, pp. 50-52.
39. Cfr. D. Le Breton, *Expériences de la douleur. Entre destruction et renaissance,* cit., p. 64.

A pesar de que se agudiza la necesidad de relaciones significativas, se cierne el peligro de reaccionar ante el dolor refugiándose en el aislamiento[40], marcado por la autocompasión o por una actitud de rebeldía hostil contra el mundo y los otros. En este caso se agranda el sentido de alejamiento respecto a los otros que están sanos y se percibe una soledad tanto objetiva, ya que el espacio del mundo se restringe, como subjetiva[41].

Además, esta reacción está inevitablemente condicionada por la actitud asumida anteriormente hacia los que sufren y por la manera cómo se ha visto sufrir. Si no nos hemos ejercitado en la compasión hacia el prójimo, a menudo nos volvemos intolerantes hacia nosotros mismos, también porque la relación afectiva con el mundo cambia y surgen la dificultad de tener cuidado de los otros y una mayor irascibilidad. El dolor se escapa de la situación humana ordinaria y este cambio algunas veces se expresa por parte de los parientes con frases del tipo «no sabemos por donde cogerlo», «no sé qué decirle». El que conoce al enfermo lo percibe como diferente y lo trata de manera distinta; el que sufre «vive en el exilio de sí mismo»[42]. En efecto, la enfermedad, con sus secuelas de problemas, puede hacernos insoportables para los otros y el miedo de llegarlo a ser o de que nos juzguen así aumenta notablemente la percepción negativa de la propia situación[43].

Por otro lado, a menudo el que está sano, incluso los médicos o las enfermeras, proyectan sobre el paciente sus propios prejuicios, impidiendo la posibilidad de entender su situación y su auténtico estado de ánimo[44]. De este modo se le atribuye al que sufre una supuesta identidad existencial, consecuencia de una clasificación apriorística. A su vez, esta clasificación apresurada hace todavía más difícil para el que sufre que pueda expresarse de manera adecuada.

Precisamente el riesgo del aislamiento y de la falta de reconocimiento muestra cómo es útil volver a la citada tesis de FRANKL, según la cual la capacidad de sufrir tiene que ganarse. A menudo es precisamente la falta de preparación para afrontar el sufrimiento con sus consecuencias lo que

---

40. Véase el análisis de algunas reacciones ante el dolor realizado por L. LAVELLE, *Le mal et la souffrance*, Plon, París 1940, pp. 94-104.
41. Cfr. S. NATOLI, *L'esperienza del dolore. Le forme del patire nella cultura occidentale*, cit., pp. 20-22.
42. Cfr. D. LE BRETON, *Expériences de la douleur. Entre destruction et renaissance*, cit., p. 60. El sentimiento de alejamiento o de ajenidad de uno mismo se refuerza por la confianza en las competencias técnicas de los especialistas que indagan nuestro cuerpo y deciden su suerte: cfr. *ibidem*, p. 84.
43. Cfr. *ibidem*, p. 48.
44. Cfr. *ibidem*, pp. 83-84.

empuja a encerrarse en sí mismo y en el sentido de fracaso que se deriva de ello; nos sentimos juzgados como una carga o un desecho que hay que esconder o marginar. En cambio, ante una situación que probablemente no está en nuestras manos cambiar, es preciso adquirir la conciencia de que estamos llamados a realizar «valores de actitud», o sea descubrir cómo orientar también el dolor hacia los otros[45].

6. EL RECONOCIMIENTO DE LA PROPIA SINGULARIDAD Y DE LA PROPIA DEPENDENCIA

Me gustaría concluir deteniéndome en dos aspectos de la metamorfosis del que sufre: la experiencia distinta de su singularidad y la de su dependencia.

En primer lugar, el dolor nos individualiza en el sentido que lo percibimos como solo nuestro, nos sentimos insustituibles para afrontarlo. Estamos condicionados por el pensamiento de que solamente nosotros sabemos realmente de qué se trata y sobre todo solo nosotros sabemos cómo y cuanto sufrimos. TOLSTOI lo describe con agudeza en el breve y magistral relato La muerte de Iván Illich, en el que el protagonista gravemente enfermo empieza a percibir que «algo terrible, nuevo, y más significativo que ninguna otra cosa en su vida, se estaba produciendo dentro de él. Y él era el único que lo sabía, todos lo que le rodeaban no entendían o no querían entenderlo, y pensaban que todo, en el mundo, seguía como antes»[46].

Este sentido de separación o de singularización también lo experimentamos cuando nos encontramos ante el sufrimiento ajeno, sobre todo de una persona querida. En estos casos sufrimos al ver sufrir y sentimos una particular impotencia que nos separa del que permanece extraño a nuestro vínculo afectivo: estaríamos más dispuestos a resignarnos si fuéramos nosotros los que sufriéramos, pero nos parece imposible aceptar que no podamos hacer nada para aliviar el dolor de un familiar nuestro.

La singularización que se deriva del dolor y de la medicalización de éste producen un cambio no solo en la percepción del propio yo sino también en la percepción del propio cuerpo[47]. En efecto, nos medimos

---

45. Cfr. V. E. FRANKL, *Alla ricerca di un significato nella vita,* cit., p. 77; Idem, *Homo patiens. Soffrire con dignità,* cit., pp. 104-106.
46. L. TOLSTOI, *La morte di Iván Il'íc e altri racconti,* cit., p. 38.
47. Cfr. S. NATOLI, *L'esperienza del dolore. Le forme del patire nella cultura occidentale,* cit., p. 271. Cfr. también *ibidem,* pp. 14 y 270.

FRANCESCO RUSSO

a nosotros mismos con las imágenes de los estándares de bienestar y de salud que nos indica la sociedad y percibimos nuestro cuerpo como un medio o como un obstáculo para alcanzar o para conservar esta identidad ideal. Nos preocupamos de cómo deberíamos mostrarnos y comportarnos, sobre la base de los modelos propuestos como vencedores por los medios de comunicación, por consiguiente el propio cuerpo es visto sobre todo en función de su proyección al exterior[48].

En el sufrimiento y en la enfermedad la corporeidad parece apartarse de nuestro dominio. Inicialmente, el dolor parecería mostrar un dualismo entre yo y mi cuerpo, pero en cambio se convierte en un signo de la unidad de la persona. En este sentido, el sufrimiento es revelación, una particular autorevelación del cuerpo y de la vida, pero en un sujeto unitario que se redescubre en su integridad.

Es verdad que podría haber una primera reacción de distanciamiento del cuerpo enfermo; en este caso el individuo atribuye los síntomas dolorosos a lo que llama «mis piernas» o «mi espalda», casi para subrayar la diferencia y la distancia entre el yo y el cuerpo en el cual se ha hecho visible el dolor. En el deseo de la liberación del sufrimiento, el cuerpo puede aparecer como un obstáculo y como una carga que está adquiriendo demasiado relieve. De manera aguda Thomas MANN describe la impresión del protagonista de la *Montaña mágica,* que está observando a un joven paciente hospitalizado y sometido a una visita médica, antes de enfermar aquel joven había atribuido una gran importancia a la presencia física, pero «ahora su cuerpo se ha hecho independiente e importante, de manera muy distinta, por medio de la enfermedad. [...] La enfermedad hace al hombre más corpóreo, lo hace todo cuerpo»[49].

El cambio en la manera de percibir la corporeidad se nota, entre otras cosas, en las peculiares manifestaciones del pudor del enfermo.

---

48. Precisamente, a este respecto BIZZOTTO habla del «cuerpo imaginario»: cfr. M. BIZZOTTO, *Il corpo e il volto. Linguaggio, pudore, malattia,* Studium, Roma 2005, pp. 177-180; M. T. RUSSO, en cambio, habla de «cuerpo-piel»: cfr. *Etica del corpo tra medicina ed estetica,* Rubbettino, Soveria Mannelli 2008, pp. 23-28.
49. T. MANN, *La montagna incantata,* traducción de E. Pocar, Corbaccio, Milán 2001[13], p. 165. Es, obviamente, una observación paradójica, que retoma la tesis del personaje en el que MANN simboliza la posición cínico-ilustrada: «Normalmente es el cuerpo el que prevalece, el que aferra toda la importancia, la vida entera, y que se emancipa del modo más desagradable. El hombre que vive enfermo es "solo" cuerpo, esta es la cosa más inhumana e humillante... en la mayoría de los casos no es nada mejor que un cadáver» (*ibidem,* p. 91). Pero esta afirmación paradójica también podría admitir su contrario: «la enfermedad hace al hombre más espiritual», en el sentido que respecto a la dimensión fisiológica el espíritu emerge más y percibimos más su actividad.

128

Está no solo la vergüenza de la enfermedad, de la que a veces no nos atrevemos a hablar, sino también el experimentar que asumiendo la condición de enfermos, se llega en un cierto sentido a ser más visibles o visibles de otro modo. La manera cómo el enfermo expone u oculta los propios síntomas y el propio cuerpo manifiesta el cambio interior de quien debe mostrar o construir una nueva imagen de sí mismo. Lo ilustra bien la conducta del protagonista del relato de TOLSTOI ya citado, que busca, como hacen muchos, minimizar los síntomas de la enfermedad para conservar su autodominio, su posesión, para no dejarse abatir: «hacía un esfuerzo en él mismo para obligarse a pensar que estaba mejor»[50], intentaba refugiarse en el trabajo y procuraba interponer escudos entre él y la enfermedad, para no sentirse observado en los ojos por la eventualidad de la muerte[51].

Esta anotación del escritor ruso nos lleva al segundo y último aspecto de la metamorfosis individual que quería señalar. En efecto, a la nueva emergencia de la propia singularidad se une, en el que sufre, la experiencia transformada de la propia autonomía. Para aquel que habitualmente está centrado en sí mismo y en sus propias prestaciones, la aparición del sufrimiento muestra que somos dependientes de los otros, necesitados de ayuda, aunque a menudo ni siquiera lo queramos admitir.

Nueva singularidad y pérdida de la autonomía van juntas porque en la general tendencia a la uniformidad propia de una sociedad tecnificada, se agudiza, incluso cuando permanece latente, la preocupación de no poder ya comportarse como los otros, de no formar parte de la media. A menudo, entre los primeros efectos producidos por la irrupción del dolor en la propia vida está precisamente el de sentirse excluido del mundo de los que están sanos y son eficientes, del mundo de la previsibilidad y de la eficacia, del mundo de quien es capaz de disfrutar las muchas oportunidades de ganancias, de éxito o de diversión. En cambio, nos damos cuenta de que nos vemos obligados a confiarnos a los cuidados ajenos; sin embargo, la necesidad y la experiencia del cuidado pueden ser fuente de una nueva humanización del individuo.

La evidencia de la propia dependencia y finitud puede convertirse en un punto de partida para superarnos todavía a nosotros mismos[52].

---

50. L. TOLSTOI, *La morte di Ivàn Il'íc e altri racconti,* cit., pp. 36-37.
51. Cfr. *ibidem,* pp. 47-49.
52. Véase el profundo análisis de L. ALICI, *Essere, agire, patire: l'anomalia della finitezza,* en R. ESCLANDA, F. RUSSO (al cuidado de), Homo patiens. *Prospettive sulla sofferenza umana,* cit., pp. 193-210.

Fenomenología del cuerpo enfermo: la doble perspectiva de médico y paciente[*]

XAVIER ESCRIBANO

1. LA DOBLE PERSPECTIVA SOBRE LA ENFERMEDAD

En una entrevista concedida recientemente a la prensa, el médico y especialista en salud pública, Dr. Albert JOVELL, realizaba la siguiente declaración: «he tenido dos carreras de medicina: la vertical como médico y la horizontal como paciente. En la vertical, *ves* la enfermedad; en la horizontal, la *vives*»[1]. En estas escuetas palabras se expresa certeramente la inconmensurabilidad entre dos perspectivas claramente dispares sobre una misma realidad: una cosa es *ver* la enfermedad desde fuera, objetivamente, tomando distancia, instalado en una cierta neutralidad afectiva, y otra muy diferente es *vivir* la enfermedad desde dentro, subjetivamente, es decir, de manera inmediata, sin distancia y con una indudable afectación emocional.

Podríamos decir que en el primer caso se trata de la *perspectiva en tercera persona*, puesto que se trata de la enfermedad de otro, del enfermo, del paciente, que el médico o el profesional de la salud[2] considera o analiza como experto. En cambio, en el segundo caso, se trata de la *perspectiva en primera persona*: cuando la enfermedad de la que se trata es aquella de la que no puedo alejarme, ni mirarla desde fuera, porque

---

[*] Trabajo realizado en el marco del proyecto Antropología de la corporalidad – *Interdisciplinary studies in embodied subjectivity* (UIC 2012-2014). Debo agradecer a Ferran Garcia Querol y a Albert Pérez Bellmunt sus interesantes observaciones y sugerencias a lo largo del proceso de elaboración del mismo.
1. Entrevista en «La Contra» de *La Vanguardia,* 6 de marzo de 2012. Las cursivas son nuestras.
2. Utilizaremos ambas expresiones libremente como sinónimos.

la estoy viviendo yo mismo: me falta distancia objetiva, me encuentro comprometido o atenazado por ella y, en cierta medida, se confunde conmigo y con mi vida. La inconmensurabilidad entre ambas perspectivas, *ver la enfermedad* en tercera persona, frente a *vivir la enfermedad* en primera persona, se debe al hecho de que, si observo la enfermedad desde fuera, entonces no se corresponde exactamente con la enfermedad que yo vivo, mientras que si la estoy viviendo y experimentando desde dentro, no puedo tomar la distancia necesaria para considerarla objetivamente.

Presuntamente, el problema provocado por la discordancia entre esas dos fuentes de conocimiento podría despejarse sosteniendo que la perspectiva objetiva o científica sobre la enfermedad es la única válida, y que la otra perspectiva pertenece al reino de lo subjetivo, de lo confuso, emocional o irracional. De hacerlo así, estaríamos tomando partido simplemente por el tipo de conocimiento proporcionado por la ciencia experimental como *único* saber relevante sobre la enfermedad, mientras que reduciríamos su dimensión vivencial o existencial a mera ignorancia de la verdadera realidad. Por ejemplo, a pesar de que yo tengo cierta experiencia de los colores, un físico podría decir que la verdadera realidad del color consiste en una determinada longitud de onda, (de la que yo, por cierto, no tengo noticia, porque no aparecen ondas ni su longitud en lo que veo). Del mismo modo, mi experiencia personal de una determinada dolencia podría parecer irrelevante ante el hecho incontestable de que tal enfermedad consiste, a los ojos de un patólogo, en determinados procesos bioquímicos en mi organismo, describibles con toda precisión y objetividad. Sin embargo, cabe también tomar otro camino distinto, partiendo de un supuesto completamente diferente: el camino que conduce a la revalorización de la experiencia de la enfermedad, tal como es vivida, tal como se muestra y se aparece desde la perspectiva de la primera persona al sujeto que la padece. Siguiendo esta vía, se trata de interesarse por la experiencia subjetiva de la enfermedad, procurar describirla y alcanzar de este modo una comprensión más profunda de la situación vivencial de un paciente y, así, rehabilitar y legitimar su punto de vista.

Así pues, reconociendo la importancia y el valor insoslayable de la *visión científica* de la enfermedad, sin embargo, en este artículo nos proponemos mostrar algunos elementos que parecen estructuralmente necesarios para comprender la *vivencia* de la enfermedad desde el punto de vista del paciente. Hay que tener en cuenta que no pretendemos adentrarnos en la narración biográfica de un caso concreto, sino que tratamos de describir la estructura de un tipo de experiencia, válida en general para todo individuo en una situación semejante. Para llevarlo a cabo tomaremos como hilo conductor la *experiencia de la corporalidad*, es decir, la experiencia que todos los humanos tenemos de ser personas de carne y hueso, realidades encarnadas, y de relacionarnos con nosotros mismos, con el mundo que nos rodea y con los otros seres humanos a través de nuestro cuerpo. De este modo, podremos comprender fácilmente cómo las modificaciones o transformaciones corporales que implica una enfermedad y que pueden describirse objetivamente (por ejemplo, la pérdida de movilidad en algún miembro), producen correlativamente cambios profundos en el modo de experimentar el propio cuerpo por parte del paciente y en el modo de relacionarse a través de él con las diferentes dimensiones, sean físicas o sociales, del mundo que habitamos[3].

La distinción realizada más arriba entre la enfermedad observada desde fuera, es decir, desde la perspectiva de un observador ajeno y descomprometido, y la enfermedad vivida desde dentro, desde el punto de vista inmediato y directo de quien se haya implicado y afectado por ese proceso, puede aplicarse también al cuerpo humano y la doble manera de experimentarlo. Existe, en efecto, la corporalidad tal como se la describe, por ejemplo, en los manuales de anatomía: es el cuerpo de otro, examinado, analizado y representado desde una óptica externa; y existe también la experiencia de la corporalidad que tiene cada uno de nosotros en tanto que persona de carne y hueso, en tanto que individuo encarnado, que vive su corporalidad desde dentro, de una manera inseparable de la experiencia subjetiva de sí mismo. En el primer caso tenemos la mirada del anatomista, del cirujano, o de todos aquellos profesionales de la salud que dedican sus esfuerzos al estudio del maravilloso organismo humano; en el segundo caso, nos situamos en una óptica diferente, nos trasladamos a la singular vivencia del propio cuerpo, nos instalamos en un nuevo paradigma, el «paradigma del cuerpo vivido», siguiendo la fórmula utilizada por S. K. Toombs[4].

---

3. Existe una descripción magistral de ese conjunto de transformaciones, en el caso de una paciente de esclerosis múltiple, que afectan simultáneamente al dominio y movilidad del cuerpo de la persona enferma, a las nuevas dificultades u obstáculos que presenta el mundo que le rodea y a la modificación de las actitudes de las otras personas respecto a su situación: cfr. S. Kay Toombs, «The body in multiple sclerosis: a patient's perspective», en: Leder, D., *The Body in Medical Thought and Practice*, Kluwer Academic Publishers, Dordrecht, 2010, pp. 127-137.
4. S. Kay Toombs, «Illness and the paradigm of lived body», «Theoretical Medicine», 9, 1988, (pp. 201-226).

Teniendo en cuenta ambas perspectivas, puede decirse que, del mismo modo que una patología implica una modificación en el organismo, tal como es descrito por la anatomía o la fisiología, esa misma dolencia implica una modificación en la experiencia que tenemos del propio cuerpo: aquel miembro o aquel órgano en el que no solíamos pensar apenas, pasa a ocupar un lugar preeminente en nuestra atención, la imagen que teníamos de nuestro cuerpo queda distorsionada, las acciones de las que nos veíamos capaces se estrechan o limitan, las miradas o las actitudes de otros respecto a nosotros adquieren nuevas tonalidades, perdiendo a veces su espontaneidad o naturalidad. En suma, las transformaciones implicadas por la enfermedad no afectan sólo al organismo, sino también a la experiencia de mi corporalidad y –es muy importante hacerlo notar– conllevan un cambio en las relaciones y en los significados del mundo físico, social y humano que me rodea. La enfermedad no sólo afecta al cuerpo como organismo, sino que pone en cuestión o llega incluso a disgregar la unidad vital yo-cuerpo-mundo en la que cualquier persona desenvuelve su vida aproblemáticamente, hasta que la enfermedad, la limitación o cualquier percance de una cierta importancia desvelan la fragilidad de ese sistema y la necesidad de recomponer su unidad perdida. «La enfermedad –sostiene Toombs en el artículo citado más arriba– tiene que ser entendida no simplemente como la disfunción del cuerpo mecánico, sino como el desorden del cuerpo, el yo y el mundo»[5].

El análisis y la descripción pormenorizada del cuerpo humano como realidad física u organismo ha tenido que superar históricamente muchas dificultades, de las que se podrían ofrecer numerosos ejemplos y que corresponde narrar a la épica de la investigación médica. Sin embargo, finalmente, ese proyecto de alcanzar un conocimiento enciclopédico del cuerpo humano ha llegado finalmente a obtener unos resultados asombrosos, entre otras cosas porque los obstáculos que encontraba en su camino eran más o menos extrínsecos, es decir, exteriores al objeto de estudio[6]. Por el contrario, la experiencia subjetiva de la corporalidad

---

5. *Ibid.*, p. 202.
6. Por ejemplo, la disección de cadáveres para su estudio anatómico podía encontrar en el siglo XVI problemas con los que ahora no nos enfrentamos: problemas de tipo instrumental o tecnológico, como la inexistencia de neveras o congeladores para conservar los cuerpos estudiados en buen estado, o problemas de tipo normativo o cultural, como el rechazo social de tales prácticas, que las recluía en un ámbito semiclandestino o marginal. Sin embargo, esas dificultades no pertenecían al objeto de estudio, el cuerpo humano como realidad física, sino a las circunstancias que rodeaban su investigación.

ofrece una resistencia intrínseca a su descripción o explicitación, entre otras cosas porque no es algo que pueda ser diseccionado sobre una mesa de operaciones, ni fotografiado con una cámara digital, ni visualizado ni contrastado físicamente de ningún modo. La experiencia del dolor, por ejemplo, tal como es vivida por una persona, no puede ser captada objetivamente en forma alguna. Se trata de una experiencia vivida interiormente, difícil de traducir en palabras. Por ese motivo, cobra un especial valor un testimonio, por ejemplo, como el de Rafael ARGU-LLOL, en su libro *Davalú o el dolor*, donde el autor emplea un amplio repertorio de imágenes y de metáforas para dar voz a esa experiencia del dolor físico agudo vivido en primera persona que para la mayoría de nosotros sería inapresable o intraducible en palabras[7]. Por lo que respecta a nuestro artículo, para poder superar con alguna garantía esta dificultad, nos serviremos del arte descriptivo de la fenomenología, que examina la experiencia vivida y explicita el sentido que se pone de manifiesto en ella. Así, podremos hacernos cargo, al menos conceptualmente, de las fundamentales articulaciones de la experiencia del propio cuerpo y del ajeno, en las situaciones de salud y de enfermedad, trabajo conceptual que habrá de arrojar luz sobre la especial perspectiva del paciente.

2. LA EXPERIENCIA DEL CUERPO AJENO

2.1. LA PERCEPCIÓN DE LOS DEMÁS EN LA VIDA COTIDIANA

Antes de describir fenomenológicamente la experiencia más compleja y sutil del propio cuerpo, en la que nos detendremos con mayor amplitud, hablemos brevemente de la experiencia que tenemos del cuerpo de los otros, es decir, del modo como se nos da o como percibi-

---

7. Como muestra, puede citarse el siguiente fragmento: «Mientras estoy estirado en la cama, sobre la manta eléctrica, con el hombro derecho apoyado en la tela que quema, imagino varias figuras que representan insólitamente este dolor creciente. Son figuras de crustáceos. La de un cangrejo, un cangrejo gigante, que con las patas recorre el hueso y me penetra con sus diversos tentáculos. Tal vez también la imagen de un pulpo, de un pulpo que se pega, que está pegado, un pulpo que estrangula, asfixia el músculo, el nervio, el hueso. Imágenes de algo que muerde, de un escarabajo que muerde. Son imágenes extrañas, todas ellas de animales. Quizá también haya algún vegetal, algo parecido a una ortiga con espinas. Pero lo más extraño es que, como ya he notado otras veces, el dolor tiene una enorme capacidad de concentrarse egoístamente en un solo punto, en un tramo concreto, en un solo segmento.» Rafael ARGU-LLOL, *Davalú o el dolor*, RBA, Barcelona, 2001, pp. 10-11.

mos la presencia corporal de las personas que nos rodean, comenzando por las experiencias más corrientes y habituales.

Comencemos por el mundo de la vida cotidiana. En las situaciones corrientes, cuando trabajamos en el despacho, nos desplazamos en metro o entramos en algún comercio, acostumbramos a encontrarnos rodeados o en contacto con otras personas, seres de carne y hueso. Podríamos decir que en esas situaciones habituales vemos, nos tropezamos y compartimos ciertos espacios con otros cuerpos humanos. Ahora bien, aunque un cuerpo humano sea una realidad física, no puede decirse que sea únicamente una realidad física lo que estoy viendo en el metro, en la calle o en la oficina. Sería extraño que para decir que «he visto a Ferran» o que «he visto a Laia» dijera «he visto el cuerpo de Ferran» o «he visto el cuerpo de Laia», aunque de hecho estaría diciendo la más pura verdad (porque no puedo ver a Ferran o a Laia sin ver su cuerpo). En la actitud que asumimos generalmente en la vida cotidiana, esos cuerpos humanos no se dejan describir como meros cuerpos, ya que, si lo hacemos así, incurrimos en una extraña abstracción respecto al sentido con el que suele presentarse nuestra percepción de los demás.

No nos sentimos rodeados de cuerpos humanos, más bien vivimos rodeados de personas de carne y hueso, que se mueven, gesticulan, suspiran, hablan, etc. Esa realidad física que es un cuerpo humano vivo, un cuerpo animado de movimiento y de gestualidad, se halla tan impregnado de expresión, de propósitos, intenciones y emociones más o menos patentes, que su desnuda materialidad física, sin dejar de estar allí en ningún momento, queda en un segundo plano, completamente transfigurada o atravesada de parte a parte por el sentido del comportamiento. Estableciendo una posible analogía, podría decirse que ocurre lo mismo cuando leemos un texto literario: vivimos directamente en las historias y personajes de los que nos habla, sin detenernos en las propiedades físicas de las letras o los signos que vehiculan el contenido, aunque las propiedades físicas de los signos deban estar allí, haciendo posible precisamente la transmisión del sentido del texto.

Así, cuando notamos que alguien nos mira prescindiendo de la realidad psíquica de nuestra presencia corporal, hasta llegar a alcanzar el segundo plano de nuestra realidad física, entonces nos sentimos mirados de un modo extraño, incluso un poco agredidos, porque se ha producido un salto del modo de percepción dominante en la vida cotidiana, al que podemos llamar de estilo *personalista*, a un modo de percepción diferente, que podemos denominar de estilo *naturalista*, que es el del anatomista, el del cirujano, o el de aquel que se dispone a calibrar nuestro cuerpo en su roma materialidad. No es extraño que sentirse mirado de ese modo despierte en el sujeto un sentimiento de extrañeza, como le ocurre, por poner un ilustrativo ejemplo literario, en la novela de Marguerite YOURCENAR, al emperador Adriano ante la mirada de su médico personal, el griego Hermógenes: «Es difícil seguir siendo emperador ante un médico –explica Adriano en una carta a su sobrino Marco– y también –añade, de un modo mucho más inquietante– es difícil guardar la calidad de hombre. El ojo de Hermógenes sólo veía en mí un saco de humores, una triste amalgama de linfa y de sangre»[8]. Podría decirse que *el ojo de Hermógenes* ha abandonado la actitud personalista en el momento en que pone en la sombra o deja de atender a la condición de emperador de su paciente, a su personalidad, a su identidad y, en ese momento ha pasado a la actitud naturalista, sacando a la luz lo que habitualmente permanece velado o en un segundo plano: la mera realidad orgánica o física de su paciente. Esta dinámica de las actitudes en la percepción de los otros se halla muy presente en las profesiones relacionadas con la salud, en las que ambas perspectivas, la personalista y la naturalista, se mantienen en una cierta tensión, reclamando la atención debida a su carácter específico.

Sin embargo, la mirada de Hermógenes sobre Adriano no es la mirada que dirigimos a los demás habitualmente. En el contexto de la vida cotidiana no nos tropezamos primero con los cuerpos de los demás y luego, en un segundo momento, les atribuimos una *psique*, un alma o un espíritu, sino que nos encontramos con cuerpos animados o atravesados por un sentido expresivo e intencional, con el que conectamos inmediatamente y que se halla en el primerísimo plano de nuestra atención: no «veo un cuerpo que se acerca», sino que «veo a alguien que quiere decirme algo»; tampoco «veo un cuerpo que se aleja», sino que «veo a alguien que procura evitarme». A la captación de la vida psíquica de otro, a la capacidad de hacerse cargo de lo que otro siente, quiere o le pasa, a la posibilidad de situarse en la perspectiva de otro, en el punto de vista de otro, a partir de su presencia física, la tradición filosófica y psicológica contemporánea le ha llamado «empatía» –sentir *en* otro o *juntamente con* otro–.

En resumen, en nuestra existencia cotidiana, la percepción de los otros seres humanos que nos rodean y nos acompañan, tiene un estilo personalista. La identidad de los rostros, la expresividad emocional de los gestos, las intenciones que se dibujan en los movimientos es lo que

---

8. M. YOURCENAR, *Memorias de Adriano*, Edhasa, Barcelona, 1982, p. 9.

se halla en el primer plano de nuestra atención, lo que captamos inmediatamente y la atmósfera de sentido en la que nos movemos.

2.2. LA PERCEPCIÓN DEL CUERPO DE OTRO COMO REALIDAD FÍSICA

Todo cambia –y ahora nos desplazamos al extremo opuesto–cuando lo que estoy considerando es el cuerpo de Laia o de Ferran, inanimado, tendido sobre la mesa de disección en el laboratorio de anatomía. En este otro caso, llega incluso a carecer de importancia que se trate del cuerpo de Laia o de Ferran, de hecho, parece mejor ignorarlo. En esta situación, resulta también impropio prestar atención a la expresión y al gesto, que se ha convertido en un rictus agarrotado. En el cadáver, una vez ha desaparecido el comportamiento que animaba, daba vida y llenaba de sentido el cuerpo humano vivo, lo que pasa inmediatamente a un primer plano, ante la mirada anatómica, es la materialidad física de los diferentes órganos y partes del cuerpo. Se da, por decirlo así, una revelación de la realidad meramente física del cuerpo, porque ya no hay expresión, intención o ademán que la transfigure o la dote de un sentido de otro orden (emocional, social, simbólico) y se sitúe en el primer plano captando nuestra atención. Puedo recordar, eso sí –como lo hacen algunos profesores de anatomía para lograr una mayor actitud de respeto por parte de sus alumnos hacia aquellos cuerpos humanos– que ese cuerpo pertenecía a una persona, que tuvo una historia, unas vivencias, unos proyectos, unos sentimientos, unas amistades, etc., pero en ese momento estaré vinculando una realidad física (el cadáver) a la evocación de una realidad psíquica que ya no puede captarse o leerse en ella, puesto que ya no la anima, ni la traspasa.

En el caso extremo de esta corporalidad cuyo significado es ya sólo meramente físico, carente de animación y de significación psíquica, la empatía, de la que se hablaba antes, queda completamente bloqueada, porque ya no es posible aproximarse a la subjetividad que gobernaba, animaba o sentía en el cuerpo de otro. De hecho, al poner en relación la visión de un cadáver con la vida consciente que en su día tuvo aquel individuo estoy uniendo mental o intelectualmente dos realidades que ya no pueden percibirse unidas. Como ocurriría, por ejemplo, si se me presentaran los signos inanimados de un lenguaje arcano e indescifrable y nos dijeran que, aunque ahora desconocemos su significado, en algún momento del pasado aquellos signos estuvieron también animados o iluminados por un sentido que los hacía elocuentes, comprensibles; así, del mismo modo, en el cadáver, lo personal queda como residuo, como eco, como reminiscencia: todo aquello fue el cuerpo de una persona, cuya vida emocional, expresiva, activa ocupaba el primer plano y resultaba comprensible ante la mirada de los demás, pero que ahora parece haberse retirado detrás o más allá del conjunto de miembros y órganos que vamos a examinar.

He aquí, en la sala de disección del laboratorio de anatomía, en su estado puro, la mirada en tercera persona sobre la realidad física del cuerpo de otro. Esta es, estrictamente, la única mirada verdaderamente o completamente *externa* al cuerpo de otro. En la actitud personalista siempre se produce, en virtud del fenómeno de *empatía,* una conexión inmediata con las experiencias ajenas y una especie de desplazamiento al punto de vista de otro. En condiciones normales, al otro lo vivo, por decirlo así, *fuera y dentro de mí* al mismo tiempo. La única mirada real y absolutamente *externa* al cuerpo de otro es aquella en la que éste deja de interpelarme y yo dejo de ajustar mi expresión y mi movimiento al suyo.

La carencia de expresión y de comportamiento del cadáver contribuye a considerarlo como un objeto material, una cosa analizable desde una mirada neutral y objetiva, desde fuera. Parece que –y esto es una observación que arroja algunas paradojas– para captar la pura realidad física del cuerpo de otro sea necesario restarle la vida. Podríamos preguntarnos si el estudiante que recibe una formación en el ámbito de las ciencias de la salud *aprende a ver* el cuerpo animado de otro, el cuerpo vivo, a través de sus conocimientos sobre el cuerpo inanimado, el cadáver. Desde una cierta perspectiva crítica con el tipo de desarrollo de la ciencia médica en nuestra civilización, Alain Descamps, autor de un interesante ensayo sobre el hallazgo y configuración de la imagen del cuerpo en las ciencias y en la vida social contemporánea, sostiene que la lucha –a veces heroica– de la medicina por alcanzar la verdad científica sobre el cuerpo humano obtiene como recompensa de su éxito la «toma de posesión» definitiva de la imagen y de los cuidados del cuerpo, pero: «¿... cuál va a ser –se pregunta– el producto de esta apropiación? Infectado por las disecciones, el cuerpo que describe la medicina es una figura objetiva, extensa, exterior. Es sobre todo, y por la fuerza misma de las cosas, una mecánica muerta. Surgido de la observación de los cadáveres, el cuerpo humano nace en el mundo científico como un dato para ser visto, para ser comprendido y para ser representado. Todo lo que tiene de viviente y de vivido se pierde.»[9] La mirada de la medicina occidental sobre el cuerpo humano vivo se forma a partir

9. M.-A. Descamps, *L'invention du corps,* PUF, París, 1986, p. 20.

de la observación detenida y minuciosa de los cadáveres. De ese cuerpo, troceado y desmontado, lo que cabe es hacer el inventario, una enciclopedia infinita, puesto que siempre son posibles observaciones más precisas, secciones más milimétricas, detalles más prolíficos. El despedazamiento anatómico del cuerpo da lugar a la progresiva especialización médica y el *cuerpo sabido* como objeto llega a sustituir al *cuerpo vivido* como sujeto.

La mirada anatómica[10] sobre el cuerpo humano no es, desde luego, la que domina la vida cotidiana y si esa óptica, de repente, de modo inesperado, irrumpiera en medio de nuestro mundo, como ocurre por ejemplo en los provocadores carteles publicitarios de Fumie Sachabuchi[11], lo vivimos con un sentimiento de pasmo o estupor, porque los órganos que describe exhaustivamente la anatomía (las vesículas, apéndices, etc.) se encuentran normalmente velados u ocultos a nuestra mirada, no forman parte de nuestro paisaje. El cuerpo anatómico siempre está ahí, pero de un modo latente, lo sacamos a la luz en un contexto muy restringido y diferente al de la vida cotidiana, con otra mirada, con otra actitud. Como decía plásticamente Joaquim XIRAU: «Nadie podría vivir en presencia del misterio y del horror infinito que lleva tranquilamente en sus entrañas»[12]

Según lo dicho, habría dos modos generales de considerar el cuerpo de otro, es decir, el cuerpo visto desde fuera, en tercera persona: verlo como expresión de la persona, teniendo presente en primer plano el significado de su comportamiento observable, en la actitud personalista, que es el modo que predomina en nuestra vida cotidiana; o verlo exclusivamente como realidad material, en un contexto más restringido, que puede ser el que se da a veces en la actividad del profesional de la salud u otras actividades o actitudes análogas. Así, por ejemplo, una cosa es el entrecruzarse de las miradas en la conversación, y otra cosa es aproximarse al ojo de tu interlocutor, aguantarle el párpado, y ponerle unas

---

10. Lo que yo llamo aquí, muy libremente, «mirada anatómica», ha sido expuesta, desde el punto de vista de su formación histórica y su desarrollo cultural, por Cristóbal PERA en: *Pensar desde el cuerpo* (especialmente capítulo 38. «La primera mirada al interior del cuerpo humano» y capítulo 39. «Ver y mirar el cuerpo: la mirada médica»), Ed. Triacastela, Madrid, 2006.

11. Artista japonesa que hace coincidir en una misma imagen el discurso publicitario convencional, centrado en la belleza y en el atractivo, con la exposición –que puede resultar alarmante o provocadora– de partes o aspectos del cuerpo que permanecen velados habitualmente, a no ser que nos encontremos en la mesa de operaciones de un cirujano o bien en un laboratorio de disección.

12. Joaquim XIRAU, *Obras completas* (Vol. III-2). (Edición de Ramón Xirau), Fundación Caja Madrid y Anthropos Editores, Madrid, 2000, p. 328.

gotas en el lacrimal, mientras te asombras de las venillas rojas que recorren el globo ocular. En el primer caso, el ojo como realidad física está ahí, pero ocupa el fondo y no el primer plano, porque el primer plano lo ocupa la mirada que ese ojo dirige. En el segundo caso, cuando me acerco a ponerle a otro unas gotas en el lacrimal, lo que aparece en el primer plano de mi atención es un ojo sin mirada, un objeto extraño, casi siniestro, que aparece ante mí como si lo viera por primera vez.

Para ver el cuerpo de una persona llena de vida y de expresión como una mera realidad física, he de realizar una torsión de la atención, abstraer de los elementos expresivos, no ver la persona, ver los órganos que constituyen ese organismo. El estudiante de ciencias de la salud se entrena en ese modo de atención y de actitud naturalista desde el momento en que entra por primera vez en una sala de disección o abre un manual de anatomía. Ha de aprender a mirar un cuerpo humano como si se tratara de un interesante objeto que puede visualizarse exhaustivamente y descomponerse en partes hasta llegar a sus elementos más ínfimos.

Cuando un médico realiza un reconocimiento físico en su consulta, se espera de él que mantenga la actitud que hemos denominado naturalista: distancia objetiva, neutralidad afectiva, indiferencia empática, atención a la realidad material del cuerpo (y no a sus aspectos expresivos, emocionales, estéticos). Ante esa mirada personalmente neutralizada, estamos dispuestos a descubrirnos, a mostrar la miseria física de nuestro cuerpo o su intimidad. Se trata de una mirada de experto, que desatiende muchos valores, para centrar su atención exclusivamente en unos pocos. Ya no nos ve a nosotros, en nuestra identidad expresiva y personal, ve un organismo que funciona de tal o de tal otro modo. Pero, curiosamente, antes o después del reconocimiento físico, por decirlo así, también le pedimos al médico que rehumanice su mirada, y que no se fije en nuestro rostro a través de lo que ha aprendido de él en las salas de disección, sino que tenga la mirada de comprensión y de afecto que esperamos de una persona atenta y cordial.

Ahora bien, la necesaria convivencia en una misma persona de ambas miradas, de ambas actitudes y la posible interferencia entre una y otra ofrece algunos puntos interesantes de reflexión, que Paul VALÉRY, en su interesante «Discurso a los cirujanos», no deja de hacernos notar. Para VALÉRY ante la mirada del médico desaparece la apariencia de la persona y se desvela directamente la miseria de los cuerpos. Expresado lírica pero acertadamente, el quehacer del médico es «dilucidar la miseria de los cuerpos, hallar la mísera carne afectada, bajo las apariencias sociales más deslumbrantes, reconocer el gusano que roe la belleza.»[13] El mismo VALÉRY se pregunta, y plantea la cuestión a los propios cirujanos, si quien se ha acostumbrado a desarrollar esa mirada naturalista, quizás luego, llevado del hábito adquirido en su profesión, no es capaz de mirar de otra manera. Se pregunta, por tanto, si ambas miradas, la mirada naturalista y la mirada personalista, pueden convivir pacíficamente en el mismo individuo. Tomando el mismo ejemplo literario citado anteriormente: ¿es capaz Hermógenes de mirar a Adriano con otros ojos que no sean los de la especialidad médica? ¿Son conciliables ambas miradas: la que se dirige al cuerpo como organismo, siguiendo las estrategias para la observación de un objeto, y aquella otra que se dirige a la persona, según las invitaciones de la expresión y la comunicación? Así se lo pregunta también el poeta francés: «¿Cómo, Señores, a veces me lo he preguntado, cómo ese conocimiento tan preciso que tienen ustedes del organismo, las imágenes que poseen de sus regiones más profundas, el contacto habitual, la familiaridad, diría yo, con sus partes más íntimas, y las más conmovedoras por su destino, cómo es posible que no contraríe en ustedes el ser natural...?»[14], es decir, la percepción espontánea o ingenua de los otros individuos humanos.

Según lo que se ha expuesto hasta ahora, la experiencia en tercera persona del cuerpo ajeno presenta básicamente dos modalidades: una de ellas es la mirada que dirigimos cada día a la gente que nos rodea en actitud personalista, y la otra modalidad es la mirada que abstrae o neutraliza los aspectos expresivos del cuerpo humano y dirige su atención a su realidad material y física en actitud naturalista. Poniendo un ejemplo plástico, pensemos por un momento en dos tipos de representación gráfica o artística del cuerpo: un rostro pintado por el artista flamenco Johannes Vermeer, como por ejemplo, *La joven de la perla* (1665), y un grabado representando los músculos faciales representado en *De humani corporis fabrica* (1543) por Andreas Vesalius no son dos objetos diferentes, sino una misma realidad mirada de un modo completamente diferente en cada caso. Vermeer representaría la mirada al cuerpo ajeno de *estilo personalista*; mientras que Vesalio representaría la mirada al cuerpo ajeno de *estilo naturalista*.

3. LA EXPERIENCIA DEL CUERPO PROPIO

Ahora vamos a cambiar radicalmente de punto de vista, nos vamos

---

13. Paul VALÉRY, *Discurso a los cirujanos*, en *Estudios filosóficos*, (trad. Carmen Santos), col. «La Balsa de la Medusa» n° 62, Ed. Visor, Madrid, 1993, p. 165. [Incluido en *Varieté V* (1944) y publicado inicialmente en 1938 por las ediciones de la N.R.F.]
14. Paul VALÉRY, *op. cit.*, pp. 174-175.

a trasladar de la perspectiva *en tercera persona* a la perspectiva *en primera persona;* de la experiencia del *cuerpo ajeno,* a la experiencia del *cuerpo propio.* Desde esta óptica, situados en la experiencia que cada uno tiene de su propio cuerpo, descubriremos que éste aparece en primer término en la conciencia con un peculiar carácter doble. Así como ocurre con la experiencia del cuerpo ajeno, también la experiencia del cuerpo propio presenta una especial complejidad.

En un célebre párrafo de su obra *Ideas II,* Edmund HUSSERL, el padre de la fenomenología, aborda directamente la descripción del fenómeno del *cuerpo propio:* cómo aparece a la propia conciencia, cómo se constituye o se forma su significado, qué rasgos o con qué cualidades se presenta ante mí el único objeto del mundo al cual, y sólo al cual, llamo «mi cuerpo». Citaremos el texto a continuación, porque constituye un lugar clásico en la meditación fenomenológica sobre la constitución de la corporalidad:

> «El cuerpo, por ende, se constituye primigeniamente de manera doble: por un lado es *cosa* física, MATERIA, tiene su extensión, a la cual ingresan sus propiedades reales, la coloración, lisura, dureza, calor, y cuantas otras propiedades materiales similares haya; por otro lado, encuentro en él, y SIENTO "en él" y "dentro" de él: el calor en el dorso de la mano, el frío en los pies, las sensaciones de toque en las puntas de los dedos.»[15]

HUSSERL, tal como se desprende de este párrafo, afronta la constitución del significado de la experiencia de la propia corporalidad destacando su característica más singular: su carácter doble. El propio cuerpo se vive o se experimenta a la vez como «cosa física» con propiedades de cosa material, como por ejemplo su color, su dureza, su temperatura, etc., y como «cosa que siente», con propiedades que no son de cosa material, como por ejemplo el hecho de que en él se localizan sensaciones: frío en los pies, dolor en la cabeza, presión en la punta de los dedos, etc. El cuerpo aparece en su constitución original, a la vez, con propiedades físicas, de cosa material, y con propiedades no físicas, propias de una realidad que siente. Tomando un ejemplo muy simple de la vida cotidiana, podríamos decir que veo la pata de la mesa como veo mi pierna, pero no siento escozor o picor en la pata de la mesa como siento escozor o picor en mi pierna. Mi propia pierna es accesible para mí de una doble manera, como cosa física (color, forma) y como realidad que

---

15. Edmund HUSSERL, *Ideas relativas a una fenomenología pura y una filosofía fenomenológica. Libro II,* (trad. De Antonio Zirión Q.), Universidad Nacional Autónoma de México, 1997, p. 185.

siente (escozor, picor). Esta doble manera de acceder o de experimentar el propio cuerpo hace que ese «presunto objeto» forme parte del mundo de las realidades físicas perceptibles y a la vez sea íntimamente mío y sólo accesible desde dentro. Ese es su peculiar y característicamente único modo de ser. Para simplificar, podríamos hablar de la doble manera de darse el cuerpo propio: como *cuerpo físico* y como *cuerpo sentido*.

Este específico carácter doble de la experiencia del propio cuerpo ya había sido señalado por el filósofo francés Henry BERGSON[16]. En su obra *Matière et Mémoire* destaca la singularidad del cuerpo propio entre cualquier otra realidad de la que pueda tener una imagen, ya que es la única realidad que puede ser conocida desde fuera, mediante las percepciones, pero también desde dentro, por las afecciones[17]. El cuerpo propio se caracteriza por una captación de doble cara, exterior e interior: percepción desde fuera y afección desde dentro. El cuerpo propio se experimenta simultáneamente como *materia* (algo percibido externamente) *que siente* (algo percibido interiormente).

La ilustración más conocida de la tesis de que el cuerpo propio aparece en la experiencia originaria que tenemos de él con un carácter doble, de cosa material y de cosa que siente, es el ejemplo ya clásico propuesto por el mismo HUSSERL de una mano que toca a la otra. Cuando, por ejemplo, los dedos de mi mano derecha palpan el dorso de mi mano izquierda, esta aparece con propiedades de cosa física: es lisa, es suave, es fría; ahora bien, a la vez que mis dedos de la mano derecha tocan mi mano izquierda descubriendo en ella propiedades de cosa física, también estoy sintiendo sensaciones tactiles (de presión, rozamiento, calentamiento) en mi mano izquierda, es decir, puedo localizar determinadas sensaciones en ella. Dicho de otra manera: cuando toco la mano izquierda con la mano derecha tengo sensaciones en la mano derecha que constituyen la mano izquierda como *cosa física,* pero a la vez tengo sensaciones en la mano izquierda que no la constituyen como una cosa física, sino como una *cosa que siente.*

¿Cuál es el relieve de todo este análisis? ¿Qué importancia tiene

---

16. Precisamente ese carácter doble, a la vez exterior e interior, con el que se presenta a nuestra consideración y experiencia constituye el hilo conductor que recorre la reflexión de los más diversos autores sobre el cuerpo –BERGSON, HUSSERL, MARCEL, SARTRE, MERLEAU-PONTY– y delimita un núcleo temático básico de la meditación contemporánea sobre el mismo. El modo de articular y resolver esta incontestable dualidad puede ser variable, pero no deja de subrayar la posición «fronteriza» del cuerpo, su carácter transicional, engarce entre dos mundos, mixtura de materia y conciencia.
17. Henri BERGSON, *Matière et Mémoire,* en *Oeuvres* (Édition du Centenaire), PUF, París, 1959, p. 169.

que el cuerpo propio se constituya originalmente, a la vez, como cuerpo físico y como cuerpo sentido? La respuesta es que esta doble constitución resulta de enorme trascendencia, difícil de imaginar a través de este mero análisis conceptual. Para la conciencia de la propia identidad como personas humanas de carne y hueso, para la integración en la unidad de nuestra persona de la pluralidad de dimensiones de nuestro ser, para que no se produzca ninguna ruptura traumática entre el yo y su cuerpo, es de la máxima importancia que nuestro *cuerpo físico* y nuestro *cuerpo sentido* formen una unidad, que uno y otro lado de la experiencia se den simultáneamente.

Para verlo con claridad y acudiendo a ejemplos concretos vamos a considerar dos casos, dos situaciones límite, en los que se produce una disociación entre el cuerpo físico y el cuerpo sentido. En el primer caso se trata de un cuerpo físico que no es sentido; en el segundo, a la inversa, un cuerpo sentido al que no le corresponde un cuerpo físico. Las consecuencias de esta desafortunada disociación mostrarán por sí mismas la importancia de la simultaneidad de la doble experiencia de la propia corporalidad.

3.1. EL CASO DE «LA MUJER DESENCARNADA»

En su libro *The Man Who Mistook His Wife for a Hat* (1985), Oliver SACKS relata el caso de Christina, una mujer joven, que poco antes de ser sometida a una operación en la vesícula biliar, sufre una extraña pérdida de propiocepción: no siente su propio cuerpo. Aunque su cuerpo físico sigue ahí, lo puede ver y tocar a través de los sentidos externos, como cualquier otra cosa, no experimenta interiormente todas aquellas sensaciones de presión, de roce, de tensión o de contacto, que permiten deducir, por ejemplo, la posición de los pies mientras estamos sentados en nuestra mesa de trabajo y no tenemos de ellos una visión directa. Aunque parezca paradójico, la pérdida del cuerpo como lugar de localización de sensaciones, como cuerpo sentido, le lleva a tener que buscar con la vista sus propios pies, o sus manos, como buscaríamos las llaves, o el teléfono, objetos a los que no nos hallamos conectados por ningún sentido interno. Si tenemos en cuenta que la experiencia de nuestro cuerpo como realidad física, desde fuera, es muy limitada (siempre se da de modo muy parcial y con una perspectiva muy restringida) y que la mayor parte de la información, que se produce constantemente, sobre nuestro propio cuerpo la recibimos a través de ese cuerpo sentido, comprenderemos que Christine se experimente a sí misma como quien ha perdido su cuerpo, como una mujer desencarnada, etérea. Más aún, al poder relacionarse con su cuerpo únicamente desde fuera, a través de la percepción exterior, ha perdido también la unión íntima con su propia corporalidad. Aquella realidad material a la que debe llamar su cuerpo, en realidad se le aparece como un objeto yuxtapuesto a sí misma, algo extraño a lo que se halla exteriormente vinculada o atada. He aquí una ilustración de lo que S. K. TOOMBS llama «the otherness of the body»[18], la *otredad* o la *alienación* del cuerpo.

La *alienación del cuerpo* supone la ruptura de la relación aproblemática con nuestra propia corporalidad. En ese caso nuestro cuerpo se aparece más bien como un objeto que se interpone entre nosotros y los demás, entre nosotros y el mundo que nos rodea. En efecto, ese cuerpo que no siente y que se esconde a mi experiencia interior, como si se hubiera quedado ciego para sí mismo, aparece como una cosa extraña, un objeto físico que ya no tiene la conexión íntima conmigo que tenía «mi cuerpo» y de este modo se acerca más al reino de las cosas, está más de su lado, que del mío. Christine debe reconstruir sus movimientos, su postura, su expresión facial, incluso el tono de su voz, desde fuera, a través de la vista y del oído principalmente. Tras un largo y penoso proceso, consigue una recuperación funcional considerable, pero sigue sin poder vencer la sensación de incorporeidad, de que su cuerpo está muerto, que no lo puede hacer suyo. «Siento mi cuerpo como si fuera ciego y sordo para sí mismo [...] no tiene ningún sentido de sí mismo»[19]. En conclusión, para sentir mi cuerpo como mío, es necesario que se den simultáneamente el cuerpo físico y el cuerpo sentido. Si de mi cuerpo tengo sólo una experiencia externa ¿qué lo distingue de los otros cuerpos, de los que igualmente puedo tener una experiencia externa?

3.2. EL CASO DEL «MIEMBRO FANTASMA»

El caso del «miembro fantasma», una neuropatía que puede afectar a personas que han sufrido la amputación, quirúrgica o accidental, de una parte de su cuerpo, presenta a nuestra consideración un caso exactamente inverso: mientras que una parte del cuerpo físico del paciente ha sido eliminada, sin embargo persiste la sensación de que está todavía presente. Se produce, por tanto, una disociación entre el cuerpo físico, que ha sido profundamente modificado, y el cuerpo sentido, que continúa percibiéndose como íntegro, aunque tal integridad sea ficticia, fan-

---

18. S. K. TOOMBS, art. cit., pp. 214 y ss.
19. Oliver SACKS, «La dona desencarnada», en: *L'home que va confondre la seva dona amb un barret*, Ed. Proa, Barcelona, 2001, pp. 75-90.

tasmal. No es extraño que tales pacientes tampoco se reconozcan en su cuerpo, puesto que éste presenta un aspecto exterior que no se corresponde con su experiencia interior. De nuevo, comparece el propio cuerpo como una realidad extraña, ajena al sentido de la propia identidad[20].

Ambos ejemplos muestran que la vivencia de la identidad y la integridad de una persona no se halla perfectamente establecida y asegurada de una vez por todas, sino que hay situaciones que pueden quebrar o dificultar la vivencia de tal unidad. El propio cuerpo físico, algo tan cercano y tan definitorio de cada uno de nosotros, puede ser vivido según diferentes distancias que van desde la proximidad de una realidad física que a la vez es sentida correlativamente desde dentro, a la extrañeza total de un cuerpo, que veo como un objeto extraño y que no siento en absoluto como mío.

4. EL ENCUENTRO DE DOS MIRADAS

Para aquellos profesionales de la salud que trabajan sobre el cuerpo de otra persona (sean médicos, fisioterapeutas, enfermeros/as, odontólogos/as u otras especialidades) parece, sin duda, relevante el tener en cuenta que aquel cuerpo físico, que ellos con su mirada especializada observan desde fuera, es al mismo tiempo una realidad donde se localizan sensaciones, es decir, es sentida y vivida desde dentro en primera persona. En ese sentido, las perspectivas del profesional de la salud y del paciente son claramente asimétricas, aunque se refieran a una misma realidad. En efecto, el médico y el paciente, atienden o consideran el mismo cuerpo de una manera diferente: el médico, principalmente como cosa física, el paciente: principalmente como cosa que siente. No es que uno y otro no puedan hacerse cargo de la otra perspectiva, pero no atienden a ella de manera directa, sino indirecta o lateralmente.

Por ello, para un paciente puede constituir un motivo de alivio que el profesional de la salud se haga cargo de las posibles sensaciones corporales que él puede experimentar ante su intervención («esto va a doler un poco», «va a sentir un ligero pinchazo», «disculpe, pero mis manos están frías»)[21]. Esta doble perspectiva sobre el cuerpo determina la dife-

---

20. Observaciones interesantes al respecto pueden encontrarse en el trabajo aún no publicado de Rebeca GÓMEZ IBÁÑEZ, «La vivencia de la amputación en pacientes con patología vascular bajo una perspectiva fenomenológica».

21. En un magnífico artículo titulado «Metges amb àngel», una conocida periodista, que padece una enfermedad de larga duración, describe algunas de las cualidades que un médico «con ángel» debe poseer, entre las que se encuentra, por ejemplo, la siguiente: «Si te han de hacer una exploración, se preocupan por si tienen las manos

rencia de roles o de actitudes entre el médico y el paciente: uno es el cuerpo observado por el médico, otro es el cuerpo vivido por el paciente; en un caso se atiende al cuerpo como realidad física, mientras que en otro caso se atiende a lo que en él y a través de él se experimenta.

Por otra parte, las diferencias entre la perspectiva de médico y paciente no se refieren únicamente al grado de atención o desatención respecto al cuerpo vivido, sino también al diferente modo de acceso y tipo de conocimiento sobre el cuerpo como realidad física que tienen el uno y el otro. La representación del cuerpo físico que posee el profesional de la salud, con su mirada naturalista ejercida en tercera persona y su conocimiento especializado, no es la misma que la representación del propio cuerpo como realidad física, del cual siempre se tiene una perspectiva muy parcial y un conocimiento sorprendentemente incompleto. (¿Quién sabe, por ejemplo, el número exacto de dientes que tiene en su boca? ¿O el número de músculos de su antebrazo?). Más aún, la representación del propio cuerpo como realidad física, en sí misma limitada, puede verse aún más constreñida por las limitaciones de la propia enfermedad. Si un paciente desea ampliar la representación de su cuerpo físico debe acudir a la mirada del otro. La atención sanitaria, en este sentido, también puede asumir un valor pedagógico al completar la limitada experiencia del cuerpo físico en primera persona, con la información que adquirimos sobre el mismo cuando lo observamos desde el exterior en tercera persona.

La doble perspectiva de médico y paciente sobre el cuerpo y sobre la enfermedad es dispar, ciertamente, pero la disparidad de perspectivas no las convierte necesariamente en puntos de vista irreconciliables, sino que ambos enfoques pueden entrelazarse y enriquecerse mutuamente a condición de que no se ignoren el uno al otro. Entre la objetivación y la vivencia pueden tenderse puentes que favorezcan una mayor comprensión, tanto de la situación de una persona enferma en toda su singularidad, como de los aspectos más universalizables o generalizables de esa misma experiencia singular, válidos también para otros individuos. Una de las pasarelas fundamentales, por decirlo así, entre ambas fuentes de saber, la objetivación científica y la vivencia subjetiva, es el relato reflexivo y hasta cierto punto literario de la enfermedad tal como ha sido vivida y experimentada por el narrador, de manera que se encuentren las palabras precisas que puedan revelar a los ojos de los que descono-

---

frías y si te han de leer un diagnóstico lo acompañan con un dibujo o una metáfora cotidiana, para que todo el mundo lo entienda.» Tatiana SISQUELLA, «Metges amb àngel», *Diari Ara*, 8/1/2011.

cen tal situación una experiencia que es en sí misma oscura, confusa y difícil de comunicar. De este modo puede alcanzarse un cierto grado de comprensión conceptual o intelectual de una situación que a muchos puede presentárseles como un caos de sensaciones, pensamientos y emociones contrastados. Pero, en la comprensión o conceptualización de la experiencia, cabe ir incluso más allá de la narración reflexiva y ponderada de lo vivido, que se mueve aún dentro del campo de lo biográfico. Por ejemplo, la experiencia del dolor físico, de la limitación de movimientos, o de la dificultad para ejercer ciertos hábitos, etc., sin duda son vividas en un momento y en unas circunstancias que pertenecen a la historia irrepetible de una vida personal, singular en cada caso, pero al mismo tiempo poseen cierta estructura característica, reconocible por los rasgos con que se presentan en la experiencia de quien los está viviendo y que permite identificarlas como experiencias de un cierto tipo general o universal, es decir, ponen de manifiesto una cierta esencia susceptible de descripción. La descripción de ese tipo de estructuras o de complexiones de sentido constituyen el objeto de la fenomenología. Por ese motivo, la fenomenología del cuerpo vivido, en este caso del cuerpo enfermo, nos aproxima a la perspectiva del paciente, no sólo a través del relato en primera persona de su vivencia particular, sino a través del desvelamiento de la estructura de sentido de esa experiencia concreta, válida también para situaciones semejantes vividas por otros individuos. Se trata de un tipo de descripción que nos permite hacernos cargo de lo que significa vitalmente, es decir interiormente, para todo individuo en semejantes circunstancias, el desorden orgánico o funcional que describe la ciencia desde su óptica externa y naturalista.

En definitiva, dada su capacidad para describir la experiencia de la enfermedad tal como es vivida por la persona enferma, no es extraño que, como destaca Havi CAREL, la metodología fenomenológica haya sido especialmente valorada por las investigaciones realizadas en el campo de Enfermería, así como también comience a serlo en el ámbito de la docencia y de la práctica de la Medicina[22]. Un análisis pormenorizado de la doble perspectiva sobre la enfermedad, la del médico y la del paciente, tal como ha sido realizado aquí, pretende poner de relieve la multiplicidad de significaciones que el fenómeno de la enfermedad presenta, revaloriza implícitamente la perspectiva del paciente al dar voz a su experiencia y contribuye a aproximar dos miradas que en lo

_____

22. Havi CAREL, «Nursing and Medicine», en LUFT, S. y OVERGAARD, S., _The Routledge Companion to Phenomenology,_ Routledge, Oxon/New York, 2012, pp. 623-632.

profundo de toda relación terapéutica están llamadas a alcanzar una mutua comprensión.

El cuerpo del paciente, sujeto de la asistencia integral. Hacia una medicina Body-centred

Mª TERESA RUSSO

1. LA IMPOSIBLE OBJETIVABILIDAD DEL CUERPO HUMANO

El interrogante sobre el hombre conduce inmediatamente a la reflexión sobre el valor de su cuerpo. Aquí aparece enseguida una insuperable ambivalencia que encontramos expresada en algunas dicotomías recurrentes también en el lenguaje cotidiano: cuerpo sujeto y cuerpo objeto; cuerpo como ser y cuerpo como haber; cuerpo para actuar y cuerpo para sufrir; cuerpo como recurso y cuerpo como límite.

Aun siendo evidente y tangible, el cuerpo humano constituye, sin embargo, un verdadero nudo problemático: une y al mismo tiempo separa; permite vivir en el mundo, pero también es una insuperable barrera entre nosotros y el mundo; permite vivir y obliga a morir. Es, en síntesis, el lugar donde se manifiesta la energía vital, *potencia de potencias*, o sea condición de cualquier otra posibilidad, pero también motivo de fragilidad y vulnerabilidad, hasta la impotencia absoluta de la muerte.

La particular importancia del cuerpo humano está en el hecho que solo en parte éste es objeto de las ciencias de la naturaleza. La complejidad del cuerpo se debe a su emerger de la naturaleza, a causa de su carácter personal. La conocida categoría de *excentricidad* elaborada casi simultáneamente por los filósofos alemanes SCHELER y PLESSNER desde los años treinta, ilustra bien esta emergencia[1]. Según PLESSNER, los seres

---

1. Cfr. H. PLESSNER, *Il riso e il pianto. Una ricerca sui limiti del comportamento umano*, Bompiani 2000, pp. 64-71. La noción de *excentricidad* fue elaborada por PLESSNER desde 1928 (Cfr. H. PLESSNER, *Die Stufen des Organischen und der Mensch*, Suhrkamp, Frankfurt 1981, pp. 361-363).

vivos se diferencian de los no vivos porque a los primeros se les puede atribuir una «posicionalidad» en la naturaleza. Mientras que lo inorgánico simplemente «está», el ser vivo «se pone», «toma posición» tanto respecto a sí mismo como respecto al otro de sí mismo. El ser humano, como totalidad unitaria de cuerpo, psique y espíritu, se caracteriza por su posición «excéntrica». El animal es «céntrico», porque se encuentra en una estrecha relación de reciprocidad con el entorno y está cerrado en el ciclo vital que hace posible esta relación. El hombre es «excéntrico», porque no solo es capaz de ponerse frente al entorno, habitándolo y transformándolo gracias al propio cuerpo, sino que también es consciente de la distancia entre él y el entorno y de la relación con el propio cuerpo[2].

El cuerpo humano –el propio hombre– es, por lo tanto, naturaleza, pero también más que naturaleza. Como observa el filósofo SPAEMANN, «con *persona* se indica a este ser que toma posición respecto a su naturaleza como respecto a un rol»[3]. Por este motivo, solo refiriéndose al ser humano se puede hablar de cuerpo y también de *corporeidad*. El hombre, de hecho, tiene con él un doble vínculo, que crea una especie de fractura en su existencia: está «provisto» de corporeidad (tiene un cuerpo) y «está» en el cuerpo. El hombre se siente cuerpo, pero también utiliza el cuerpo como instrumento. La excentricidad del ser humano se manifiesta, pues, en la posibilidad de distanciarse del cuerpo, de ser consciente de este y también de necesitar una especie de aprendizaje para sintonizarse con él. Este hiato que el hombre experimenta, denominado por PLESSNER «inmediatez mediata»[4], hace que el hombre sea parte de la naturaleza, pero también capaz de una mediación racional que le induce a reflexionar sobre aquella naturaleza y a afrontarla, también, en caso necesario, modificándola. Es el motivo que explica, por ejemplo, el origen del lenguaje humano o también el vestido: la persona vive conscientemente la propia desnudez y la conceptualiza captando su significado.

Por lo tanto, el cuerpo es para el hombre un don y un deber. Por analogía a lo que sucede con la lengua, se recibe la capacidad de lenguaje, pero hay que aprender la semántica, la gramática y la sintaxis.

---

2. Por su carácter excéntrico, el hombre está «en el» cuerpo, pero también «con» el cuerpo en el espacio (posición central, cuerpo instrumento de la acción, controlado) y al mismo tiempo «es» cuerpo (posición periférica). Cfr. *Ivi*, p. 237.
3. R. SPAEMANN, *Persone. La differenza tra qualcosa e qualcuno*, Laterza, Roma-Bari 2007, p. 25.
4. Cfr. H. PLESSNER, *Il riso e il pianto*, pp. 74-77.

Análogamente, cuando un niño empieza a andar, necesita armonizar el ser cuerpo con el tener cuerpo, puesto que tiene que habitar el espacio y simultáneamente gobernarse a sí mismo. Él se percibe como «dotado de piernas», pero también tiene que aprender a gobernarlas. Por otra parte, las piernas –a diferencia, por ejemplo, de los zancos– responden a su voluntad como parte de sí mismo, o sea él «se siente» también piernas. Respecto al animal, que está totalmente identificado con su cuerpo, el hombre es, pues, inferior en cuanto al control del propio cuerpo, pero superior en cuanto a capacidad de arriesgarse en empresas que superan sus dotes motrices. Observa con humor PLESSNER: «por más briosos que sean, los asnos no se aventuran sobre el hielo»[5], en cambio el hombre se atreva a patinar.

El cuerpo se aprende, puesto que en el cuerpo y con el cuerpo se expresa un «yo» subjetivo, que, sin embargo, no se reduce solamente al cuerpo. Por lo tanto, *corporeidad* indica no simplemente el organismo considerado en su biología, sino el cuerpo del hombre portador de un significado personal, en cuanto lugar de la identidad y condición de expresión de un sujeto que puede auto designarse como «yo» gracias a la trascendencia metafísica del espíritu. De aquí la dignidad del cuerpo humano, que radica en la dignidad de la persona, sujeto único y unitario a pesar de la complejidad de sus dimensiones. La belleza del cuerpo no es, por consiguiente, atribuible a determinadas proporciones o a la simple complacencia estética, sino que es de orden cualitativo. Reside en la capacidad de manifestar el espíritu, que no puede subsistir ni expresarse sin el cuerpo. Pero es una belleza inseparable de la vulnerabilidad y de la percepción del límite. La experiencia de la fatiga, de la enfermedad, del envejecimiento muestran claramente como el cuerpo es un bien frágil, que comunica su fragilidad a la persona entera, y además un bien *indócil,* que opone resistencia a la voluntad o que a veces le exige que se oriente en una dirección distinta[6].

2. LA ENFERMEDAD COMO EXPERIENCIA BIOGRÁFICA

Ya se ha abusado bastante de la frase «no hay enfermedades, sino enfermos». Se oye repetir cada vez más a menudo cuando se desea la así llamada humanización de la medicina. Pero quizá sería más correcto sustituirla con otra: «hay enfermedades en enfermos». Así se salvaría la

---

5. Cfr. *Ibidem*, p. 71.
6. Cfr. P. RICOEUR, *Il volontario e l'involontario,* Marietti, Génova 1990, p. 89 (tít. orig., *Le volontaire et l'involontaire,* Aubier, París 1963).

realidad de las enfermedades, por supuesto no simples nombres sino fenómenos objetivamente observables, pero al mismo tiempo se comprendería que éstas *pertenecen* al enfermo de manera completamente original, entrando a componer la trama de su existencia. En el ser humano, en efecto, la enfermedad no se configura solamente como una simple *reacción patológica,* sino que esencialmente es una *realidad personal* y una *respuesta biográfica.*

La posibilidad de enfermarse, que existe en el hombre como en los otros seres vivos, aparece como una propiedad que podríamos definir *defectiva,* en cuanto carencia, negación de aquel elemento positivo que constituye la salud. Enfermo es aquel que carece de algo y *sufre esta carencia:* hasta aquí no habría una diferencia sustancial entre el animal y el hombre. Pero este último experimenta la enfermedad de manera del todo original: *sufre por causa de esta carencia,* porque es consciente de ella, la percibe como un límite y busca su curación. Para comprender del todo lo que significa estar enfermos, es preciso añadir, o mejor, unir a la consideración del enfermo como *naturaleza,* típica de la medicina de tradición hipocrática, la del enfermo como *persona:* como naturaleza. Él está *sujeto-a* enfermedades, pero como persona es *sujeto-de* enfermedades, es decir se autoposee y posee la enfermedad, porque es capaz de apropiarse de ella positivamente o negativamente[7]. El enfermo no solamente *sufre* o *padece* la enfermedad, sino que puede decirse que la *hace,* la *crea,* con una originalidad en la que se manifiesta el carácter irrepetible de la persona humana.

Por consiguiente, de ninguna enfermedad puede afirmarse que pertenezca a la figura dinámica de una simple «curva vital», puesto que forma parte de la complejidad temática y temporal de una biografía. Por este motivo, más allá y aún antes de tener un significado, ésta tiene un sentido. El sentido, a diferencia del significado, no es el fruto de una elaboración conceptual, sino que tiene el carácter original de una experiencia inseparable de la condición humana –la de ser corpóreos y vulnerables–, que interpela la libertad individual y empuja a tomar posición. Implicando tanto a la corporeidad como a la realidad psíquica y espiritual. Enfermarse se convierte esencialmente en una experiencia inseparable de una conciencia que motiva a actuar en un sentido determinado. La elaboración subjetiva se acompaña necesariamente del hecho que el ser humano se coloca frente a su enfermedad y la coloca

7. Cfr. P. LAÍN ENTRALGO, *El estado de enfermedad,* Madrid 1968, citado en D. GRACIA, *El hombre enfermo como realidad personal,* «Cuadernos de Historia de la Medicina española», 1972, n. 11, p. 134.

frente a los demás. Por esto, el binomio salud/enfermedad se relaciona necesariamente con la realidad del cuidado, que es la respuesta típicamente humana a la demanda de ayuda que el enfermarse conlleva.

Es de particular interés el análisis que el médico y filósofo Pedro LAÍN ENTRALGO realiza sobre la cuestión de la enfermedad como experiencia personal compleja. Él observa que ni la configuración de una enfermedad ni su génesis se consideran como la manifestación de una simple «espontaneidad biológica, sino como la expresión visible e íntima de un acto personal»[8]. Todo esto tiene una repercusión evidente tanto sobre el diagnóstico como sobre la terapia: «todas las notas definitorias de la condición personal del hombre –intimidad, libertad, racionalidad, pertenencia a una comunidad espiritual– deben influir de alguna manera en la *individuatio morbi*»[9].

Esto permite comprender que el enfermo no es solamente *paciente* y *testigo* de la propia enfermedad, sino también, en cierta medida, *agente, actor, autor* e *intérprete* de ésta[10]. Por consiguiente existe una apropiación de la enfermedad que se configura como un verdadero *trabajo*. Por esto, en algunas lenguas, como el francés, usan el verbo *hacer* aplicado al ser afectado por una enfermedad *-le malade fait sa typhoïde-* subrayando el componente activo y reactivo que existe también en el acto del sufrir. Cada enfermedad, de hecho, presenta un aspecto de *afección* y de *creación* personal. El *apego* es el modo, más o menos consciente, cómo el enfermo recibe y hace suya la enfermedad que sufre. Su respuesta *a la* enfermedad en general o a *una* enfermedad en particular es siempre la de una persona «paciente y reactiva», que a través de la aceptación o la rebeldía frente a todo lo que experimenta puede incluso incidir en el cuadro clínico o modificar la eficacia de los cuidados. La *creación* es «la participación original y creadora del enfermo en la génesis de la enfermedad y en la elaboración del cuadro clínico»[11].

La enfermedad es, pues, además de *páthos (passio)*, también *érgon (labor)* y *hermenéia (interpretatio)*[12]: esta se acompaña de una elaboración por la cual, quien no ha ejercitado la propia libertad al escoger la enfer-

---

8. P. LAÍN ENTRALGO, *La historia clínica. Historia y teoría del relato patográfico*, CSIC, Madrid 1950, p. 716.
9. *Ibidem*, pp. 716-717.
10. Cfr. P. LAÍN ENTRALGO, *Mysterium doloris. Hacia una teología cristiana de la enfermedad*, Publicaciones Menéndez Pelayo, Madrid 1955, pp. 55-56; *La relación médico-enfermo. Historia y teoría*. Revista de Occidente, Madrid 1964, p. 318.
11. P. LAÍN ENTRALGO, *La relación médico-enfermo*, p. 397.
12. Cfr. P. LAÍN ENTRALGO, *Mysterium doloris*, p. 55.

medad –*caemos* enfermos–, con todo se siente libre al enfrentarse a ella, formándose un nuevo y distinto conocimiento de sí mismo. Así pues, tanto al reconocer el propio malestar como al apropiarse de él, se manifiesta que el hombre es «corporeidad en el cuerpo». Es un sujeto que se enferma y que puede incluso observar el propio cuerpo enfermo casi desde fuera, puesto que es consciente de sus cambios y se interroga sobre el significado que estos tienen en relación al propio sujeto existencial. Enfermarse es pues un simple hecho o evento, estar enfermos es un verdadero acto humano.

3. EL SILENCIO DE LA SALUD Y LA EXTRAÑEZA DEL CUERPO ENFERMO

«El cuerpo sano habla: sus palabras principales son "aquí", mi cuerpo es lo que espacializa a mi existencia, "ahora", mi cuerpo es lo que me hace vivir mi temporalidad como sucesión de estados y "estás pudiendo", mi cuerpo es, como hemos visto, lo que hace que yo "pueda" algo en mi existencia real, y el "estar pudiendo sin molestia" es el nervio fenomenológico y psicológico del bienestar de la salud. Pero este "decir" del cuerpo sano, sobre ser algo así como una implícita y casi silenciosa música de fondo en el sentimiento de la existencia propia, mueve secretamente al hombre al cumplimiento de su vida personal en el cosmos, con los otros y en el mundo que solemos llamar del espíritu; por tanto, a trascender su propia corporalidad. He aquí el papel de la salud en la vida de hombre: que nos permite contar con nuestro cuerpo para, desentendiéndonos de él, trascenderlo, ir más allá de sus límites»[13].

El «decir» del cuerpo sano, por usar la metáfora de LAÍN ENTRALGO, pasa pues inadvertido, componiendo un telón de fondo silencioso que es la trama de nuestro actuar. El «silencio de los órganos», según la ya clásica definición de salud[14], no es debido tanto al no dolor y a la funcionalidad de estos, cuanto más bien a la ignorancia que caracteriza nuestra relación con el cuerpo sano[15].

La salud vuelve transparente al cuerpo, porque, orientando nuestra atención hacia el exterior, hace posible la coincidencia entre intencionalidad y respuesta corpórea. La experiencia fundamental de la salud se puede definir como la capacidad de «realizar un poder», de ser capaz

---

13. Cfr. P. LAÍN ENTRALGO, *La relación médico-enfermo*, pp. 275-276.
14. R. LERICHE, *Introduction générale; De la santé à la maladie*, en *Encyclopédie Française*, vol. VI, Comité de l'Encyclopédie, París 1936, p. 16.
15. G. CANGUILHEM, *Il normale e il patologico*, Einaudi, Turín 1998, p. 65 (tit. orig. *Le normal et le pathologique*, PUF, París 1975).

de poner en práctica todo lo que se proyecta y se piensa que se puede hacer.

El cuerpo se experimenta como propio porque está al servicio de nuestra libertad, dócil y disponible a la voluntad de actuar, es más siendo lo mismo que ella. Por esta razón la vida cotidiana, aquella en que el *trabajo* del cuerpo se desarrolla sin obstáculos, se *da-por-descontada:* ni siquiera nos damos cuenta de aquel cuerpo que hace posible la acción –escribir, correr, hablar– y nos permite habitar el mundo[16]. Este es el significado de la que algunos filósofos, sobre todo en el ámbito fenomenológico, denominan existencia *encarnada:* no un yo que se sirve de un cuerpo como de un instrumento, sino un sujeto cuyo cuerpo está implicado en todas las experiencias, por consiguiente resulta un punto de vista sobre el mundo más que un objeto cualquiera.

Para tener consciencia del cuerpo, es necesario un acto explícito de reflexión, que haga posible el retorno sobre uno mismo y el conocimiento «desde el exterior» del cuerpo vivido: un conocimiento que, en cualquier caso, no podría nunca prescindir del cuerpo. En este acto es donde emerge la relación particular de identidad-alteridad del yo con el cuerpo: «yo soy mi cuerpo», es decir soy yo quien experimento dolor, calor, frío, pero al mismo tiempo, en un cierto sentido, puedo convertirme en espectador de mi cuerpo que está dolorido, se enfría o se acalora. La enfermedad se introduce violentamente en esta alteridad y la radicaliza: el cuerpo se convierte en mi «enfrente», ya no es transparente, sino opaco, se transforma en el punto de orientación de mi atención, oponiendo una barrera entre mi querer y mi poder de hacer.

La dualidad de fondo –ser cuerpo/tener cuerpo– que caracteriza nuestro ser persona, se hace sentir con mayor fuerza cuando experimentamos el cuerpo no ya como recurso sino como límite: entonces nos damos cuenta que el *tener* un cuerpo para actuar se convierte en un *ser* aquel cuerpo que se niega a actuar. Esto confiere un carácter dual a nuestra existencia, representado por la dialéctica actuar-sufrir, que nos acompaña en algunos momentos de la existencia con mayor evidencia que en otros. La experiencia de la fatiga, de la enfermedad, del envejecimiento muestra claramente cómo el cuerpo es un bien frágil, que comunica su fragilidad a la persona entera. Son los casos en que experimentamos el cuerpo como una resistencia a nuestra voluntad.

En la situación de enfermedad, aparece, pues, evidente que la pose-

---

16. Cfr. M. CHIODI, *L'enigma della sofferenza e la testimonianza della cura,* Glossa, Milán 2003, p. 87.

sión del propio cuerpo no equivale a un dominio total, puesto que no podemos disponer de él sin depender íntimamente de los efectos que se derivan. P. Ricoeur ha ejemplificado eficazmente esta dialéctica entre *práxis* y *páthos*, o sea entre actividad y pasividad, con la expresión: «yo sufro este cuerpo que gobierno»[17]. Cada vez que una enfermedad o una situación de cambio físico, un momento de crisis, intervienen para modificar la relación *ser-tener*, que existe entre cuerpo y espíritu, se experimenta una ruptura de la unidad personal y una opacidad de nuestro cuerpo.

Es en esta vivencia compleja, o mejor, en este conjunto de vivencias, que consiste lo que Laín Entralgo define el «sentimiento genérico de estar enfermo»[18]. Las observaciones del médico-filósofo español pueden constituir un interesante *fil rouge* para seguir, para obtener una comprensión más profunda de la diversa percepción de la corporeidad en la enfermedad. Nos ha parecido útil poner al lado de su reflexión otra que es fruto de una experiencia autobiográfica: el análisis fenomenológico del cuerpo enfermo elaborado por la filósofa estadounidense S. Kay Toombs, de veinticinco años enferma de esclerosis múltiple.

4. ANÁLISIS FENOMENOLÓGICO DEL CUERPO ENFERMO

La vivencia fundamental que caracteriza la experiencia del cuerpo enfermo está constituida, como se ha dicho, por el sentimiento de invalidez, o sea la incapacidad más o menos parcial para llevar a cabo alguna de las funciones o de las acciones de la vida cotidiana[19]. La invalidez que el enfermo experimenta en su cuerpo es el sentimiento de la imposibilidad: de mover piernas y brazos como querría, de modular la voz, de escribir, de correr[20]. Se trata de un *no-poder hacer* parcial, si se considera

---

17. Cfr. P. Ricoeur, *Sé come un altro*, Jaca Book, Milán 1993, pp. 433-441 (tit. orig. *Soi-même comme un autre*, Ed. du Seuil, París 1990).
18. P. Laín Entralgo, *La relación médico-enfermo*, p. 273.
19. Cfr. *Ibidem*. En Francia, las mismas cuestiones son abordadas, unos años antes, por M. Merleau-Ponty en el ensayo *Phénoménologie de la perception* (1945).
20. Así describe Luca Pulino, 36 años, la vivencia de la invalidez relacionada con una enfermedad neurodegenerativa: «Es por la mañana y os acabáis de despertar. Estáis felizmente tendidos sobre vuestra cama, pero es hora de levantarse. Imaginad ahora que todos vuestros músculos, a pesar de vuestros esfuerzos, permanecen paralizados. No conseguís mover los brazos, las manos, los pies. Entonces intentáis gritar para pedir ayuda, pero en el momento en que lo hacéis os dais cuenta que lo que sale de vuestra boca es solo un débil sonido gutural que no tiene nada que ver con la palabra. Esta es la esclerosis lateral múltiple». Cfr. M. Pandolfi, *Liberi di vivere*, Ares, Milán 2008, p. 13.

que la muerte representa el *no-poder hacer* total. Por esto, la medicina griega definía también la enfermedad como *asthéneia*, la latina *infirmitas*, que subrayaba la ausencia de energías y de validez. LAÍN ENTRALGO observa que el sentimiento psíquico que la acompaña es la *diselpidía*, es decir el «no-poder esperar», el debilitamiento de la esperanza, que caracteriza, en cambio, el ritmo normal de la existencia humana.

La vivencia de *molestia* se caracteriza como un malestar, vago e indeterminado todavía antes de ser localizado en una parte del cuerpo, que se acompaña de reacciones psíquicas como el ansia, la apatía, la desgana, la depresión. Puede ser *sucesivo* a la vivencia de la invalidez, como reacción a la conciencia de la imposibilidad de realizar alguna cosa o bien *inmediato*, como efecto directo de los malestares –el dolor, los vértigos– producidos por la propia enfermedad[21].

La *amenaza* es el sentimiento que se acompaña a la percepción del peligro de morir. En cierta medida, esta pertenece a la misma existencia humana, porque «sentir la propia vida es también, de un modo u otro, sentir la posibilidad de la propia muerte»[22]. Sin embargo, la enfermedad comporta una agudización y una radicalización de este sentimiento. Se trata del temor de un peligro que no tiene siempre un carácter objetivable, a nivel anatómico o fisiológico: es más bien la vivencia propia de una situación que se percibe como existencialmente peligrosa, como el síntoma de una fragilidad radical. El que está enfermo siente que la enfermedad amenaza la posibilidad de realización de los propios proyectos y, por consiguiente, del propio estar en el mundo en el sentido pleno. LAÍN ENTRALGO define esta situación, en el caso más extremo, como «muerte biográfica», que, sin ser biológica, frustra el deseo de vida del enfermo o su deseo de una vida diferente de la que la enfermedad le permite.

Si el cuerpo es el que me permite ex-istir, es decir estar *al* y *en el* mundo, cada cambio en el cuerpo es simultáneamente un cambio en el mundo. La *succión por el cuerpo*, que se puede también definir *reducción al cuerpo*, es una especie de revolución copernicana de nuestro sistema existencial. En el centro del sistema ya no está el mundo, o sea un lugar externo para habitar, conquistar, modificar, sino el cuerpo, como un agujero negro que absorbe toda nuestra energía y atención. Así se expresa PLESSNER, refiriéndose a los efectos del dolor para el cuerpo enfermo: «En el dolor estamos indefensos, rechazados en el propio cuerpo de tal

---

21.   Cfr. P. LAÍN ENTRALGO, *La relación médico-enfermo*, p. 274.
22.   *Ibidem*, p. 275.

manera que ya no es posible encontrar una relación con él. La zona dolorida parece extremadamente extendida y parece superponerse y sustituir a las zonas restantes. Entonces solo somos dientes, cabeza, barriga. Ardiendo, perforando, incidiendo, punzando, pulsando, atormentando, atenazando o causando fibrilación, el dolor actúa como una irrupción, una molestia, una desorientación, como una fuerza que se agita en una inmensa profundidad.»[23]

LAÍN ENTRALGO utiliza una comparación eficaz. El cuerpo sano aflora a nuestra conciencia «desde arriba», a través de la libertad que él nos permite experimentar, del mismo modo en que el pavimento de una habitación oscura se ilumina gracias al cono de luz de una ventana del techo. En el caso de la enfermedad, en cambio, la situación es bien distinta: «mi cuerpo, en tal caso, se me hace localizada y cualitativamente patente desde él mismo y como consecuencia de un proceso que para mí se halla dotado de forzosidad incomprensible. Quiéralo yo o no, mi cuerpo, cuando enferma, se me enajena, me llama hacia sí con voz insólita y doliente, se subleva contra mí como un personaje en busca de un autor. No es ahora el suelo oscuro que parcialmente va iluminando la lumbre de mi intención, sino la inesperada presión o el vacío insospechado que el temblor de tierra en la oscuridad pone sobre mí. Lo cual me fuerza a vivir pendiente de la sensación de mi propio cuerpo. Vivo entonces, en definitiva, sorbido por mi cuerpo, obligado a verterme psíquicamente hacia él»[24].

La consecuencia es tanto cognoscitiva como práctica. El conocimiento que una persona sana tiene del propio cuerpo, es un conocimiento por familiaridad: sabe que tiene un cuerpo, pero no lo pone en el centro ni lo escruta, simplemente cuenta con él. En cambio, en la enfermedad, el cuerpo se convierte en un desconocido y cuanto más se concentra nuestra atención en este objeto, más este se nos hace extraño. Lo ejemplifica irónicamente el chiste del ciempiés: cuando se le preguntó qué hacía la pata novecientos veintiuno mientras avanzaba hacia delante la pata trescientos dos, el animal ya no consiguió moverse más.

Nuestro saber del cuerpo es también un saber a través del cuerpo, que comporta una especie de confianza de su co-pertenencia al mundo: el espacio, como observa MERLEAU-PONTY, no es un espacio objetivo ni siquiera el fruto de una representación, sino que «está trazado en la

23. H. PLESSNER, Il riso e il pianto, p. 203.
24. P. LAÍN ENTRALGO, La relación médico-enfermo, p. 276.

estructura de mi cuerpo, es su correlativo inseparable»[25]. Los dedos de un pianista conocen el teclado y lo dominan sin que sea necesario un acto explícito de reflexión; lo mismo pasa con los pies del que conduce un coche o con los dedos de una mecanógrafa[26]. En el enfermo, la ruptura de esta confianza comporta una progresiva inseguridad y la necesidad de un constante control de las propias capacidades, lo que frena la acción y expone mucho más al riego de dar un paso en falso.

Desde el punto de vista práctico, un mundo que el cuerpo lleva hacia nosotros, permitiéndonos habitarlo, se considera una tarea, mientras que un cuerpo que hay que *llevar al mundo* representa una fatiga existencial. Para un nadador experto el agua es mundo y tarea, como espacio para habitar y materia para dominar: pero si le coge un calambre, el líquido elemento se transforma en un lugar hostil donde el cuerpo se convierte en un obstáculo que se añade al otro obstáculo que constituye el agua.

El espacio del cuerpo es siempre un espacio intencional: no solo nos percibimos en el interior del mundo, sino que nos movemos hacia él y lo organizamos en base a nuestros proyectos. Todos los objetos que encontramos en el mundo, por consiguiente, son igualmente invitaciones para llevar a cabo acciones corpóreas. Por ejemplo, una pluma se nos presenta como «un instrumento para escribir» o como «algo que se guarda en un cajón del escritorio», lo mismo una escalera, una silla, etc. El mundo siempre se comprende en los términos de su habitabilidad, es decir siempre llevado hacia nuestra intención de actuar, que es inseparable de la posibilidad de modificarlo: en la acción de alargar la mano hacia una taza está la intención de llevárnosla a los labios para beber.

El espacio físico es siempre para el cuerpo un espacio orientativo y funcional para los proyectos que se quieren realizar. Nuestras posiciones en el espacio no constituyen simples colocaciones objetivas, sino que son expresiones de nuestros objetivos y de nuestras intenciones. Por ejemplo, un pasillo estrecho por el que tenemos que pasar representa una especie de «potencialidad limitada» para nuestro cuerpo, que exige una modificación de las propias acciones y una adecuación de los movimientos.

Para Toombs la condición ontológica del enfermo se manifiesta en cinco fundamentales experiencias corpóreas: «a loss of wholeness, a loss

---

25. Cfr. M. Merleau-Ponty, *Fenomenologia della percezione*, Bompiani, Milán 2003, p. 197 (tit. orig. *Phénoménologie de la perception*, Gallimard, París 1945).
26. Cfr. *Ibidem*, p. 197.

of certainty, a loss of control, a loss of freedom to act and a loss of the familiar world»[27].

Por lo que respecta a esta última, observa que la enfermedad, sobre todo las que causan alteraciones motoras, modifica profundamente la experiencia del espacio. Por ejemplo, ancla el cuerpo a la dimensión del «aquí» y cambia la percepción de alto/bajo o cerca/lejos[28]. La respuesta a la pregunta «¿está cerca?» depende en gran parte de las dificultades que se interponen entre el aquí y el allí. La pregunta si en un trayecto hay escaleras o subidas puede resultar de escasa importancia para una persona sana y puede darnos una respuesta imprecisa o poco fiable. TOOMBS explica lo que le sucedió a un ciclista que, al preguntarle a un automovilista que le describiera el estado del terreno de un cierto recorrido, este último le aseguró que no tenía subidas. Pero el ciclista, una vez en su bici, había podido descubrir todas las cuestas que el automovilista había ignorado totalmente.

La filósofa, basándose en su experiencia de enferma, también analiza las consecuencias de la desestructuración de la relación cuerpo/mundo por lo que se refiere al mundo como lugar intencional[29].

Todos los objetos que nos rodean y que utilizamos distraídamente se convierten en problemas manifiestos para el cuerpo discapacitado. Para el que tiene temblores, una taza de caldo no es simplemente «algo para beber», sino que se convierte en un problema que tiene que resolver y que el sano ni siquiera ve. ¿Cómo llevarse la cuchara llena de líquido a los labios, sin verterlo todo? Una puerta giratoria para el que tiene problemas motores no es «a device to be opened», sino «an obstacle to be negotiated with care» si vas en silla de ruedas o si andas con muletas. «Ordinary things» –observa la pensadora– asume «a maddeningly resistant quality»[30]. Y continúa: «attempting to put panti-hose on immobile legs requires the most elaborate contortions and exceptional patience!»[31].

A medida que la funcionalidad del cuerpo cambia, hay que desarrollar modalidades alternativas de interactuar con los objetos, que parece

---

27. S. Kay TOOMBS, *The Meaning of Illness. A Phenomenological Account of the Different Perspectives of Physician and Patient*, Kluwer, Dordrecht 1993, p. 90.
28. S. Kay TOOMBS, *Reflections on bodily change: the lived experience of disability*, en S. Kay TOOMBS (ed.), *Handbook of Phenomenology and Medicine*, Kluwer, Dordrecht 2001, p. 248.
29. *Ibidem*, p. 250.
30. *Ibidem*.
31. *Ibidem*, p. 251.

que nos planteen retos. Desde este punto de vista, existe una diferencia radical entre quien no ha tenido nunca ciertas habilidades y quien las ha perdido progresivamente, porque este último busca continuamente nuevas modalidades de medirse con el mundo. Buena parte de la incertidumbre experimentada en las enfermedades neurodegenerativas se relaciona con el hecho que se debe aprender constantemente cómo negociar con el mundo circundante sobre bases siempre cambiantes y sin ninguna garantía de que las soluciones inventadas puedan ser válidas también para el futuro[32].

Por lo tanto, cada acción se convierte en un forzar la resistencia del mundo, lo que exige no solo habilidad física, sino también un constante ejercicio de la voluntad. En el momento en que se requiere un esfuerzo continuo para llevar a cabo las operaciones más cotidianas y banales, como bajar de la cama, vestirse, ducharse, puede crecer un fuerte impulso de dejar de hacer todo lo necesario y rendirse. Es la tentación cada vez más frecuente de cortar los lazos con el mundo.

El cambio del espacio afecta también a los objetos que lo componen, los cuales asumen un significado diferente. Observa TOOMBS: «The bookcase outside my bedroom was once intended by my body as "a repository for books", then as "that which is to be grasped for support on the way to the bathroom", and is now apprehended as "an obstacle to get around with my wheelchair"»[33]. El espacio se modifica también porque la imposibilidad de ejercer una función exige una reorganización y una reducción de los objetos: quitar una mesa, eliminar un mueble, etc. Esta re-interpretación del espacio tiene su relevancia para nuestro estar en el mundo, puesto que tenemos una especie de resonancia afectiva con el espacio, estableciendo con las cosas incluso una relación de tipo sentimental y no solo utilitaria. No se altera solamente la estética de aquel lugar de la casa, sino también el «sentimiento» *(feeling)* de la casa y se produce un cambio permanente en la propia forma de estar-en-el-mundo, que cada vez está más determinada por los límites del cuerpo más bien que por sus potencialidades.

La misma ruptura se experimenta en la percepción del tiempo. Las exigencias de un cuerpo enfermo obligan a quedarse anclados en el presente, porque comportan una atención desproporcionada al aquí y ahora. Las tareas diarias exigen mucha más atención que para un sano: levantarse de una silla, atarse los zapatos, salir de la ducha exigen con-

32. *Ibidem.*
33. *Ibidem,* p. 254.

centración y tiempo. Por consiguiente, el enfermo a menudo aparece como «out of synch», no sincronizado con el tiempo de los sanos[34]. A esto se añade el ritmo de las terapias, que desbaratan el orden cotidiano de las propias ocupaciones y que producen por fuerza una «vida de enfermo». La oncóloga Sylvie MÉNARD, en la realista autobiografía donde explica la propia situación de enferma de cáncer, señala irónicamente cómo comprendió en su propia piel porqué a un enfermo se le llama «paciente»: «cuando me enfermo ante todo tengo que armarme de gran *paciencia*. Efectivamente, durante todo mi recorrido diagnóstico y terapéutico espero, espero y vuelvo a esperar. Espero para tener visita, espero para reservar día para una prueba, espero para hacerme la prueba, espero para visitarme, espero para tener el resultado de la prueba»[35]. Esperas la mayoría de las veces compartidas con otros enfermos, en las que las miradas sobre los cuerpos se posan con recíproca ansiedad, notando las señales de la enfermedad más o menos avanzada: «en esta muestra representativa encuentro toda la historia de mi tumor, pasado, presente y futuro [...] ¿cómo seré yo dentro de unos meses?»[36].

También el futuro adquiere una fisionomía bien distinta, porque la incertidumbre de los tiempos y de la modalidad de curación puede impedir formular proyectos o, al contrario, puede inducir a tirarse de cabeza a la acción, por miedo que falte el tiempo o las energías para realizar todo lo que se ha proyectado.

Por otra parte, hay que señalar también que en el ser humano la dimensión corpórea es inseparable de un «yo» subjetivo, que no se reduce únicamente al cuerpo. Esto significa que cada uno puede asumir todos los dinamismos corpóreos, integrándolos en la autoconciencia y en el autodominio. La enfermedad, por consiguiente, no es solo coacción o alienación, sino que también es una tarea, un interrogante planteado a la libertad, una llamada a tomar partido con nuevas y todavía fecundas decisiones[37].

Todas las vivencias descritas hasta ahora pueden transformarse de limitaciones en recursos, por absurdo que parezca, aunque no necesaria-

---

34. Cfr. *Ibidem*, p. 258.
35. S. MÉNARD, *Si può curare. La mia storia di oncologa malata di cancro*, Mondadori, Milán 2009, p. 125.
36. *Ibidem*, p. 126.
37. Desde este punto de vista, el análisis de TOOMBS, enlazando también con el enfoque nihilista de SARTRE, no ilumina suficientemente la cuestión de la posibilidad de asumir la enfermedad como llamada a la libertad. Véanse las observaciones críticas de M. CHIODI, *L'enigma della sofferenza e la testimonianza della cura*, pp. 139-143.

mente y no siempre fácilmente. La propia MÉNARD lo subraya, a propósito del tiempo, observando cómo la enfermedad fue reveladora de algunos errores en su vida «de sana», como «la carrera loca que llevo desde hace años en la vida y en el trabajo, sin pararme nunca ni un instante a reflexionar sobre el cómo y el por qué de tanta prisa. Para no pensar siempre tengo lista una excusa: no tengo tiempo. Ahora que me veo obligada a hacer balance, me doy cuenta que a veces es necesario pararse. He llegado a dar las gracias por este tumor porque me obliga a revisar el planteamiento de mi vida, a tomarme pausas y a reflexionar sobre quién soy, dónde estoy y hacia donde estoy yendo»[38].

5. FORMACIÓN MÉDICA Y REDESCUBRIMIENTO DEL CUERPO

Es innegable que las recientes aplicaciones de la tecnología a la medicina, junto a evidentes progresos, están produciendo un fenómeno preocupante: el declive de la centralidad del cuerpo. El recurso cada vez más frecuente a las técnicas diagnósticas y el incremento del uso de instrumentos amenazan con disminuir la importancia del cuerpo del enfermo, que se convierte en un lugar impersonal de síntomas, en lugar de ser considerado como un testimonio expresivo de las vivencias de contrariedad y de enfermedad. El ecografista concentrado en fijar la mirada en la pantalla, el radiólogo que solo observa la placa, el dentista concentrado en la ortopantomografía a menudo corren el riesgo de olvidar que detrás del parte médico hay un cuerpo más o menos doliente, que merece atención, que quizá pueda proporcionar datos igualmente significativos para el diagnóstico y la terapia. La era de lo virtual también puede provocar una especie de *logocentrismo*, por el cual se pierden de vista aquellas *sensatas experiencias* de galileana memoria –las experiencias llevadas a cabo a través de los sentidos– que garantizan la conexión del razonamiento con la realidad. Incluso el sueño de la experiencia genera monstruos: el monstruo de la *descorporeización*, por el cual el ojo clínico corre el riesgo de llegar a ser más experto de la pantalla que del rostro del paciente.

Sin lanzar ataques anacrónicos a la validez del instrumento técnico[39], indispensable para la exactitud del diagnóstico, sin embargo, es importante obtener una comprensión del cuerpo enfermo que se sirva también del análisis teórico de la antropología presentada hasta aquí

---

38. S. MÉNARD, *Si può curare*, p. 128.
39. En algunos casos la distancia que crea el instrumento es incluso necesaria para respetar la intimidad del paciente, como en el caso del estetoscopio o de los guantes.

para recuperar una atención al cuerpo enfermo, en sus vivencias y en sus exigencias. Por ejemplo, reconocer al enfermo el derecho al pudor significa reconocerlo en su corporeidad expresiva y personal, mientras que una indiferencia expeditiva manifiesta la ignorancia de esta dimensión. La misma MÉNARD nos relata una experiencia autobiográfica a propósito: «Una amable enfermera me hace pasar al vestidor, de donde debo salir vestida solo con la camisola del hospital y las bragas. La camisola podría cubrirme de manera decorosa hasta las rodillas si se pudieran atar las cintas de la espalda, pero a la mía le faltan varias. Así salgo del vestidor medio desnuda y cruzo una sala entera en bragas, por en medio de pacientes, parientes de pacientes, colegas y amigos»[40].

Por otra parte, también el personal sanitario necesita madurar la conciencia de cómo es de importante la propia corporeidad en la relación con el enfermo. Se va desde la importancia que reviste el lenguaje del cuerpo, en el que está incluido también el vestido, a la competencia que podríamos definir *práctica* o manual. Además, en los orígenes de la medicina encontramos la figura del centauro Quirón que, hijo de Saturno y de Filira, había aprendido de Diana el arte de la medicina transmitiéndolo luego a Esculapio. La etimología de Quirón, que deriva del griego *keirós, mano,* nos induce a pensar que el nombre debía significar también el *dios de la mano experta,* de la mano hábil para calmar el dolor, el dios que, para curar, tiene *buena mano*[41].

Respecto a la formación médica, la de enfermería está tradicionalmente más centrada en el cuerpo y más orientada al desarrollo de los sentidos como el tacto. Pero también en la práctica del médico la formación manual ha tenido y continúa teniendo una importancia fundamental. Percusión, palpación, exploración manual, han sido siempre acciones fundamentales para una buena diagnosis, en que «el secreto de la mano diestra es el hecho que actúe con inteligencia, es decir "dándose cuenta de la realidad" con la que tiene que tratar»[42]. El *aptocentrismo* invita a redescubrir la relación entre mano y cabeza, puesto que, como se ha observado, el tacto tiene carácter «proactivo» y no solo reactivo, es decir que, incluso sin intencionalidad consciente, permite una exploración que proporciona informaciones importantes que hacen pensar[43].

---

40. *Ibidem*, p. 80.
41. Cfr. J. Rof Carballo, *Medicina y actividad creadora*, Revista de Occidente, Madrid 1964, p. 197.
42. *Ibidem*, p. 211.
43. Cfr. R. Sennett, *L'uomo artigiano*, Feltrinelli, Milán 2008, p. 150 (tit. orig. *The craftsman*, Yale University Press, New Haven; Londres 2008).

Pero el tacto no es importante solo desde el punto de vista cognoscitivo, hasta el punto que al tacto *gnóstico,* la literatura incluye también el tacto *patico,* que acoge y tranquiliza, produciendo casi una eficacia terapéutica[44]. LAÍN ENTRALGO, en el ensayo sobre la relación entre médico y enfermo, atribuye a la exploración táctil y a la palpación que lleva a cabo el médico no solo un significado objetivo, sino también un significado interpersonal[45]. Se trata de un gesto de reconocimiento, con el cual se trata el cuerpo del enfermo como un organismo en el que se hace tangible una persona. Precisamente por esto, el correlativo «sentimiento de ser tocado» por parte del enfermo no es un simple proceso neurofisiológico, sino que se configura como una verdadera experiencia humana. En él confluyen diversas vivencias: ante todo, una vivencia de autoafirmación, por la cual «se experimenta de manera explícita e intensa la realidad de la propia persona»[46]; una vivencia de distensión, que, gracias al hecho que se desentumecen las contracturas musculares, representa un signo de mayor apertura al mundo; finalmente, una vivencia de alivio y de compañía.

El estudioso recuerda el precepto hipocrático de la *euritmia* de las manos[47], que tenía que caracterizar al cirujano y que él hace extensible a cualquier exploración médica, como combinación de tres habilidades: la *eucinesia,* o destreza en el movimiento de las manos, de carácter neuromuscular; la *eúnoia,* de carácter intelectual, que consiste en aquella manualidad del cirujano que es fruto de la competencia científica; finalmente, la *eubulía,* de carácter moral, que consiste en la buena voluntad del que quiere procurar el bien el otro.

Así COLLIÈRE destaca la importancia de las manos en la asistencia a los enfermos: «las manos no se utilizan solamente para manipular, llevar, levantar, coger los instrumentos (apretar, inyectar, vendar). También se utilizan para palpar, sentir, calmar, dar masajes, relajar, acariciar, peinar, maquillar»[48].

El *derecho a ser tocados* nos desvela una verdad antropológica: la necesidad que tiene todo ser humano de protección y de confirmación de la propia identidad, de la cual el cuerpo es una dimensión esencial.

---

44. Cfr. P. ROUTASALO-A. ISOLA, *The right to touch and be touched,* «Nursing Ethics» (1996) Jun.; 3 (2):165-76.
45. Cfr. LAÍN ENTRALGO, *La relación médico-enfermo,* p. 341.
46. *Ibidem,* pp. 342-343.
47. Cfr. HIPÓCRATES, *De decenti habitu,* L. IX, 236.
48. M. F. COLLIÈRE, *Aiutare a vivere: dal sapere delle donne all'assistenza infermieristica,* Sorbona, Milán 1992, p. 227 (tit. orig. *Promouvoir la vie,* InterEditions, Paris 1982).

«Hacer del cuerpo un objeto impersonal solo puede conducir a cuidados impersonales, despersonalizadas y despersonalizantes»[49]. La dignidad de la persona, en su manifestación corpórea, debe siempre constituir el punto de referencia de cualquier asistencia que quiera realizarse no como una anónima prestación técnica, sino como una auténtica relación interpersonal.

---

49. *Ivi*, p. 228.

La libertad en relación al cuerpo del paciente con enfermedad avanzada

Antonio Malo

INTRODUCCIÓN

¿El cuerpo humano es disponible o indisponible? ¿Posee, además, algún valor en sí mismo con independencia del uso que hacemos de él? Estas son dos de las principales cuestiones antropológicas a las que intentaré responder en este capítulo[1].

Para muchos científicos y filósofos, la contestación a esas dos preguntas es patente: el cuerpo es disponible porque la persona goza de libertad. En opinión de algunos de esos autores, el derecho a decidir autónomamente sobre el propio cuerpo debe prevalecer incluso sobre el valor de la vida[2], como ocurre en la así llamada eutanasia voluntaria, que ha sido objeto en España de crispadas polémicas a raíz del caso tristemente famoso de Ramón Sampedro. Para otros, en cambio, el deber de mantener el cuerpo en vida cueste lo que cueste se halla por encima

---

1. Tradicionalmente, sobre todo en ámbito jurídico, se ha considerado que la *indisponibilidad* significa que el cuerpo no puede ser objeto de transacción, venta o instrumentalización. Por eso, entre los favorables a la indisponibilidad –entendida en esta acepción– se encuentran tanto los defensores de la dignidad de la persona por motivos religiosos o filosóficos, como los movimientos feministas radicales o aquellos que se baten en contra de la esclavitud. En este artículo en que defiendo la disponibilidad relativa del cuerpo, empleo el término *disponibilidad* no en sentido jurídico, sino más bien antropológico y ético, pues, si bien el cuerpo nunca debe ser tratado como un objeto, es posible tomar decisiones sobre él, lo que implica un cierto grado de disponibilidad. La dilucidación sobre la licitud o ilicitud de esas decisiones es precisamente el objetivo de este capítulo.
2. Un representante de la disponibilidad total del cuerpo humano es Nicholas Agar, *Liberal Eugenics*, en *Bioethics. An Anthology*, Helga Kuhse-Peter Singer, Blackwell Publisher Ltd., Masachussetts, 1999.

de cualquier deseo, incluso del que, por respetar la dignidad de la persona, es a todas luces lícito. Según los defensores de esa segunda postura, la persona enferma está obligada a someterse a todos los tratamientos posibles sin que su deseo de morir en paz y no ser tratada como un conejillo de indias deba ser tan siquiera contemplado por los médicos, por juzgarlo similar al del que solicita la eutanasia[3]. De acuerdo con los defensores y detractores de la disponibilidad del cuerpo, entre indisponibilidad y autodeterminación no existe, por tanto, mediación alguna.

Pero, si fuera así, la elección de una u otra postura sería semejante a la preferencia que muestran los hinchas por su equipo de fútbol. Es decir, por tratarse de una cuestión puramente subjetiva, no sería posible invocar ningún límite objetivo en la disposición del cuerpo. En efecto, para los defensores de la autodeterminación a ultranza, hay un único límite: la libertad del otro, tal y como se contempla en los derechos y deberes de muchas legislaciones actuales. Por eso, la terapia genésica –tanto la negativa (la que sirve para curar enfermedades), como la positiva (la empleada en la mejora de cualidades y prestaciones humanas)– es lícita si está de acuerdo con las leyes vigentes. Por otro lado, para los defensores de la indisponibilidad plena, la persona carece de cualquier título jurídico para indicar las técnicas y tratamientos a los que está dispuesta a someterse.

La tesis que intentaré sostener es que, entre indisponibilidad del cuerpo y autodeterminación, sí que resulta posible una mediación, pues ambas posiciones extremas se refieren a una idea abstracta de libertad o a una preferencia emotiva, más que a la persona, la cual no admite esquematismos ni soluciones preconfeccionadas.

1. LA RELACIONALIDAD DEL CUERPO: EL CUERPO COMO DON

Me parece que la exclusión de cualquier tipo de mediación depende de una errónea concepción antropológica. Los defensores de la autodeterminación absoluta suelen compartir una visión dualista de la persona, mientras que los sostenedores de la indisponibilidad total abogan,

---

3. No es extraño, sin embargo, que los que defienden la autonomía del paciente rechacen su derecho a no ser intervenido cuando lo hace por razones religiosas. En este sentido es paradigmática la postura de Alberto J. Bueres, quien considera que, puesto que la vida del paciente es un bien supremo tutelado por el ordenamiento jurídico, el médico puede oponerse a la voluntad del mismo cuando su decisión es fruto de creencias que lo obnubilan (cfr. Alberto J. Bueres, *Responsabilidad civil de los médicos*, I, Hammurabi, Buenos Aires 1992, p. 242).

por lo menos de forma implícita, por una visión monista: la más de las veces, de carácter espiritualista o mejor aún fideísta, como la defendida por algunos grupos religiosos fundamentalistas[4].

En efecto, la consideración del cuerpo como conjunto de órganos más o menos recambiables o incluso como puro material a entera disposición de la técnica es heredera del dualismo cartesiano de la *res extensa* y la *res cogitans* y del objetivismo cientista. El cuerpo humano, reducido a objeto de las ciencias experimentales y de la técnica, parece carecer de cualquier tipo de dignidad que señale un límite a las innumerables posibilidades que, a través del experimento, se descubren en él.

Sin embargo, como pone de relieve la fenomenología y el existencialismo, el cuerpo humano, además de objeto de la ciencia y técnica, es también un cuerpo vivido en primera persona o *Leib*[5]. Lo que supone que, de alguna manera, el cuerpo forma parte de la propia identidad personal. Parece, por tanto, que una vía para indicar los límites de la disposición del cuerpo sea la consideración del cuerpo como *Leib*. Esta es, por ejemplo, la línea seguida por Jürgen HABERMAS para afrontar algunas cuestiones que caracterizan el actual debate bioético, como la terapia genésica, la clonación, el uso de las células madres, etc.

Retomando algunas ideas de las corrientes filosóficas anteriormente mencionadas, este filósofo intenta conferir a la vida biológica humana un valor ético y jurídico que, sin ser absoluto, esté en condiciones de protegerla frente a los asaltos violentos de una eugenesia liberal. Para ello, el filósofo alemán distingue entre la *inviolabilidad* de la vida personal y la *indisponibilidad* propia de la vida pre-personal, por ejemplo la del feto. HABERMAS justifica así la conveniencia de dicha distinción: «por una parte, bajo las condiciones del pluralismo "cosmovisivo", no podemos conceder al embrión "desde el comienzo" la protección absoluta de su vida, protección de la que sí disfrutan las personas portadoras de derechos fundamentales. Por otra parte, tenemos la intuición de que no

---

4. Un caso especial de defensa de la indisponibilidad del cuerpo es la llevada a cabo por los testigos de Jehová, quienes, acogiéndose al carácter sagrado del cuerpo (sobre todo de la sangre), rechazan las transfusiones y, por consiguiente, los trasplantes de órganos (*vid.* Franz RAYMOND, *In Search of Christian freedom,* Commentary Press, Atlanta 1991).

5. *Vid.* Edith STEIN, *La Estructura de la persona humana,* BAC, Madrid 2002. La distinción propia de la lengua alemana entre *Körper* (cuerpo anatómico) y *Leib* (cuerpo vivo) adquiere un significado especial en la fenomenología. Esta corriente filosófica la usa para referirse a una distinción esencial: la existente entre el cuerpo objetivo, que estudian las ciencias experimentales, y el cuerpo subjetivo, que es experimentado a través de la variedad de tendencias, afectos y sensaciones cenestésicas.

puede disponerse de la vida humana pre-personal para convertirla en un bien sometido a la competencia»[6].

Como veremos, la tesis de HABERMAS, a pesar de ofrecer una importante contribución al debate bioético, se muestra insuficiente para fundar los límites de la disponibilidad del cuerpo. Una de las razones es el carácter relativo del valor otorgado a la vida humana, que, además, parece captarse sólo mediante una vaga intuición. Me parece que la defensa habermasiana de la vida humana pre-personal como algo valioso no escapa de la crítica que Peter SINGER hace del *especismo*[7]. En efecto, si el valor de la vida del embrión dependiera simplemente de una intuición basada en el hecho de pertenecer a la especie humana, la pretendida dignidad de ésta sería relativa a la especie; por consiguiente, sólo los miembros de esa especie estarían capacitados para otorgar tal valor cuando quisieran y como quisieran. En este sentido, la adhesión del anterior Gobierno español al *Proyecto Gran Simio*, que propone incluir los monos antropomorfos en la categoría de *personas*, parece avalar la tesis de SINGER[8]. Sin embargo, lo que ni SINGER ni los peritos jurídicos del citado proyecto están en condiciones de explicar es la posibilidad misma de asignar dicho valor o de legislar en favor de una determinada especie animal, pues dicha posibilidad no ha sido conferida por los miembros de ninguna especie particular, sino que está inscrita en la vida humana. De ahí que, por mucho que se adjudiquen derechos a los simios, éstos nunca serán capaces de conferírselos a sí mismos o a otras especies. En definitiva, la dignidad de la vida humana es real, y no algo hipotético o simplemente imaginado.

Sin duda que la vivencia del propio cuerpo y su estrecho ligamen con la identidad personal son elementos fenomenológicos que permiten descubrir el límite de la disponibilidad, pero ellos solos no bastan: se requiere, sobre todo, profundizar en su fundamento metafísico. En esta línea se sitúa la distinción establecida por SPAEMANN entre los pronombres indefinidos *jemand* o «alguien» (la persona) y *etwas* o «algo» (la cosa)[9], así como su definición de persona como el ser que no *es* una naturaleza, sino que la *tiene*. En efecto, por no ser una naturaleza, la

6. Jürgen HABERMAS, *El futuro de la naturaleza humana ¿Hacia una eugenesia liberal?*, Paidós Ibérica, Barcelona 2002, p. 63.
7. *Vid.* Peter SINGER, Animal Liberation, New York Review/Random House, New York 1975.
8. A propuesta del diputado Verde adscrito al PSOE, ha sido admitida a trámite una proposición no de ley de adhesión del Gobierno a este proyecto.
9. *Vid.* Robert SPAEMANN, *Personas. Acerca de la distinción entre «algo» y «alguien»*, ed. José Luis del Barco, Eunsa, Pamplona 2000.

persona no es simplemente el individuo de una especie, sino un ser irrepetible, o sea «alguien»; por tenerla, en cambio, el ser persona no sobreviene a la vida humana (biológica o socialmente), sino que es algo intrínseco, es decir, algo que constituye el núcleo mismo de su realidad[10]. En el fondo, SPAEMANN, en diálogo con la modernidad, interpreta la definición aristotélica del hombre como «animal racional»[11] y su posterior formulación tomista como sujeto de un alma espiritual que, sin ser sustancia, es un principio casi sustancial[12]. La naturaleza de la persona aparece así formada por dos coprincipios –alma y cuerpo– jerárquicamente distintos: el primero de los cuales –el alma espiritual– es principio no sólo de la racionalidad sino también de la misma organización y vitalidad del cuerpo humano. Por ser el alma humana principio del cuerpo, es decir, causa formal y eficiente, es también causa final. El cuerpo humano participa de la perfección del alma espiritual, y uno y otra, de la dignidad de la persona[13]. Por consiguiente, la perfección del cuerpo no consiste simplemente en la salud y el bienestar físico, sino sobre todo en la perfección de la persona. De ahí que pueda afirmarse lo siguiente: la persona humana no tiene un cuerpo como se posee un instrumento, sino que es un cuerpo, dotado por eso de dignidad personal[14]. La justicia, sobre la que debería basarse el derecho, consiste fundamentalmente en reconocer la dignidad de la persona humana y, por tanto, de todo aquello que la constituye. Pues sólo si la persona es realmente digna (no hipotética o imaginativamente) puede comportarse de modo digno, es decir, justamente. La ley que se propone conceder derechos a unos seres no personales es injusta, además de falsa.

Ahora bien, a pesar de lo acertado de esta visión de la persona humana, cabe el riesgo de que la antropología basada en la unión sustancial del alma espiritual y el cuerpo no sea capaz de encontrar una respuesta a los interrogantes que plantean las biotecnologías o a las po-

---

10. Según Robert SPAEMANN, «la contraposición entre naturaleza y persona olvida que la persona es en sí misma una naturaleza en la que se representa la persona, en la que la persona se puede contemplar y tocar» (*Felicidad y Benevolencia,* ed. José Luis del Barco, Rialp, Madrid 1991, p. 248).
11. *Política* I, 2, 1253a 10.
12. Para SANTO TOMÁS, aunque la persona humana es una *substantia composita* (*Contra Gentes,* II, c. 68), su ser es solamente uno, pues se halla informada por un alma espiritual que comunica su ser al cuerpo.
13. Cfr. *Contra Gentes,* IV, c. 44.
14. En este sentido resulta muy certera la distinción establecida por Gabriel MARCEL entre *être* y *avoir* aplicada al cuerpo humano, pues la persona no lo tiene como un instrumento, sino que ella misma es cuerpo, o sea el cuerpo forma parte de su mismo ser persona (Gabriel MARCEL, *Etre et avoir,* Aubier, París 1935).

sibilidades que se abren mediante la ciencia y su aplicación tecnológica. De ahí la conveniencia de considerar el cuerpo humano, además de en su dignidad personal individual, en su esencial relación con las demás personas. Por supuesto que tal concepción del cuerpo no se opone a la visión metafísica clásica de la persona humana: más bien le es deudora, pero de forma implícita; a saber: en tanto que la racionalidad comporta, entre otras cosas, la relacionalidad del cuerpo. En efecto, la formalización y perfeccionamiento del cuerpo humano, a cargo del alma, tiene como fin el vivir personal, que es social y, por tanto, relacional. Dicho de otro modo, la dignidad de la persona no corresponde a la de un ser único, sino plural: la persona existe en plural, es decir, en relación con otras personas. Y el cuerpo humano, en virtud de su origen, participa de ese carácter plural y relacional de la persona. El cuerpo es recibido de otras personas y transmitido a otras personas, o sea es generado o dado. Lo que implica la corresponsabilidad de las personas en el cuidado, desarrollo y perfeccionamiento del mismo. Por eso puede afirmarse que el fin del cuerpo humano son las relaciones personales, pues ha sido dado a las personas para que se perfeccionen como tales. Sin embargo, las personas pueden proponerse metas que no coincidan con dicho fin, como ocurre cuando se absolutizan aspectos parciales del cuerpo: el placer, la salud, la investigación científica, la mejora de sus cualidades y prestaciones o *enhacement*. En todos esos casos aparece con claridad que el cuerpo es verdaderamente un don, pues, lejos de imponerse a las personas, se da para que ellas lo reciban de modo responsable como algo propio, o sea para que lo personalicen.

La concepción relacional del cuerpo permite distinguir dos tipos de autonomía: la autonomía del paciente para aceptar o rechazar los tratamientos y las técnicas a los que someterse, y la autonomía del paciente, de los médicos y cuidadores respecto de la *vida* del cuerpo. Al mismo tiempo, dicha concepción establece una separación radical entre el ejercicio de esas dos autonomías: la primera, es decir, la de aceptación o rechazo de tratamientos, puede ejercerse lícitamente con tal de que se respete el carácter de don y corresponsabilidad del cuerpo humano; la segunda o autonomía respecto de la vida, en cambio, no debe ejercitarse nunca, pues –como veremos– al hacerlo se destruye el carácter de don del cuerpo, convirtiéndolo en un objeto que producir o mejorar, cuando no una pesada carga de la que librarse. La separación entre estos dos tipos de autonomía es clave para distinguir, por ejemplo, la eutanasia voluntaria, de la decisión del paciente de no someterse a tratamientos y técnicas que constituyen un verdadero ensañamiento con el cuerpo enfermo.

2. LA LIBERTAD RESPECTO DEL CUERPO HUMANO

La distinción de esos dos tipos de autonomía, además de arrojar luz en el ámbito de la bioética, permite enfocar correctamente la relación entre libertad y cuerpo del paciente. La falta de distinción comporta, en cambio, una concepción reductiva de dicha relación y, por consiguiente, de la justicia, limitada a la simetría de derechos y deberes. La diferencia entre esas dos posturas se aprecia aún mejor cuando observamos los efectos de la justicia simétrica sobre el cuerpo humano, pues, aunque en teoría ésta rechace la producción y supresión del cuerpo, en la práctica termina defendiendo una disponibilidad del mismo casi total. Como intentaré mostrar, esta y otras contradicciones pueden evitarse mediante una diferente concepción de justicia: la justicia asimétrica, presidida por la figura del tercero[15].

Tal vez la mejor expresión de lo que se entiende por justicia simétrica se halle en la concepción habermasiana de autonomía. Si bien la autonomía de que habla HABERMAS se funda en una ética de corte kantiano, en ella se introducen algunas correcciones acordes con la sensibilidad actual, que derivan tanto de la ética hegeliana del reconocimiento como de la kierkegaardiana de la identidad personal. Para HABERMAS, la autonomía –en el sentido que aquí nos interesa– es la capacidad de tomar decisiones sobre el propio cuerpo o el de los demás. Para que el ejercicio de esa capacidad sea lícito se requiere una sola condición: no dañar la igualdad de base con la que todos nacemos y a la cual cada ciudadano debe el comienzo de un *exclusivo* destino de socialización. Según el filósofo alemán, dicha igualdad se pone en peligro cuando se usa la terapia genésica; por ejemplo, cuando se manipula arbitrariamente el genoma o se utilizan los embriones para curar las enfermedades genéticas de otros seres humanos. En opinión del filósofo alemán, en todos esos casos se comete una injusticia al atentar contra la igualdad de base. La pérdida de esta igualdad, además de acarrear consecuencias negativas desde el punto de vista sociopolítico (se produce una distinción irreversible entre ciudadanos manipulados y manipulantes), comporta una serie de secuelas psicológicas que comprometen la misma identidad de los sujetos. En efecto, estos no podrán considerarse a sí mismos como el único principio de sus actos en cuanto que sus disposiciones y cualidades más básicas han sido programadas por otros. De ahí que los sujetos manipulados se sientan privados –por lo menos de forma

---

15. He propuesto esta tesis en un reciente ensayo, titulado *Io e gli altri. Dall'identità alla relazione,* Edusc, Roma 2010, especialmente pp. 56-58.

parcial– de la autodeterminación y responsabilidad incluso cuando «el "efecto sobre terceros" que pueda tener una praxis eugenésica es, dado el caso, de naturaleza indirecta. No vulnera el derecho de una persona existente pero puede rebajar el estatus de una persona futura». HABERMAS analiza con penetración algunas de las consecuencias negativas –psíquicas y sociales– cuando la persona ha sido manipulada: aunque «la patria potestad ampliada materialmente con la posibilidad de intervenir eugenésicamente no colidiría directamente con el "bienestar" del niño que garantiza la constitución. Sin embargo, podría menoscabar su consciencia de autonomía y, asimismo, la autocomprensión moral que cabe esperar de todo miembro de una comunidad de derecho estructurada igualitaria y libremente, si es que deben existir las mismas oportunidades para hacer uso de derechos subjetivos distribuidos equitativamente. El posible daño no sería, pues, la privación de derechos sino la inseguridad de la consciencia de su estatus de portador de derechos civiles. El adolescente correría el peligro de perder, a la vez que la consciencia de la contingencia de su origen natural, un presupuesto mental básico para acceder a un estatus gracias al cual gozar, como persona de derecho, de derechos iguales»[16].

Enfrentándose a los riesgos que conlleva una legislación radicalmente liberal, HABERMAS logra captar un aspecto esencial del cuerpo humano que las nuevas tecnologías ponen en peligro: el ser la base de la identidad personal. En efecto, a diferencia de cuantos consideran el cuerpo humano como un objeto más o menos manipulable, HABERMAS reivindica su carácter personal, si bien sólo de modo parcial (como ya indiqué, este autor distingue entre vida humana o pre-personal que, a pesar de no ser un bien físico más, no debe ser garantizada de forma absoluta, y la vida personal, que posee en cambio un valor absoluto). Sin embargo, lo que HABERMAS considera como justo o injusto en el caso de la praxis eugenésica no se refiere al cuerpo humano en cuanto tal, sino en tanto que medio para permitir o impedir una mayor o menor autonomía del sujeto, necesaria para participar en una praxis comunicativa social y política. Por eso, a pesar de su defensa de la vida humana frente a la manipulación genética, HABERMAS no es contrario al aborto en determinados supuestos, pues los derechos de la madre, por ser persona, son ética y jurídicamente superiores al valor pre-personal de la vida del embrión. Además, coherentemente con sus premisas, HABERMAS no debería oponerse a la eutanasia cuando es el mismo paciente

16.   Jürgen HABERMAS, *El futuro de la naturaleza humana*, cit., p. 104.

quien la solicita directamente o a través de un testamento biológico[17]. Tampoco HABERMAS está en condiciones de rechazar el uso de drogas si estas no afectan negativamente a otras personas. Incluso, en buena lógica con el planteamiento habermasiano, las manipulaciones genéticas de los embriones deberían ser aceptadas con tal de que pueda admitirse racionalmente el consentimiento por parte del futuro hijo. Por lo que habría que considerar justas no sólo la supresión de enfermedades genéticas mediante el uso de células madres, sino también el mejoramiento de aquellas características que no modifican la simetría radical entre padres e hijos, es decir, no destruyen la igualdad de base con la que todos nacemos. Por último, por lo que se refiere al propio cuerpo, el planteamiento habermasiano concede una disponibilidad total en el caso del paciente y casi total en el caso de los médicos y cuidadores. Para que, en este último supuesto, la decisión sea justa basta asegurar el consentimiento explícito del enfermo o, si no es posible, por lo menos presupuesto. De este modo se garantiza aquello que –según HABERMAS– constituye el fundamento de la dignidad del cuerpo humano: ser el punto de partida común para acceder a una comunidad política de seres autónomos. En definitiva, la concepción habermasiana de autonomía, permite que la persona haga con su cuerpo casi todo lo que quiera (cambio de sexo, *enhancement,* tratamientos para rejuvenecer el cuerpo, para alargar su vida o para destruirlo), es decir, permite que el cuerpo sea considerado como casi totalmente disponible.

Como se ve al examinar algunas de las contradicciones del planteamiento habermasiano, la autonomía respecto del cuerpo –entendida como disponibilidad casi total de este último y perfecta simetría de derechos y deberes– puede dar lugar a grandes desigualdades, injusticias y daños sociales.

Es necesario, pues, entender la autonomía respecto del cuerpo no según un modelo neokantiano, interpretado por HABERMAS en clave existencialista, sino de acuerdo con un modelo relacional. Este nuevo

---

17. Estos casos están contemplados en la ley holandesa que despenaliza la así llamada eutanasia activa. Como señala Helga KUHSE, defensora acérrima de la eutanasia voluntaria, «en este país, una serie de casos judiciales, a partir de 1973, han servido para fijar las condiciones en las que los médicos, y sólo éstos, pueden practicar la eutanasia: la decisión de morir debe ser una decisión voluntaria y reflexiva de un paciente informado; debe haber sufrimiento físico o mental que el paciente considera insoportable; no debe existir ninguna otra solución razonable (es decir, aceptable para el paciente) para mejorar la situación; el médico debe consultar a otro profesional con experiencia» (Helga KUHSE, *La eutanasia,* en *Compedio de ética,* Peter SINGER (ed.), Alianza editorial, Madrid 2004, p. 406).

paradigma, además de contener lo positivo del planteamiento habermasiano, es decir, que la toma de decisiones sobre el propio cuerpo o el de los demás no debe dañar nunca la igualdad de base, lo supera al añadir el principio de la corresponsabilidad de todas las personas en la protección, desarrollo y perfeccionamiento del cuerpo, por ser un don. Es precisamente el carácter de don lo que permite hablar de acciones justas, que no son simplemente simétricas, pues se trata de acciones interdependientes y corresponsables. De ahí que, en contra del planteamiento de una justicia simétrica, el consentimiento del paciente real o hipotético, como en el caso de una terapia genésica para mejorar cualidades y prestaciones de los embriones, no es suficiente para convertir en ético un actuar egoísta, basado en los deseos caprichosos de los padres o en ambiciosos proyectos de investigación científica. Para que la relación sea justa, debe presentar la siguiente cualidad: tener como sujetos personas que se saben corresponsables del bien del cuerpo[18].

Es verdad que, como sostiene HABERMAS, el consentimiento del paciente o por lo menos la presunción del mismo, impide la aparición de una relación de dominio por parte de los que toman decisiones sobre aquellos que las padecen. Pero esa misma relación de esclavitud se produce también cuando los sujetos deciden con plena libertad vender-comprar órganos, drogar-drogarse para alcanzar determinadas prestaciones físicas, intelectuales o profesionales. La relación de dominio no consiste, por tanto, en la destrucción de una reversibilidad ideal que –en opinión de HABERMAS– constituye la esencia de las relaciones justas, pues en los ejemplos anteriores los vendedores pueden convertirse en compradores y los drogados en correos de la droga sin que, con ello, se cambie el signo de la relación, convirtiéndola así en justa. La base de relaciones justas es más bien la consideración del cuerpo como un don, no como un objeto de deseos o una propiedad sobre la cual los demás no tienen nada que decir[19].

18. La interdependencia y corresponsabilidad en una acción requiere la existencia de un fin colectivo que sea perseguido por los agentes que la realizan: «Why are the actions interdependent? They are interdependent by virtue of the existence of the collective end possessed by each of the [...] agents, and toward the realization of which each of the individual acts is directed. So there is a collective end and there is interdependence of action» (Seumas MILLER, *Collective Moral Responsibility. An Individualist Account*, «Midwest Studies in Philosophy», 30, 1 (2006), p. 180).
19. Una visión radical de la autonomía podemos encontrarla en el siguiente texto: «cada ser humano se convierte en portador de una individualidad, en propietario de una individualidad y, en tanto individuo, propietario de sí mismo» (Jan BROEKMAN, *Encarnaciones. Bioética en formas jurídicas*. Quirón, La Plata, 1994). La visión del cuerpo come propiedad manifiesta cierto dualismo entre el cuerpo y el yo, sujeto propietario del cuerpo y detentor de un derecho sobre el mismo. «Per contro il divieto di

Sólo cuando se acepta el propio cuerpo como un don que implica una serie de deberes –en primer lugar, en los que lo generan y cuidan; en segundo lugar, en los que lo reconocen como don–, la visión de la autodeterminación cesa de centrarse en una libertad monádica –aún cuando se trate, como en el planteamiento de HABERMAS, de una mónada encarnada–, pues se descubre que ésta se halla enraizada en relaciones interpersonales previas y está destinada a construir nuevas relaciones. En definitiva, en el cuerpo se manifiesta el carácter relacional de la persona, que es origen y destino de la libertad humana. Por eso, a la persona se la puede dañar no sólo cuando se atenta directa o indirectamente contra su autonomía, sino también cuando su cuerpo no es tratado por ella o por las demás personas como un don. Lo que ocurre cuando la actuación respecto al paciente se halla guiada por la sola voluntad individual.

3. LA CORRESPONSABILIDAD EN EL CUIDADO DEL PACIENTE CON ENFERMEDADES AVANZADAS

El individualismo reviste una especial gravedad en el caso de pacientes con enfermedades avanzadas, pues se les priva de las redes personales de atención y ayuda que son necesarias para afrontar personal y familiarmente esa difícil situación. Especialmente necesario es el apoyo que todos estos actores ofrecen al enfermo para elegir el tratamiento más adecuado.

En efecto, la decisión respecto de la terapia que debe seguir el paciente corresponde tanto al interesado, como al médico, como a las personas que lo cuidan (parientes, amigos, equipos de atención); por supuesto, de forma distinta: el paciente es el primer responsable pues se trata de su cuerpo, por lo que las decisiones tomadas por los otros actores siempre deberán contar con su consentimiento. A partir de una tal corresponsabilidad de los agentes involucrados en la aceptación del cuerpo, es posible distinguir entre la diferencia cualitativa de la voluntad anticipada del paciente (como en el caso del testamento biológico) y su voluntad actual que puede ser contraria a dicho testamento, así como entre la aceptación o rechazo del paciente para comenzar una terapia, recomenzarla o interrumpirla. El respeto de la voluntad del pa-

mutilare o di alienare parti del proprio corpo, di affidarne la gestione a terzi, ecc. contrastano con il supposto diritto di proprietà sul corpo. Non di tutto ciò che si possiede si è proprietari (potrebbe al più parlarsi di un fidecommesso)» (V. MATHIFU, *Privacy e dignità dell'uomo. Una teoria della persona*, R. SANCHINI (a cura di), G. GIAPICHELLI editori, Torino 2004, p. 45).

ciente ha de permitir, sin embargo, que el médico y los cuidadores puedan cumplir su obligación de ayuda al paciente para que la decisión del mismo sea informada y responsable, y no fruto de un estado de ánimo más o menos persistente o del miedo a una situación futura que se le presenta como insostenible. Por supuesto, la dificultad del paciente depende no sólo del hecho de proyectar en el futuro el dolor actual o la situación de indefensión en que se encuentra, sino también de la falta de apoyo que puede experimentar cuando los cuidadores y el personal sanitario no se sienten corresponsables o, por lo menos, no actúan como tales[20]. En este sentido, es de especial importancia la labor de los equipos de apoyo psicosocial, formados por personal sanitario, psicólogos, operadores sociales y voluntarios. Ellos se ocupan de sostener relacional y emotivamente no sólo al enfermo, sino también a su familia para afrontar positivamente esa situación y, cuando llegue el momento, también el luto.

La armonización entre las decisiones y acciones de unos y otros es posible porque ante el cuerpo se da una corresponsabilidad que permite integrar la tutela de la vida, la autodeterminación, el rechazo del encarnizamiento clínico, la alianza terapéutica, el consentimiento informado, el apoyo psicosocial. Lo que implica que para tomar una decisión en propósito no pueda adoptarse un criterio único separándolo del resto[21]. De todas formas, la voluntad del paciente, con tal de que no sea contraria a la consideración del cuerpo como un don, debe ser siempre respetada, también cuando este rechaza someterse a determinadas operaciones –como la amputación de algún miembro– o a terapias, como el uso del pulmón de acero, aun en el caso que esas sean necesarias para seguir viviendo.

El modelo de las relaciones del paciente, del personal sanitario, de los cuidadores y de los grupos de apoyo con el cuerpo enfermo no puede basarse, pues, en una simetría perfecta entre derechos de unos y deberes de otros. Si así fuera, no podrían establecerse las diferencias anteriores (voluntad previa y actual, aceptación y rechazo de diversas terapias) ni sería posible armonizar los derechos y obligaciones de los

---

20. La importancia de un acompañamiento adecuado en el caso de pacientes que solicitan la eutanasia es puesta de relieve por Marie DE HENNEZEL, la cual recoge la experiencia de algunos médicos que cuentan como son muy pocos los que insisten en el deseo de ser matados una vez han comenzado a ser tratados con afecto y compasión (cfr. Marie DE HENNEZEL, *Nous ne nous sommes pas dit au Revoir*, Pocket, Paris 2002, p. 22).

21. *Vid.* Vittorio POSSENTI, *Personalismo e fine vita*, en «Paradoxa on line», 4 (2009), *http://www.novaspes.org/paradoxa/detArticolo.asp?id=371.*

diversos sujetos (paciente, personal sanitario, cuidadores y grupos de apoyo) en relación a las decisiones que deben adoptarse. Se caería entonces en uno de los extremos: o bien los médicos se verían obligados a secundar siempre y en todo la voluntad de los pacientes y cuidadores incluso cuando estos solicitaran la eutanasia o tratamientos costosos que son innecesarios, o bien los pacientes y cuidadores se verían obligados a secundar siempre y en todo la voluntad de curación de los médicos y del personal sanitario aun cuando no hubiese ya ninguna esperanza de vida.

La relación entre los agentes corresponsables es siempre –por lo menos potencialmente– reversible: no idealmente, en cuanto posible sujeto de una comunidad de seres autónomos –como sostiene HABERMAS–, sino realmente. En efecto, la persona cuyo cuerpo es tratado como un don puede aceptar el propio cuerpo enfermo como un don. Y, al revés, cuando el propio cuerpo es visto como un don puede lograrse que los cuidadores y el personal sanitario no lo vean como simple caso de una determinada patología o causa de gastos y sacrificios excesivos.

4. LA FIGURA DEL «TERCERO»

El carácter reversible y solidario entre agentes corresponsables, lejos de corresponder a la simetría de derechos y deberes, propugna la existencia de una asimetría originaria, cuyo fundamento es la figura del tercero, capaz de sentirse obligado sin que a este deber corresponda un derecho por parte del otro. En efecto, así como ninguno tiene derecho a la vida antes de recibirla, ninguno tiene derecho al propio cuerpo antes de ser generado y, sin embargo, los padres tienen la obligación de no impedir la vida ni de someterla al cálculo de costes y beneficios. De todas formas, la obligación respecto del cuerpo no es negativa, sino fundamentalmente positiva: la protección y el cuidado del hijo para que este pueda desarrollarse integralmente hasta alcanzar la suficiente autonomía. Es precisamente en esta obligación en donde se asienta la asimetría recíproca, pues los deberes en relación al cuerpo de los demás son también deberes en relación al propio cuerpo. Los deberes en torno al cuerpo se constituyen así en una relación triangular de sujetos diferentes, presididos por la figura del tercero: en relación al cuerpo de los demás tengo el mismo deber que en relación a mi cuerpo, pues tanto uno como otro han sido generados y aceptados por un tercero. La asimetría entre los agentes corresponsables no se agota, sin embargo, en el ir más allá de la justicia simétrica aceptando el cuerpo como un don; se extiende también a la misma acción en torno al cuerpo humano, pues al poner todos los medios para protegerlo y promover su fin, que como se ha indicado es la perfección personal, se teje una red de acciones de colaboración y solidaridad entre paciente, personal sanitario, cuidadores y equipos de ayuda que esencialmente son asimétricas. En efecto, en la acción en torno al cuerpo nacida de la colaboración y solidaridad, los agentes corresponsables reciben más de lo que dan: a través de una intencionalidad que tiene como referencia el bien del cuerpo del paciente, estos encuentran el perfeccionamiento personal. Esto es posible porque el cuerpo del paciente, que es un don, es también considerado por el agente corresponsable como bien común; más aún, como el bien común más propio y, por eso mismo, habilitado para establecer una comunidad más amplia, la de las personas humanas[22].

Si bien personal sanitario, cuidadores y equipos de ayuda actúan como tercero, la figura del tercero no se agota en la persona de ninguno de ellos, pues es trascendente. En efecto, cualquier persona humana es capaz de reconocer y aceptar el cuerpo humano como don, es decir, actuar como *tercero,* en la medida en que su mismo cuerpo ha sido reconocido y aceptado por otros. De ahí que, a pesar de que las personas humanas actúen como tercero, ninguna de ellas es encarnación perfecta del tercero, ya que ninguna es origen de la potencialidad de reconocer y aceptar. Y, si la figura del tercero trasciende las personas humanas, con mayor razón trasciende también los individuos de la especie humana, en cuanto tampoco la especie es origen de dicha capacidad, pues todos sus individuos antes de reconocer han sido reconocidos. Por consiguiente, cada acto de reconocimiento, aceptación y cuidado del cuerpo humano trasciende la participación en una humanidad común. En definitiva, las personas somos capaces de reconocer y aceptar el cuerpo humano como don no porque éste pertenezca a la especie *homo sapiens sapiens* ni tampoco porque lo dotemos de valor por el consenso pues el consenso implica ya la existencia de dicha capacidad, sino porque alguien, un Tercero trascendente, nos ha concedido tal potencialidad al

---

22. «El bien común es el bien de la comunidad propia porque crea en sentido axiológico las condiciones del existir juntamente, mientras que el actuar lo sigue. Puede decirse que el bien común determina en el orden axiológico la comunidad, la sociedad o colectividad, que definimos con base en el bien común que es propio de cada una de ellas» (K. WOJTYLA, *Persona e atto,* a cura di Giovanni Reale e Tadeusz Styczen, Bompiani Testi a fronte, Milano 2001, p. 659. La traducción es mía). Me parece que las palabras de Karol WOJTYLA sobre el bien común pueden aplicarse también al cuerpo humano. En este sentido, el cuerpo humano se halla en la base de la comunidad más amplia posible, la de las personas humanas.

reconocernos eternamente. Se trata por tanto de una posibilidad cuyo origen no es genético ni epigenético (en el sentido de social humano), sino relacional trascendente. Más en concreto, se trata de una capacidad dependiente directamente de una relación con un Tercero trascendente que, al originarnos, insufla en nosotros el poder de un tal reconocimiento y de la aceptación del cuerpo humano, propio y ajeno, como don.

Poseer la potencialidad de reconocer y aceptar el cuerpo humano como don conlleva, por eso, la obligación de actuar en consecuencia. Dicha obligación permite abandonar los límites estrechos de una justicia clausurada en el consenso y la reciprocidad de sujetos autónomos, abriéndose así a una justicia asimétrica, que contiene un nuevo tipo de reciprocidad, la que debemos practicar en relación a aquel que es actualmente incapaz de reconocer y aceptar el cuerpo humano como don porque todavía no ha sido reconocido. Es decir, en contra de la tesis de HABERMAS, la justicia no se basa en una igualdad originaria de todos los sujetos racionales, lo cual no sería más que un sofisticado tipo de especismo; se funda, más bien, en una especial asimetría: en relación al cuerpo humano propio y ajeno tengo una obligación, pues, antes de que yo pudiera reconocerlo y aceptarlo, ha sido reconocido y aceptado por otro como un don. En esa doble pertenencia a la persona humana y al Tercero trascendente, halla el cuerpo su sentido definitivo. Un sentido que trasciende la especie, el consenso racional, la voluntad de los interesados y los objetivos de una estructura tecno-económica aparentemente omnipotente. El cuerpo humano no debe reducirse al espacio en que ejercitar la libertad de unos y otros, pues es un don personal, es decir, origen de relaciones que son justas o injustas con independencia del querer de las personas que deciden sobre él. En el cuerpo se descubre, por tanto, la alteridad de su origen y su apertura continua al tercero, capaz de reconocerlo y aceptarlo como don.

5. CONCLUSIÓN

Entre la indisponibilidad total del cuerpo y la disponibilidad absoluta existe, por tanto, una vía media: una relativa disponibilidad. Como hemos visto, la relativa disponibilidad del cuerpo no se funda en nada biológico o ideológico, sino en el mismo ser o vivir del cuerpo humano, que es la base de las relaciones personales. Cuando se ve el cuerpo como un don, los límites en su disponibilidad se extienden a los diferentes modos de tratarlo en los que está ausente la lógica del don, como el intento de producirlo en lugar de generarlo, de utilizarlo como un objeto (venta de órganos, de material reproductivo, alquiler del útero, etc.), de transformarlo de acuerdo con los propios deseos (cambio de sexo, mejoramiento de las prestaciones físicas mediante drogas que lo dañan, etc.) o incluso de destruirlo. Una visión individualista del cuerpo, aun cuando sea capaz de considerarlo la base de la propia identidad personal, no da razón de su indisponibilidad en estas y otras situaciones degradantes, que por desgracia son cada vez más frecuentes; como tampoco explica el porqué de la ilicitud del suicidio o la eutanasia voluntaria. En efecto, si la persona tiene un derecho total sobre su cuerpo, cuando este le resulte una carga insoportable (parálisis, perdida de sus miembros, reducción de sus capacidades, enfermedad, sufrimiento y envejecimiento) podrá invocar no sólo el suicidio asistido, sino incluso exigirlo y querellar al médico si este se niega a su petición, pues la idea de una autonomía total respecto del cuerpo –con independencia de la forma más o menos civilizada con que se defienda– excluye la posibilidad misma de la objeción de conciencia[23].

La visión relacional del cuerpo humano es de especial importancia para indicar no sólo en abstracto, sino también en concreto, los límites de su disponibilidad, sobre los que deben fundarse la ética y la jurisprudencia relativas al cuerpo del paciente. En líneas generales, puede decirse que los límites de la disponibilidad del cuerpo no son arbitrarios, pues dependen de las justas relaciones interpersonales tejidas en torno al cuerpo, es decir, dependen de aquellas relaciones en que al cuerpo se le reconoce su carácter de don.

---

23. Con lúcida coherencia Martin BENJAMIN deduce del autonomía del paciente la obligación del médico a asistirlo en su intención de suicidio (M. BENJAMIN, *Causation and Responsibility in Euthanasia and Assisted Suicide*, «Midwest Studies in Philosophy», 20, 1 (1995), p. 437).

La carne enferma y su consuelo

ENRIQUE ANRUBIA

1. IDEALISMOS DEL DOLOR

La crítica de NIETZSCHE al socratismo –sea su interpretación atinada o no– es la génesis de su crítica al cristianismo de su época. No se puede hacer filosofía de una realidad aséptica habitada por hombres de pensamiento profiláctico: tras las cápsulas de parafina irreales hay dolor, mal y sufrimiento. El cristianismo de los borregos y los camellos de los que habla NIETZSCHE[1], ve el dolor desde un sentido extra-cósmico y compensatorio que indemniza y, supuestamente, cauteriza toda herida haciéndola menos real –menos herida, menos dolor–.

> «Tenemos que distanciarnos de esos agoreros [...] representantes de la cobardía inversa, que es pasar de largo ante la angustia y el extravío de la época, sordos a su llamada quejumbrosa, para seguir desarrollando una teología de sonriente serenidad, desprendida del presente»[2].

Estas palabras muy bien podían haber sido suscritas –escritas– por NIETZSCHE. De hecho, están redactadas a la luz de lo que supusieron sus tesis[3]: ¿qué cristianismo es ése que niega la radicalidad de la humanidad que se vive?, ¿qué Occidente es ése que vive en un futuro que no puede ser vivido?, ¿qué queda de una angustia que es anulada a favor de un miltoniano paraíso perdido: político, religioso, «bienestaroso» y bienintencionado?

La concepción cultural que Occidente tiene actualmente sobre lo que es dolor ha sido configurada desde las diversas reformulaciones del cristianismo. La misma crítica de NIETZSCHE lo subraya. El cristianismo,

---

1. NIETZSCHE, F., *Así habló Zaratustra,* Alianza, Madrid, 1999.
2. BALTHASAR, H. U. von, *El cristiano y la angustia,* Caparrós, Madrid, 1998, p. 29
3. Cfr., *ibid.,* p. 28.

como configuración histórica, no agota lo que el dolor es, pero respecto de lo que somos representa un paso sobre el que se asientan todos los escritos actuales. «Se ha dicho, escribe Mircea ELIADE, que el gran mérito del cristiano, frente a la antigua moral mediterránea, fue haber valorado el sufrimiento: haber transformado el dolor, de estado negativo, en experiencia de contenido espiritual "positivo"»[4]. El dolor fue redefinido e incorporado por el cristianismo de una forma novedosa que antes, en el mundo clásico, no se había dado. Pero también surgió la impresión de que el cristianismo –y de ahí parte la acometida de NIETZSCHE– veía en el dolor una dimensión espiritual positiva desde la que beneficiarse.

No obstante, no deja de ser curioso el que fuera von BALTHASAR –uno de los más distinguidos teólogos del s. XX– el que escribiera las líneas citadas más arriba. BALTHASAR reprochaba un espiritualismo trascendentalista, apostaba por distanciarse de «agoreros del Apocalipsis y de la ruina de la iglesia» e invitaba a asumir «la angustia y el extravío de la época», «su llamada quejumbrosa» en vez de desarrollar una «una teología de sonriente serenidad, desprendida del presente».

Si la aparición del dolor contiene algún movimiento éste sólo puede ser descrito como un desplome hacia abajo y hacia dentro. Hacia dentro porque, como decía SCHELER, comparece con una inmediatez fenomenológica típica de la intimidad subjetiva, y hacia abajo porque bloquea el curso normal de la vida[5]: se mengua en la nutrición, se paraliza la reproducción y todo decrece. No es esta, sin embargo, la impresión de HEGEL.

Dentro de la historia de la filosofía, parece de común acuerdo que fue HEGEL «la culminación de la metafísica occidental. Demasiado claramente queda escrito en el lenguaje de los hechos históricos que la tradición de dos mil años que conformó la filosofía occidental llegó a su fin con el sistema de HEGEL y con su repentino colapso a mitad del siglo XIX»[6].

HEGEL es, sin duda, el cenit del idealismo. La Idea –fruto de la exigencia moderna de reconciliación entre lo objetivo y lo subjetivo, lo real y lo intelectual, lo celestial y lo terrenal, la necesidad y la libertad– se despliega desde, por y en sí misma en el curso de la historia y del conocimiento, formando en ese despliegue su propia autoconciencia. Si

---

4. ELIADE, M., *El mito del eterno retorno*, Alianza, Madrid, 2000, p. 95.
5. Cfr., ARREGUI, J. V., y CHOZA, J., *Filosofía del hombre. Una antropología de la intimidad*. Rialp, Madrid, 1992.
6. GADAMER, H. G., *La dialéctica de Hegel*, Cátedra, Madrid, 2000, p. 125.

Kant había revelado desde sus *Críticas* la distancia que existía entre lo que hay (cosa en-sí) y lo que se aparece (cosa para-mí) hasta su punto de su exhibición más tenso, Hegel había hecho del fenómeno –lo que se manifiesta– el síntoma regulado de la cosa en-sí y del ser en-sí. El desarrollo de lo existente es a la vez el efecto y una parte del camino de la Idea, la última razón de lo real, trazado desde ella misma. La Lógica, al fin y al cabo, era la Metafísica.

Ese despliegue de lo existente es encauzado, desde su inconsciencia hasta su manifestación *in excelsis* como autoconciencia absoluta, por la libertad misma. En ese sentido, la autoconciencia en Hegel hace sinónimos a la libertad y a la existencia de todo lo concreto. Pero esos modos de ser son propios del espíritu y no de la materia. Por eso, el que gobierna lo real, el que lo abarca y lo racionaliza, es el Espíritu.

Lo que conviene advertir es que para Hegel, «la esencia del espíritu es formalmente la libertad, la negatividad absoluta del concepto como identidad consigo. Con arreglo a esta determinación formal el espíritu *puede* abstraer de todo lo exterior y de su propia exterioridad, es decir, de su existencia misma; puede soportar la negación de su inmediatez individual, el *dolor* infinito; o sea, que puede mantenerse afirmativo en esta negatividad y ser idéntico para sí. Esta posibilidad es su universalidad abstracta que-está-siendo-para-sí en él»[7]. Si el espíritu en tanto que libertad no queda finiquitado en ninguna de sus determinaciones, en su negatividad puede sobreponerse a todo dolor, incluso aunque éste sea infinito. El espíritu –también el del hombre– es capaz de ser el que es sin derrumbarse, desairando lo fáctico, lo concreto; tomándose como eventual toda determinación surgida desde lo particular e inhibiendo toda mediación hasta el punto de poder soportar el dolor infinito sin ningún tipo de disposición ajena, puesto que su «ser espíritu», la esencia del espíritu, es lo que le permite sustraerse a toda negatividad –toda elección concreta– que implica la libertad.

Sin embargo, Hegel olvida que el dolor, la muerte y el sufrimiento no pueden ser definidos desde la libertad. Es imposible que la Idea viva a costa de los individuos –aunque se les pueda entender como mera excusa– porque la vida de los individuos contiene coordenadas que rompen y contusionan la trayectoria de la vida del Espíritu desde la finitud del mismo hombre: la Historia de la libertad también se rompe.

El dolor, la muerte, el mal, son el quejido de una libertad que nunca

---

7.   Hegel, G. W. F, *Enciclopedia de las ciencias filosóficas*, Alianza, Madrid, 1997, p. 436.

llega a sobreponerse. Lo anti-universal es el sufrimiento instalado en el discurrir del tiempo: lo que quita tiempo porque quita vida. El hombre particular es como un deseo de eternidad magullado. En término generales «la filosofía de HEGEL convierte a los individuos en irrelevantes, mientras que para KIERKEGAARD, todos y cada uno de los individuos tiene una importancia suprema y primordial»[8].

2. «ANGUSTIA» SE ESCRIBE CON «ANTE»

Para KIERKEGAARD, ese salto entre la eternidad y la finitud del hombre concreto está mediado por la angustia. La angustia,

> «es, en realidad, reflexión, y en esto difiere esencialmente del sufrimiento. La angustia es el órgano por el cual el sujeto se apropia y asimila el sufrimiento. La angustia es la energía del movimiento por el cual el sufrimiento penetra en el corazón [...]. La angustia actúa de una manera doble. Ronda alrededor de su objeto, le tienta por todas partes, y encuentra así el sufrimiento; o bien, en un momento dado, crea súbitamente este objeto que es el sufrimiento; de tal forma, que, en ese mismo instante, se convierte en un movimiento sucesivo.

> Comprendiéndolo así, la angustia es una determinación auténticamente trágica [...]. La angustia es una determinación de la reflexión; sentimos angustia frente a algo; separamos, pues, la angustia de su objeto, y en la angustia referimos este objeto a nosotros mismos. Además, la angustia implica una reflexión de tiempo; no puede estar angustiado por algo presente, sino por algo del pasado o del porvenir. El presente puede, por sí solo, determinar inmediatamente al individuo; el pasado o el porvenir no pueden hacerlo más que por la reflexión [...] La angustia es, pues, un elemento esencial de lo trágico»[9]

El objeto de la angustia no es un objeto que pueda ser aprehendido y palpado. Eso que nos angustia, que quizás no tenga nombre, consiste en un exceso de lo que somos, algo que nos sobrepasa y que, sin paralizarnos –como una lenta agonía que siempre vivimos– nos deja el espíritu desollado en lo más particular y finito que somos. Con el miedo no se puede vivir, con la angustia, por fortuna o por desgracia, sí[10].

La angustia atraviesa la vida desde la totalidad de la temporalidad posible del hombre: su pasado y su futuro. Y es ésta una de las grandes pruebas a las que KIERKEGAARD somete al despliegue hegeliano, pues

---

8. VARDY, P., *Kierkegaard*, Herder, Barcelona, 1997, p. 46.
9. KIERKEGAARD, S., *Antígona*, Renacimiento, Sevilla, 2003, pp. 54-6.
10. Algunos estudiosos de KIERKEGAARD piensan que el término «angustia» –*Angst*– ha de ser traducido por «ansiedad», pues es más fiel al danés original.

éste es un despliegue lacerado desde la propia autoconciencia de la Historia, desde la libertad. Si la historia de nuestro mundo surge en el tiempo no lo hace al margen de los hombres que mueren y enferman. Aquel hombre ilustrado que se sentía seguro y bizarro, vanidoso en su camino ascendente, aquel hombre moderno del progreso y cuya razón cabalgaba sobre montura de alazán dorado, también se quiebra y colapsa. Aquello que desde fuera impulsa hacia dentro y hacia abajo no es extrínseco a la historia de la razón, es que es esa misma historia, aquella que es sujeto y objeto de su propio fin, la que marcha sobre un mulo castrado, un animal de tiro que las más de las veces nos remolca ante nuestra decrepitud.

La angustia puede ser más intensa cuanto mayor es el objeto que se tiene delante, cuanta mayor desproporcionalidad hay entre la incapacidad e inoperancia vital del sujeto y lo que, desde fuera –desde el pasado, desde el futuro–, angustia al sujeto. En ese momento el sufrimiento se hace carga y se religa como gravamen.

Para KIERKEGAARD nada puede producir más angustia que el trasfondo de un ser absolutamente desproporcionado respecto a la finitud del hombre: Dios, el Infinito, la Eternidad. Sólo si el individuo se arroja a sus brazos –un abalanzarse la filosofía en religión– se disipa y se mitiga el sufrimiento. A ese acto KIERKEGAARD lo llamó «salto».

> «El "salto" más importante consiste entre "ser" y "pensar", y la "diferencia cualitativa" más importante está entre el "hombre" y "Dios". Si se puede decir que la identidad fundamental de HEGEL es la establecida entre el "ser" y el "pensar", se comprende que la primera protesta de KIERKEGAARD se refiera a la identidad fundamental que HEGEL establece entre "pensar" y "ser", o sea entre "lógica" y "ontología"»[11].

La libertad del espíritu de HEGEL, que colapsa y se angustia, escapa a los planes de ese despliegue de racionalidad. La libertad sólo se puede entender como elección existencial entre «lo uno o lo otro», dirá KIERKEGAARD, pues en el fondo, el pensador danés no hace sino llevar los postulados de KANT hasta uno de sus vértices. Si hay una distancia entre lo que es y lo que se aparece, entonces hay una distancia. Y, por tanto, «la existencia [en KIERKEGAARD] es el "salto" mismo»[12].

Hay una desproporción entre la esencia y la existencia en el hombre, y sólo se puede entender la crítica de KIERKEGAARD a HEGEL, si se

---

11. BENSE, M., *Hegel y Kierkegaard. Una investigación de principios,* UNAM, Cuadernos del Instituto de Investigaciones filosóficas, n. 28, México D. F., 1969, p. 22.
12. BENSE, M., op. cit, p. 25.

alcanza a ver que el ser humano *es* algo que no *es* del todo. El ser humano existe en un *todavía-no*. La esencia es incompleta porque la existencia es incompleta. Desde esa perspectiva, uno no es todo lo que está llamado a ser, ni uno existe en una existencia que le corresponde. No porque no la haya elegido, sino porque existiendo no le compete morir. La conciencia de la desproporción es la *ratio essendi* de la vida, y, en ese sentido, la vida del ser humano es búsqueda de lo perdido. Cuando se confrontan la vida y la muerte se muestra la total desproporción entre el existir y el no existir: son inconmensurables.

Ese «salto» kierkegaardiano es siempre un salto de creencia, pues el pensador danés retoma la máxima tertuliana de que «creer es saltar al absurdo». No es que aquello en lo que se cree sea absurdo, sino que toda creencia implica cierta desposesión de uno mismo: la posibilidad de todo salto implica que uno está sin asideros. En toda creencia, en todo salto, sobrevuela la posibilidad de su negación, el estrellarse. Hay un acto de libertad hacia el absurdo, al fiarse, porque hay una finitud de la libertad: no se puede ser libre sin la creencia, pues no se puede controlar la realidad absolutamente. «El mundo, dirá años más tarde Clifford GEERTZ, no se rige sólo por las creencias. Pero apenas funciona sin ellas»[13]. Ese absurdo no se relaciona de forma nítida como siempre se ha sugerido con lo irracional, sino con la estética. «Creer es *saltar al absurdo*. Para penetrar en la esfera de la paradoja, de lo inverosímil»[14]. Pero la invención estética, aun siendo consciente de esa desproporcionalidad, puede esconder, según KIERKEGAARD, un deje demoníaco: en el transfondo de la desproporción, y bajo el deseo de lo Real, se puede negar lo Eterno, la llamada existente a la misma existencia. Y es que en la agonía se percibe que no se está hecho para sufrir. La existencia, la encarnación y la particularidad de cada hombre no son azarosas, pues lo que existe, existe para existir –*veritas Esse manet*[15]–.

3. UN CONSUELO HECHO CARNE

«Vivir la vida como ella pide ser vivida: he ahí el programa nietzscheano»[16], y hacer del arte la primera forma de vivirla. Pero para KIERKEGAARD eso no es suficiente, porque la vida en su desnudez más

---

13. GEERTZ, C., *Available Light: Anthropological Reflections on Philosophical Topics,* Princeton University Press, Princeton, 2000, p. 154.
14. VIALLANEIX, N., *Kierkegaard. El único ante Dios,* Herder, Barcelona, 1977, p. 47.
15. La tesis filosófica es extraída de Ps. 116, 2: «veritas Domini manet in aeternum».
16. ALVIRA, R., «Música sonora y música callada. Reflexiones sobre el pensamiento de Nietzsche», en *Anales del seminario de historia de la filosofía,* n. 1, 1996, p. 152

impúdica sólo deja atisbar, al final, lo que CAMUS hizo decir a su Calígula:

> «– Y ¿cuál es la verdad, Cayo?
>
> – Los hombres mueren y no son felices»[17].

Y no son felices porque, al final de todo, mueren.

KIERKEGAARD entiende que la estética no es el último lugar del hombre, y que ella misma demanda un «saber de sí» más integrador: creer. Para vivir hay que creer que los hombres mueren para poder ser totalmente felices, y que esa muerte es un salto que se nos pide más allá de toda posibilidad artística, más allá de toda belleza y más allá de toda la moral que hayamos configurado o advertido.

El individuo sólo puede dar ese salto si sus ojos únicamente gravitan sobre lo que es ingravitable: Dios. La absoluta desproporción entre Dios y el hombre, hace que éste último haga de su salto un salto al vacío: «se trata de fe pura»[18]. La posibilidad de la nueva vida en la vida misma –resucitar– consagra a la realidad entera y la llama a su sacrificio por lo «absolutamente otro», y es, en esa relación, donde se integra el dolor en su forma más pura: el amor.

Ahora bien, que Dios sea lo absolutamente otro, y que el individuo esté absolutamente expuesto –fuera de sí– por su misma mortalidad y que esa sea la «primera verdad» de la realidad del hombre –en verdad, segunda, tras el arte– deja al ser humano en la más pura soledad de sí y de su vida: estamos solos y sufrimos. Parece como si el Dios de KIERKEGAARD pusiese la zancadilla al hombre para hacerle saber lo que es, para que este supiera desde la fe, desde su interioridad más concreta, lo que está llamado a ser; de ahí que la mejor traducción lingüística del concepto kierkegardiano de «angustia» sea «ansiedad». El «Otro» de KIERKEGAARD, al final del final, es desesperante, y además hay que sonreírle.

Desde luego, ningún hombre, por naturaleza, desea esa «llamada al absurdo». No se nos puede pedir. Y nuestra interioridad no está hecha así. Pues si la fe se basa en creer lo que siempre está después de la vida, entonces una vida que estuviera hecha añicos no sería de suyo ningún mal –cosa absolutamente irrazonable–. El problema que comparece en la situación en la que KIERKEGAARD ha dejado al hombre se muestra ahora clara: no es tanto que se le pida al ser humano que salte al vacío,

---

17. Véase CAMUS, A., *Calígula,* Alianza, Madrid, 1996.
18. ALVIRA, R., «Música sonora y música callada. Reflexiones sobre el pensamiento de Nietzsche», op. cit., p. 153.

sino que se le pide que salte *desde* el vacío, porque lo que se ha quedado sin consistencia es el lugar desde donde saltar: el mundo. Incluso el amor que solicita KIERKEGAARD como respuesta es, por más que se empeñe en negarlo el danés, de un ascetismo inhumano.

KIERKEGAARD advierte bien –frente a NIETZSCHE– que «lo que la conciencia [...] me muestra [...] es que *me siento y me pienso* siempre como antecedido»[19], que somos cada uno de nosotros «la novedad de un *después*» para el mundo como ningún viviente lo es. Esa novedad comparece en una relación de interioridad que ha asumido la existencia como mortal y dolorosa, pero en la que se ha tenido conciencia, diría KIERKEGAARD, que la vida está bautizada por lo que supera absolutamente todo sufrimiento. Vivir es creer, y para creer hay que saltar.

Pero la confianza de KIERKEGAARD no pasa por el «cuerpo del hombre», es decir, se salta el mundo, y se nos pide, desde su planteamiento, una fe absoluta, un amor absoluto y un salto absoluto, para poder superar lo insuperable: que el tiempo pasa, nos mata, y no somos felices.

No estamos hechos, justamente, para pensar ni vivir así: ni nuestra interioridad, ni nuestra confianza están más allá de nuestra carne. KIERKEGAARD puede tener razón en que la pura carne –la pura estética– es nietzschenamente ingenua en un mundo de dolor que reclama una redención; pero si la interioridad que se pide es la de un salto ciego que desoye la corporalidad misma de la que está hecha, entonces a ningún hombre se le puede juzgar por no hacerlo. Sea lo que sea dicha fe, sea lo que sea dicha interioridad que se relaciona con el Absoluto, sea lo que sea ese salto, no puede ser ajeno a nuestra vida provocando en ella una angustia para la vida misma.

Si la vida puede sobreponerse a la angustia por su relación con el Absoluto, o bien este está presente asumiendo nuestro cuerpo y nuestro dolor, o bien nadie querrá ese Absoluto. Si la vida misma es angustia, nadie querría vivirla. Sólo el Absoluto hace «saltos absolutos».

3.1. MOLDEADOS POR CARICIAS

KIERKEGAARD bien supo poner frente a HEGEL aquella frase del Eclesiastés: «Más vale un perro vivo, que un león muerto» (Ec 9, 4), pero el perro de KIERKEGAARD tiene que hacer «piruetas metafísicas» para poder vivir.

El *Logos* hegeliano se iba a un mundo racionalmente desplegado

---

19. *Ibid.,* p. 156.

que no era el nuestro: lleno de dolor y sufrimiento. Y KIERKEGAARD «lo hizo carne», porque carne se hizo según san Juan. Pero ese «*logos* hecho carne», dijo KIERKEGAARD, nos hacía tomar conciencia de que nuestra vida debía ser un sacrificio desgarrador. El Absoluto nos pedía saltar, una y otra vez, de nuestro cuerpo y nuestro mundo a sus «Brazos Divinos».

La «divina acogida» sería terrena –pues el *Logos se hizo carne*–, pero el hombre tendría que espiritualizarse para poder acudir a su cita. Sin embargo, no parece que esa sea la relación primigenia con el Dios cristiano que tanto usa KIERKEGAARD. El mismo san Juan, con su testimonio, muestra al final de su evangelio que ese sacrificio del hombre para eliminar el dolor del mundo no es la raíz primera de la relación entre el hombre y Dios. En el último capítulo de su evangelio, Jesús –el *Logos* hecho carne– le pide a Pedro que le siga hasta la muerte; una muerte que debe ser asumida libremente por el propio Pedro, como Jesús libremente asumió dar la suya. Lo curioso es que acto seguido, el bonachón, tozudo y algo celoso de Pedro, señala a Juan, y le pregunta a Jesús: «Señor, y éste, ¿qué?» (Jn 21, 21). Para KIERKEGAARD, el Absoluto debería pedir «al discípulo a quién Jesús amaba» (Jn, 21, 20), un salto mayor, precisamente, *ad maiorem Dei gloriam*. Pero la respuesta de Jesús no es esa, sino, inesperadamente, todo lo contrario: «Si quiero que se quede hasta que yo venga, ¿qué te importa? Tú, sígueme» (Jn, 21, 22).

No hay tal salto. La relación primera del hombre con el Otro, no es la de una desproporción insuperable que pide una muerte para redimir la muerte misma. O, mejor dicho, como hay muerte y dolor, y es obvio que no se puede negar hegelianamente, su aparición no ha de impedir la posibilidad de una vida que sabe que el dolor no quita nada a la relación entre el Otro y el hombre. Sólo si hay una participación, sólo si hay unidad, puede tener sentido creer. Y, por lo visto, en la tradición judeocristiana, esa participación está *in situ* en los mismos textos bíblicos.

Para los cristianos, el *Logos* hecho carne, es el Dios que crea con el *logos*. En el relato elohísta de la creación del mundo del Génesis, Dios crea diciendo, pues «dijo Dios: "Haya luz", y hubo luz» (Gn 1, 3). Y dice Dios muchas palabras: luceros, animales vivientes, aguas y un sinfín de cosas. Ese «decir» del primer relato de la creación es entendido por influencia helena como *Logos*. Un *Logos* que es un decir previo a toda palabra, un *Logos* que después de decir y crear la realidad por ser verbo, es capaz de *llamar* a las cosas por su nombre: «y llamó Dios a luz "día", y a la oscuridad la llamó "noche"» (Gn 1, 5). Parece como si se distinguiera la palabra creadora –la que es verbo y que crea lo que dice– del nombre por el que las cosas pueden saberse llamadas por Elohí.

También, en ese primer relato, el hombre es *dicho*. Pero Elohí no dice «hombre» del mismo modo que ha dicho «luz» o «agua»:

> «Y dijo Dios: "Hagamos al hombre a nuestra imagen, como semejanza nuestra, y manden en los peces del mar y en las aves de los cielos, y en las bestias y en todas las alimañas terrestres, y en todas las sierpes que serpean por la tierra".
>
> Creó, pues, Dios al hombre a imagen suya, a imagen de Dios le creó, macho y hembra los creó» (Gn 1, 26-7)

Parece que, frente a KIERKEGAARD, el hombre y la mujer son participación propia de Elohí, y Elohí no «los dice» como a los demás, porque, en cierto sentido, Elohí *está diciendo algo de sí mismo* de un modo distinto a como ha dicho el resto. En ese relato, el hombre no es lo absolutamente desproporcionado del *Otro,* sino el modo en el que el Otro comparte su intimidad. El *Logos* se ha atrevido a decir su propio nombre para dárselo a otro en forma de semejanza e imagen: no somos Dios, pero somos parte de su interioridad dada libremente.

En este pasaje, la palabra «hombre» viene del hebreo *a·dhám,* que se traduce tanto por Humanidad o grupo de hombres en plural como por hombre en singular.

Pero el relato más sobresaliente es, sin duda, el yahvista, es decir, el segundo relato de la creación. Pues ahí, Yahvé no crea primeramente con la palabra sino con las manos. La tradición hebrea es, como se sabe, adversa al dualismo: no entiende que Dios crea un cuerpo más un espíritu, sino que crea de barro, arcilla y un aliento vital preso en el mismo barro acariciado[20]. Si no hay contradicción entre los dos relatos, cabe decir que la forma en que la interioridad de Yahvé se da –su palabra– es mediante las caricias que modelan lentamente un cuerpo y no sólo por el *logos.* La figura del hombre está hecha por unas manos que serpentean cuidadosamente los contornos de lo que es, puliendo las líneas de un cuerpo por unas caricias que le otorgan-si estamos hechos a imagen y semejanza– lo que la misma caricia es: hechos por una Caricia para acariciar con las nuestras. Al posar su mano, la caricia se ha hecho una con lo acariciado.

Se puede decir simbólicamente que en el relato elohísta, el hombre

---

20. Véase, DUCH, L., *Escenaris de la corporeïtat. Antropologia de la vida quotidiana.* Publicacions de l'Abadia de Montserrat, Montserrat, 2003.

había sido «dicho», pero no «llamado». El hombre aún no se sabía semejante plenamente. Y será, precisamente, en la creación de la mujer donde comparecerá toda la radicalidad de la proporción del otro: el que estamos hechos para acariciarnos, para decirnos, para estar con otro y por otro. La creación de Eva será la forma en la que el hombre sepa «su nombre» y a quién acariciar. Dicho relato muestra la forma en que se unen «mano y palabra», «cuerpo y voz», de un modo en el que, por fin, el hombre se sabe llamado por su nombre. En este segundo relato, la noción que se emplea para hombre es *isch*, y ya no tiene el sentido de la Humanidad entera, sino de *un* hombre.

En ese momento Yahvé, tras moldear al hombre con sus manos, entiende que es bueno que tenga a otro: cree que necesita una ayuda (Gn 2, 18). Yahvé no decide crear directamente una compañía perfecta para el *isch* –hombre–, sino que antes hace a todos los animales y vivientes y se los presenta para que éste les dé nombre. El hombre, casi como Elohí llamaba a la luz día y a las tinieblas noche, lo hace, pero sin encontrar la compañía que buscaba. No ha encontrado un nombre en el que saber el suyo y por lo tanto no sabe de su semejante. ¿A quién acariciar?

Tras ello, Yahvé le sume en un profundo sueño, le quita una costilla y de ella crea, otra vez modelando, la compañía del *isch*. Se la presenta. El hombre la ve. Inmediatamente reconoce lo que en ningún otro ser había podido reconocer, y exclama: «Ésta sí que es hueso de mis huesos y carne de mi carne» (Gn 2, 23).

Sólo en el instante en el que hombre ve su compañía –comprende de la ayuda que necesita– es cuando sabe su nombre. Y por primera vez lo pronuncia. Y por eso no da nombre a la mujer como lo ha dado a los demás vivientes, sino que en el nombre que le da va a reconocer el suyo propio: la llama *isch·scháh*, que en castellano se ha traducido por «varona».

Cuando alguien dice de otro «eres hueso de mis huesos y carne de mi carne» se le está diciendo que «tú eres yo», o dicho de otra manera, que el reconocimiento de la plenitud de la propia identidad se da en y por el rostro del otro: mi interioridad se fragua en la relación. El hombre se sabe semejante por que sabe de la unidad con el otro, de su participación: una participación que no es únicamente ideal, sino una unión en la que se unen el bautizo de la palabra «yo» mediante un «tú»-*isch·scháh* e *isch*–. Ahora hay dos cuerpos acariciados que ahuyentan la soledad. Pues la primera vez en la que el hombre sabe cómo es llamado acontece en el reconocimiento del otro como un «yo», es decir un «tú» que soy «yo». Ahora, por fin, ya somos «nosotros».

Así, la radicalidad de la interioridad del hombre y su semejanza con Elohí queda fundada en su donación a otro que, sin ser él, permite religar la plenitud de uno. En la «hechura» del hombre, lo diferente funda la identidad siendo lo mismo que yo. El otro no es lo absolutamente otro, pues la diferencia funda la relación unitaria tanto como la unidad funda la diferencia. Estamos hechos para estar juntos desde nuestras palabras y nuestros cuerpos: sólo hay interioridad donde ésta se pueda dar a otro, y sólo hay interioridad si el otro resulta ser parte esencial de lo que soy. Dar el cuerpo y dar el nombre a otro es tanto como darse uno, pero uno sólo es capaz de darse plenamente a quien es capaz de recibirle en su totalidad: otro como yo. O, dicho a lo hebreo: «soy su semejante».

El relato del encuentro del otro que me da lo que soy a la vez que yo a él, sigue del modo más carnal posible: «Estaban ambos desnudos, el hombre y su mujer, pero no se avergonzaban uno del otro». Antropológicamente hablando, la desnudez originaria de dos cuerpos que son uno y que han sido hechos a base de caricias, deja entrever que la forma en que el cuerpo de uno ha de ser tocado no es por mis propias manos sino por las suyas. No queremos acariciarnos, queremos que nos acaricien: el cuerpo del hombre está hecho para ser acariciado por otro. Mi abrigo es la piel de quien me acaricia y no únicamente mi propia piel desnuda. Igual que ya no hay soledad, tampoco hay desnudez ante el rostro de mi compañía, y su caricia es mi abrigo, y mi desnudez ya no posee vergüenza ante su cuerpo.

No nos vemos como los otros nos ven, pues nuestros ojos están hechos para ser vistos por los ojos de los demás, y no para verse a sí mismos. No nos tocamos como nos tocan, ni nos sentimos como nos sienten, pues estamos hechos y queremos tocar y sentir al otro... y que el otro nos acaricie. Nuestro rostro sólo puede ser reconocido por el otro —o si se quiere, veo mi rostro cuando veo el de otro—. Hay una fuerza antropológica desplegada en el ser humano que le conduce a buscarse y a llamarse en la corporalidad de otro hombre que en nada me es ajeno: «es mi semejante».

El relato del Génesis, incluso aunque fuera tomado como un simple mito homérico, puede ser de ayuda para entender el deseo que todo hombre tiene ante el dolor, pues cuando ese paraíso de desnudez inocente se ha perdido, y aparece la llaga en el cuerpo del hombre, y nuestros dientes se pican, y nuestra piel se pudre, y todo en nosotros es un herida por la que apenas podemos respirar, entonces y sólo entonces, se nos revela y recuerda que el cuerpo del otro ha de ser nuestro refugio y esperanza. Si de caricias estamos hechos, en nuestros sufrimientos, no se nos puede pedir, como KIERKEGAARD hace, un salto ajeno al cuerpo mismo[21]. Si Yahvé, Elohí o Dios crea al hombre con la caricia, la forma en que se nos puede pedir «dar al otro» es la ternura. KIERKEGAARD no ve la caricia de la que está hecho el hombre y que –por más que se empeñe el danés– no le pide «saltar», sino creer y acariciar la herida que ahora es. El salto ha de ser carnal porque es en la carne en donde nos sabemos semejantes a los demás y –si uno es creyente– a Dios. No somos «espíritus metidos en un cuerpo» que han de creer en saltos ciegos, somos cuerpos moldeados por manos y palabras: las nuestras, las de *isch·scháh* y las de Yahvé.

3.2. TERNURA Y CONSUELO

Saberse expuesto a la manos de otro es vivir la vida desde la conciencia de la fragilidad, y sostener esa fragilidad como el punto fundamental –frente a la Modernidad de la razón límpida y sin cuerpo– de la existencia. Pero, al mismo tiempo, es hacer del cuerpo la posibilidad de la donación más radical: el amor. Sólo si el cuerpo es la condición por la que el hombre es amado, pues sólo el amor permite entender la herida de nuestro cuerpo, cabe saber que la palabra que nos corresponde –y si quiere, aquello que de espiritual es el hombre– posee un significado temporal de interioridad.

Que el cuerpo esté lleno de palabra, y que nuestra palabra –*isch*– sea reconocida en el cuerpo del otro, es otra forma de decir que el cuerpo no es, frente a Descartes y la modernidad, lo que oscurece la razón que continuamente ve en el cuerpo el tropiezo de su vida en su camino hacia la verdad.

Es conocido que el espacio es el lugar del tiempo, y que, por tanto, el cuerpo es el tiempo del hombre. «Sin el pasado temporal acumulado, desaparecería la vida. En ese sentido, el cuerpo es el pasado del hombre»[22]. El puro tiempo nunca recuerda, pues, como NIETZSCHE acertó a

---

21. Lo mismo cabe decir respecto de la relación entre interioridad, historia y tiempo: «la interioridad es la posibilidad misma de un nacimiento y de una muerte que no extraen de ningún modo su significación de la historia. La interioridad instaura un orden diferente del tiempo histórico en el que se constituye la totalidad, un orden en el que todo está *pendiente*, en el que siempre sigue siendo posible lo que, históricamente, no es ya posible». LEVINAS, E., *Totalidad e infinito, ensayo sobre la exterioridad*, Sígueme, Salamanca, 1997, p. 79.

22. ALVIRA, R., «Música sonora y música callada. Reflexiones sobre el pensamiento de Nietzsche», op. cit., p. 156.

ver, es el *eterno retorno de lo mismo*. Para NIETZSCHE, el tiempo ha de ser convertido en cuerpo, y el modo en que el tiempo es dueño de sí en forma de materia es la «Pura voluntad». Así, una materia sin pasado –sin que el tiempo rompa el cuerpo– es como una pura voluntad. Pero la pura materia sin pasado es, como acertó a ver ARISTÓTELES, irreal: materia prima. Si hay materia hay relación, y si hay relación hay un antes y un después: tiempo.

La comunicación es ontológicamente primaria en la relación espacio-tiempo, y, en nuestros términos, «palabra-arcilla». Eso significa que el cuerpo del hombre necesita de un pasado para poder saber de su voluntad, y que su voluntad se fragua en la relación misma. Así, el cuerpo del hombre sabe de sí –se hace palabra– en su recuerdo. Pero ese recuerdo, que constituye la originariedad de lo que es, y, por lo tanto, consiste en la máxima expresión de su interioridad, es temporal en su relación a algo anterior y que sostiene el tiempo mismo. Nuestra carne recoge las palabras para saber de sí por la relación con el otro. A eso, ARISTÓTELES y la escolástica lo llamó *inmanencia*. Nuestro cuerpo posee interioridad –tiene un *dentro*– porque es capaz de retener y hacer permanecer al otro. Así pasa con el conocimiento, con la sensibilidad y con las operaciones vitales básicas. Vivir, como señaló BERGSON y antes PLATÓN, es recordar: hacer memoria. De ahí que ese «dentro» no sea espacial, sino temporal: impedimos que el puro tiempo se lo lleve todo. Hacemos «carne de nuestra carne» al otro, buscando la eternidad de las cosas.

Ahora bien, es obvio que ni podemos recordar todo de nuestras vidas –BLUMENBERG– ni recordamos porque fuimos un alma alada subida a un carro en una verdadera vida anterior –PLATÓN–. Ninguna de las dos opciones permite saber de la ternura que el hombre necesita, ya no como necesidad, sino como originariedad: su desnudez. Si el recuerdo es no dejar que el otro se vaya, entonces, respecto de nosotros, lo que pedimos es que alguien nos recuerde y que, en primera persona del plural, significa que recordemos que somos algo de otro. El recuerdo de la máxima interioridad del hombre es el recuerdo de la relación inscrita en lo que somos: «tú eres yo».

Esa interioridad es pues totalmente carnal porque el recuerdo de la relación es también el recuerdo de la filiación, la fecundidad y la pertenencia. O, como dice RILKE, «quizá por encima de todo haya una gran maternidad como un anhelo común. La belleza de la virgen, un ser que [...] "aún no ha realizado nada", es maternidad que presiente y se prepara, que teme y ansía. Y la belleza de la madre es maternidad entregada. Y la de la anciana es un gran recuerdo. Y pienso que también hay maternidad en el varón, una maternidad corporal y espiritual; su engendrar es también una forma de dar a luz, y dar a luz es crear desde la plenitud más íntima»[23].

Que nuestro cuerpo esté lleno de la palabra, y que nuestra palabra -isch- sea reconocida en el cuerpo del otro, es saber que nuestro cuerpo es la relación con otro. Frente a la Modernidad, el cuerpo del hombre no es lo que impide el camino hacia la realidad, pues su misma andadura en el mundo es una forma de donación: la donación de otro en una palabra hecha carne.

Así, no hay mayor ruptura en el hombre y no existe mayor dolor que la soledad, porque la soledad –y la muerte es su máxima expresión– es de suyo y metafísicamente la mayor pérdida posible. La relación cuerpo y alma se vuelve indisoluble en el dolor de la pérdida, hasta un punto en que la unidad de los cuerpos es la unidad de las palabras –alma–. Por eso, cuando SAN AGUSTÍN relata la muerte de un amigo sólo sabe hacerlo en esos términos:

> «Pero no sé qué efecto misterioso había nacido en mí, pues tenía grandísimo tedio a la vida y miedo a la muerte, como a enemiga cruelísima que me lo había quitado, y juzgaba que ella había de acabar de repente con todos los hombres, toda vez que había podido acabar con aquel a quien yo amaba. Tal era mi triste estado entonces, que bien presente lo tengo [...]. Porque yo sentí, y llegué a creerlo, que mi alma y el alma de mi amigo habían sido una sola alma en dos cuerpos. Y por eso me causaba horror la vida, porque no quería vivir a medias y como dividido; y quizá también esta era la razón por la que tanto temía el morirme, porque muriendo yo no muriese del todo aquel a quien tanto había amado»[24].

La palabra «hombre» en el relato del Génesis, se da porque precisamente no es «bueno que el hombre esté solo». La comprensión de nuestra carnalidad reclama una interioridad que sabe de sí en su relación con lo exterior. Esa carnalidad es sabida y dicha por el mismo Yahvé, y es asumida por él de forma plena, en la tradición cristiana, al decidir hacerse carne. Somos cuerpos hechos *por* y *para* otros cuerpos: es la divinidad otorgada por alguien siempre más humilde que yo, que me da lo que él es, haciendo de la humildad no un valor primeramente moral, sino ontológico: antes que yo dé, ya se me ha dado.

En sus memorias, GADAMER relata un pasaje realmente entrañable

---

23. RILKE, R. M., *Cartas a un joven poeta*, Ediciones Obelisco, Madrid, 2005, pp. 44-5.
24. AGUSTÍN, *Confesiones*, IV, 14, 22.

que permite aclarar esta situación. En 1923, GADAMER llegó a Friburgo para estudiar con HUSSERL y con HEIDEGGER. Por aquel entonces, un joven, brillante y díscolo profesor hacía estragos en la escuela fenomenológica. Era Max SCHELER. SCHELER, de personalidad y genio fuera de lo normal, era considerado en casi todos los círculos como un fenomenólogo al uso, menos por los propios fenomenólogos. Nada más llegar a Friburgo, le contaron a GADAMER que hacía poco tiempo que Max SCHELER había pasado por allí y que había tenido una entrevista con HUSSERL. Por lo visto –y sigo con las palabras del propio GADAMER–, «había puesto en un apuro al viejo [HUSSERL] preguntándole si el buen Dios puede distinguir entre izquierda y derecha. Parecía un juego frívolo, un tirar de los hilos de las marionetas. ¿O se trataba más bien de que estuviera tomándole el pelo al defensor de la filosofía como ciencia estricta? Pero para [SCHELER] se trataba de un asunto muy serio»[25]. Pues, en el fondo de lo que se trata es de saber cómo lo divino puede abrazar lo humano en su carne: «Dijo luego Yahveh Dios: "No es bueno que el hombre esté solo. Voy a hacerle una ayuda adecuada"» (Gn 2, 18).

El recuerdo radical en el hombre es saberse donado por otro. Si la soledad es el mayor dolor del hombre, no menos radical es pensar el nacimiento del ser humano. Sea lo que sea el dolor y la muerte, ha de comprender que esa no-soledad es carnal –el milagro del nacimiento– y, por lo tanto, ha de saber recoger el dolor y la enfermedad: la precariedad que tienen en común el niño y el anciano.

Es ahí donde, la ternura es la forma primigenia de consuelo, porque la ternura es recoger la humildad del mundo en su dolor y en su enfermedad: somos los dones de los otros. La posibilidad de toda carne es la humildad previa que nos constituye, siendo la ternura el cuidado de la carne que no quiere ni desea la soledad. El consuelo es esa compañía y presencia del otro.

Por eso, RILKE, frente a la Modernidad y también frente a KIERKEGAARD, exclama que «no tenemos ningún fundamento para desconfiar de nuestro mundo, ya que no está contra nosotros. Si tiene miedos, son sólo nuestros miedos; si tiene abismos, esos abismos nos pertenecen; si hay peligros, debemos intentar amarlos. Y si disponemos nuestra vida según el principio que nos aconseja mantenernos siempre en lo difícil, lo que nos parecía extraño, se nos transformará en algo infinitamente fiel y digno de toda confianza. ¿Cómo hemos podido olvidar los viejos mitos que se yerguen al comienzo de todos los pueblos, los mitos de

---

25. GADAMER, H. G., *Mis años de aprendizaje*, Herder, Barcelona, 1996, p. 82.

aquellos dragones que en el instante supremo se transforman en princesas? [...] Quizá todo lo horrible, en el fondo, sea sólo una forma de desamparo que solicita nuestra ayuda»[26].

KIERKEGAARD pidió salirse del mundo a ciegas, y NIETZSCHE exigió el absurdo ante esa postura. El dolor del cuerpo no deja de ser un escándalo, pero no lo es menos, en cierto sentido, la humildad de la propia realidad. La unión de ese «don del otro» a nuestra vida –la presencia constante del otro incluso en la carne– hace decir a NIETZSCHE, irónicamente, que «Dante cometió un grosero error al poner, con horrorosa ingenuidad, sobre la puerta de su infierno la inscripción "también a mí me creó el amor eterno"»[27].

Para NIETZSCHE, la paradoja es que el otro ha hecho padecer y ha creado dolor, o como dice LEVINAS, que «en el esfuerzo, el dolor, en el sufrimiento, encontramos en estado puro lo definitivo que constituye la tragedia de la soledad»[28]: me han hecho sufrir y me han dejado solo. Pero la pura soledad es metafísicamente imposible, del mismo modo que el puro dolor es conceptualmente impensable. Lo que de verdad escandaliza, es la ternura ante la llaga, y, precisamente escandaliza, porque dicha ternura es un sacrificio en el que «hay algo superior, más valioso que lo que él ofrece»[29]: quien se sacrifica por otro, recuerda que el otro es su «otro yo».

Esa presencia siempre anterior a mí es el consuelo hecho ternura, y es la relación en la que se sabe ver la carne y la palabra, la metafísica y

---

26. RILKE, R. M., *Cartas a un joven poeta*, Ediciones Obelisco, Madrid, 2005, p. 80.
27. NIETZSCHE, F., *Genealogía de la moral*, I, XV. La cita de Dante es, Divina Comedia, Infierno III, 54. La cita de NIETZSCHE no es exactamente literal, como puede verse. Se trata de aquellos famosísimos versos:
      Per me si va ne la città dolente,
      per me si va ne l'eterno dolore,
      per me si va tra la perduta gente.
      Giustizia mosse il mío alto fattore;
      fecerni la divina potestate,
      la somma sapienza e'l primo amore
      [Por mí se va a la ciudad doliente,
      por mí se va al dolor eterno,
      por mí se va entre la gente perdida.
      La justicia movió a mi supremo Autor.
      Me hicieron la divina potestad [el Padre],
      la suma sabiduría [el Hijo] y el amor
      primero [el Espíritu Santo].
28. LEVINAS, E., *El tiempo y el otro*, Paidós, Barcelona, 1993, p. 109.
29. FRANKL, V., *El hombre doliente. Fundamentos antropológicos de la psicoterapia*, Herder, Barcelona, 1987, p. 277.

la hermenéutica, el espíritu y el cuerpo. O dicho con Eduardo LOSTAO: «Es claro que si no fuésemos un cuerpo no habría nada que interpretar, pero es cierto también que si no estuviésemos hechos para amar tampoco habría interpretación alguna»[30]. Pues somos cuerpo no para ser puros creadores de nuestra vida, ni para saltar de él a un infinito desproporcionado, somos cuerpo para poder ser amados por el que siempre nos antecede en el tiempo y que, por tanto, funda nuestra interioridad: un padre.

Consolar es una forma de ser padre y saber de la ternura inscrita en el cuerpo de sus hijos cuya interioridad y vida piden no estar solos nunca: el recuerdo de su presencia y la presencia de su recuerdo.

---

30. LOSTAO, E., «Acudir a las fuentes»; en CALLEJO, A., y Vicente ARREGUI, G., *Significados de la memoria: homenaje al profesor Jorge V. Arregui,* Universidad de Málaga, Málaga, p. 44.

PARTE III

ESTUDIOS SOBRE LA ATENCIÓN PSICOSOCIAL EN LA ENFERMEDAD AVANZADA

Notas para una antropología de la relación psicólogo-paciente

JOAQUÍN GUERRERO MUÑOZ

INTRODUCCIÓN

Cuando me propusieron participar en esta obra colectiva y pude ver por primera vez el índice completo con las diferentes aportaciones, tuve una reacción inmediata de cautela a la hora de emplear el concepto de *paciente* en el título de mi trabajo como habían hecho buena parte de los autores. Este recelo inicial, visceral y automático, era la respuesta a lo que habitualmente denominamos «deformación profesional». En realidad más que una deformación, se trataba justamente de lo contrario, de una formación disciplinar y profesional inscrita en el humanismo psicológico que durante bastante tiempo había debatido acerca de la pertinencia del término *paciente* en el marco de la relación terapéutica, para finalmente optar por otras alternativas como la de *cliente, usuario* o *persona* más en consonancia con un ideario resistente al domino discursivo del modelo biomédico imperante en la atención sanitaria.

Probablemente esta resistencia[1] de una parte de la Psicología ha cambiado en los últimos tiempos, y es muy posible que con la reciente creación de la figura del *Psicólogo General Sanitario*, tras la correspondiente aprobación el pasado 22 de septiembre de 2011 en el Pleno del

---

1. Las causas de esta resistencia de una parte de la Psicología al manejo indiscriminado del término paciente son varias, pero destacaremos dos. Una de ellas tiene que ver con la habitual dependencia, aunque no siempre necesaria, que el discurso médico establece entre paciente y enfermedad mental. La otra es el reduccionismo clínico que implica esta denominación en el ámbito de la Psicología. Una disciplina que tiene por objeto el estudio del comportamiento humano y de los procesos mentales en general y no únicamente la conducta anormal, desviada o patológica.

Congreso de la enmienda a la *Ley 33/2011 General de Salud Pública,* el panorama en nuestro país sufra una importante transformación que afectará sin lugar a dudas al lenguaje de la práctica psicológica en el ámbito de la salud. Hasta cierto punto es esperable que el lenguaje biomédico, del que con tanta insistencia, a veces incluso obsesiva, se ha pretendido desligar la Psicología con el ánimo de diferenciarse principalmente de la Psiquiatría, adquiera un nuevo sentido toda vez que la Psicología se incorpora de pleno derecho a la actividad sanitaria y al sistema de salud público más allá del papel que venían desempeñando hasta el momento los psicólogos especialistas en psicología clínica. No pretendo en modo alguno dirigir este trabajo hacia una discusión terminológica, simplemente me esforzaba en poner de manifiesto cómo mi inicial actitud recelosa respondía a un programa antropológico previo. Y es precisamente de este asunto del que me gustaría ocuparme en este capítulo.

Partimos de la siguiente afirmación, la psicoterapia es una antropología teórica y práctica. Lo es en dos sentidos, primero porque en los diferentes modelos de intervención psicoterapéutica encontramos una visión particular del hombre y de la naturaleza humana, un intento consciente y premeditado por conocer más acerca de *lo humano,* de todo lo concerniente al hombre y a su propia existencia. La psicoterapia no sólo se dirige a dar una respuesta convincente a la pregunta por el sentido del comportamiento humano, sino que se interpela constantemente acerca de quién es ese *otro* que está enfrente de nosotros, con el que entablamos una relación activa en el curso de la terapia. Así, el hecho de que en la psicoterapia indaguemos antropológicamente sobre la persona, unas veces como *paciente,* otras como *cliente* o *usuario,* no es algo baladí o fortuito. El idioma de la psicoterapia nos muestra la mayoría de las veces un sentido de lo humano. Esta es una pieza clave en la psicoterapia que no debemos pasar por alto, y en consecuencia afirmo taxativamente y sin ningún reparo que no es posible pensar la clínica sin pensar al hombre.

En segundo lugar, porque la psicoterapia es un encuentro notablemente humano. Sabemos del *otro* que es distinto a nosotros pero al mismo tiempo igual a nosotros por su humana condición. El *otro,* se desvela en la relación, a través de la relación misma, a pesar de que ésta contenga una estructura formal que lo representa provisto de cualidades distintivas o diferenciadoras y lo sitúe en un marco de interacción con reglas y normas específicas. La práctica clínica se proyecta en un entorno relacional curativo, humano donde los haya porque implica el encuentro entre dos o más personas al objeto de provocar esencialmente una experiencia de aprendizaje correctora. En la relación terapéutica tiene lugar un conocimiento mutuo, no sólo del mundo íntimo y personal del *otro,* que se abre ante el psicólogo como un territorio desconocido e inexplorado, sino también el conocimiento que el paciente posee acerca de quién es el profesional que se muestra ante él y orienta su actividad terapéutica hacia la promoción de experiencias y de estilos de vida saludables.

Así pues la praxis en la psicoterapia se nutre, a través de sus modelos de intervención, de una particular cosmovisión de la naturaleza humana, que tiene en la *conciencia* y en la *relación terapéutica* dos de sus piedras angulares. En las siguientes líneas desearía mostrar al lector cómo al aproximarnos a las diferentes apariencias y formas que han adoptado la *conciencia* y la *relación terapéutica* en la psicoterapia, emergen y se nos hacen inteligibles algunos de los más representativos rasgos antropológicos del quehacer psicológico. Un quehacer que como bien ha indicado L. CENCILLO posee fuentes ideológicas, además de antropológicas, porque en definitiva la identidad científica del psicólogo reposa en los métodos, técnicas y lenguajes que construye, y éstos justifican la lógica intrínseca de los fenómenos psíquicos casi siempre en base a una ideología concreta[2]. Espero al menos poder trasladarles la idea de que la antropología enmascarada en los distintos modelos de psicoterapia nos permite avanzar en la construcción del sentido de las relaciones humanas y que el vínculo relacional entre psicólogo y paciente, en la perspectiva de que está orientado a la consecución de fines curativos, trasciende los propósitos mismos del cuidado, de los remedios y de los tratamientos de las enfermedades mentales, de las dolencias del alma, para convocarnos a un entendimiento mayor de lo humano.

No es posible abarcar todos y cada uno de los modelos, al menos en este limitado contexto, por lo que mi exposición se centrará en el Psicoanálisis y en la Psicoterapia Humanista de C. ROGERS y V. FRANKL. En el primero de ellos tendremos ocasión de corroborar la hipótesis inicial de este trabajo, afirmando de forma contrastada que en el surgimiento del psicoanálisis la relación psicólogo-paciente motivó el esbozo inicial de una antropología programática revolucionaria, de enorme calado y de consecuencias transformadoras en la mentalidad clínica. El *otro,* en tanto que *paciente,* no es ya un sujeto pasivo disciplinado y modelado por el contexto médico-institucional, sino un sujeto activo, que

---

2. Cfr. CENCILLO, L., *La Psicología como posibilidad,* Amarú, Salamanca, 1988, p. 95.

en la relación con el psicoterapeuta emprende una búsqueda guiada del origen de su afección emocional. La implicación del paciente en la relación, en el proceso dirigido de autoconocimiento, es necesaria e indispensable para la curación de los síntomas que le atormentan y le son extraños, que lo han convertido, como dice M. FOUCAULT al referirse a la enfermedad mental como condición de la alienación social, en un extraño en su propio país[3]. En el segundo de los casos, la relación psicólogo-paciente pensada desde el humanismo psicológico es, en sí misma, una herramienta terapéutica antropologizante, que se dibuja como un potente generador de experiencias interpersonales correctivas que amplían la conciencia de sí mismo y la responsabilidad personal.

1. EL DESVELAMIENTO Y LA COMPRENSIÓN DEL «OTRO» EN LA RELACIÓN PSICOTERAPÉUTICA

Quisiera comenzar este apartado mencionando un par de consideraciones sobre la *conciencia* y la *relación* que retomaremos más adelante al referirnos a los modelos humanistas de la psicoterapia, y es primeramente que la conciencia cumple un papel fundamental en la vida del hombre, tanto es así que resulta necesaria para que el ser humano se realice como tal: «Nuestra relación con el mundo y la vida en él está empapada de conciencia *personal*[4]. La conciencia, por descartado, facilita la supervivencia, pero sobre todo es condición de la existencia. Para existir como persona no es suficiente vivir: es preciso saber que se vive». La nota o cualidad diferencial, si se quiere, de la conciencia humana es que ésta es personal, que es, como dice, P. LAÍN ENTRALGO, «percatación de la realidad de uno mismo y del mundo»[5]. De igual forma la relación, entendida aquí como encuentro genuino con el *otro,* es un hecho fundamental de la existencia humana. En la relación psicoterapéutica se marca distintivamente ese espacio interpersonal del que hablaba M. BUBER refiriéndose al *entre* o a la *«esfera del entre»*[6], donde el hombre busca al hombre, donde el hombre busca a otro ser en la relación comunicativa.

Dicho esto, aunque resulte redundante rememorar el esquema o el patrón interpretativo propuesto por el Psicoanálisis para el estudio de la conciencia, y de manera más especial sobre el papel que juegan los fenómenos inconscientes en el psiquismo humano, desde luego sería un

---

3. Cfr. FOUCAULT, M., *Enfermedad mental y personalidad*, Paidós, Barcelona, 1991, p. 117.
4. PINILLOS, J. L., *Las funciones de la conciencia*, Real Academia de Ciencias Morales y Políticas, Madrid, 1983, pp. 111-112.
5. LAÍN ENTRALGO, P., *Ser y conducta del Hombre*, Espasa Calpe, Madrid, 1996, p. 454.
6. BUBER, M., *¿Qué es el hombre?*, FCE, México, 1949, p. 147.

auténtico dislate intelectual obviarlo por tratarse de un motivo recurrente. Huelga decir que el pensamiento psicoanalítico, o el psicoanálisis entendido como modelo psicoterapéutico, revolucionaron la visión que hasta ese momento se tenía de la enfermedad mental y sobre las causas que originaban los trastornos neuróticos que con tanta frecuencia se habían resistido a las explicaciones de los modelos neurológicos clásicos. Dicho esto, al menos voy a intentar seguir un camino menos transitado, destacando que en el descubrimiento de «lo inconsciente», como opuesto a las realidades que estaban presentes en la conciencia sujetas al *principio de realidad,* y el influjo de las condiciones relacionales, del encuentro relacional que el propio modelo psicoanalítico establecía para lograr la comprensión de los fenómenos psicológicos, fueron determinantes en el programa antropológico psicoanalítico, así como la asunción de que la mente operaba a través de fórmulas simbólicas desde una instancia psíquica opuesta y al tiempo fronteriza con la conciencia. Parto de la premisa de que el modelo freudiano de conciencia, nace de la *clínica,* de la relación terapéutica, y esto le confiere unos rasgos singulares que difícilmente se hubieran mostrado en un ensayo de laboratorio. Es precisamente el encuentro con lo humano, fundado en la relación entre *psicoanalista* y *paciente,* lo que posibilitó extender la mirada antropológica trasladando el foco de atención a las experiencias oníricas, sexuales, emocionales, etc., que emanan en el trascurso de la relación terapéutica, fuera de un contexto altamente controlado por la praxis médica institucional.

Para sostener mi argumento conviene hacer un repaso de ciertos acontecimientos históricos. En concreto he seleccionado dos, por una parte el contacto de S. FREUD con la hipnosis durante su estancia en París entre los años 1885 y 1886, y la publicación diez años más tarde de la obra conjunta con el doctor J. BREUER *Studien über Hysterie* (1895). He escogido estos dos hechos por considerarlos como la «prehistoria del psicoanálisis» y porque en ellos se refleja con nitidez el intenso interés que demostró en todo momento S. FREUD por el estudio de la conciencia y de los correlatos psicológicos inconscientes que determinaban sus contenidos, a partir de su experiencia clínica con enfermos aquejados de «extraños síntomas» cuya etiopatogenia era absolutamente desconocida. En aquel momento estos pacientes eran, la mayoría de las veces, recluidos en instituciones sanitarias afín de contener sus tendencias e impulsos insanos y aplicar medidas terapéuticas diseñadas para hacer retornar al paciente a un estado de cordura. S. FREUD intentaría discernir en su obra más célebre, *La interpretación de los sueños* (1900), la razón oculta de estas afecciones sobre las que J. ORTEGA Y GASSET escribió en 1922 lo siguiente: «La necesidad de descubrir los escondrijos del alma donde vienen a ocultarse esos tumores afectivos, generadores, según FREUD, de las enfermedades mentales, le llevó a penetrar en el territorio de los sueños. Su libro sobre la vida de los sueños es una de las producciones más interesantes del pensamiento contemporáneo. En él desarrolla FREUD la idea de que nuestra conciencia fabrica constantemente símbolos de la sexualidad, a veces de una pureza sublime y de una inmaterialidad platónica inefable»[7].

Su paso por el hospital de la Salpêtrière, el tutelaje que recibió de J. M. Charcot durante su estancia y las experiencias médico-clínicas con pacientes que sufrían de lo que el afamado neurólogo había denominado la *famille néuropathique*, pronto hicieron mella en su carrera intelectual. S. FREUD intuyó que la «neurosis histérica», o las «neurosis traumáticas» como también se las había nombrado, le proporcionarían el material necesario para realizar su gran descubrimiento, y que la sugestión, más que la propia hipnosis, le emplazaría en el camino acertado hacia la compresión de la etiopatogenia de estos trastornos. Cuando me refiero a su gran descubriendo estoy aludiendo, como ya supondrá el lector, al hecho de que por vez primera la conciencia queda representada como una instancia psíquica de naturaleza esencialmente dual en la que se fusionan dos escenarios interdependientes entre sí, con leyes propias y particulares, pero indudablemente interconectados: la *consciencia* y el *inconsciente*. Conocer el significado de la experiencia consciente, ampliar el sentido de «lo consciente», es la meta de la cura analítica. Traer a la conciencia, rememorar en el presente hechos biográficos pasados confiriéndoles un nuevo significado y hacer consciente al sujeto del auténtico origen de los síntomas dramáticos y enigmáticos de su padecimiento, así como la verdadera intención de sus acciones es, como se acaba de mencionar, el objeto de la cura analítica[8]. Es éste por tanto el lugar en el que para S. FREUD reside la sanación y la erradicación del sufrimiento neurótico, y el fundamento de su epistemología de la conciencia, sostenida en la idea de que la *salud* es un criterio de verdad y de realidad[9].

7. ORTEGA Y GASSET, J., «Prólogo a la Primera edición de las Obras completas de S. Freud», tomado de FREUD, S., *Obras Completas*, Biblioteca Nueva, Madrid, 1996.
8. OATLEY, K., «Freud's cognitive psychology of intention: the case of Dora», en DAVIES, M. y HUMPHREYS, G. W. (eds.), *Consciousness*, Basil Blackwell, Oxford, 1993 pp. 90-104.
9. Siguiendo el análisis de J. CHOZA sobre el significado afectivo de las representaciones inconscientes y la noción de conciencia en los trabajos de S. FREUD, podemos decir que la cura y la salud radican en el saber; ¿en qué sentido?, pues en tanto que la conciencia, dinamizada por el *principio de realidad*, permite el acceso a un material velado y desconocido para el sujeto que proviene de una instancia psíquica, el incons-

Para este propósito, que el propio S. Freud consideró plenamente científico, se diseñaron tanto un *corpus* doctrinal como una estrategia metodológica que permitieran acceder a los contenidos de la conciencia, a la exploración sistemática de la experiencia subjetiva[10] incluyendo aquellas realidades (intenciones, motivos, pulsiones...) que permanecían ocultas en la cámara del inconsciente, muchas veces percibidos superficialmente por la conciencia a través de sus ropajes simbólicos. La estrategia clínica estaba organizada en torno a tres técnicas curativas elementales: la *catarsis emocional*, la *asociación libre* de ideas y la identificación de mecanismos inconscientes de defensa como la *represión*. De esta manera se avanzaba en el proceso de apertura de la conciencia haciendo que el sujeto poseyera un conocimiento más certero de aquello que él mismo vivenciaba en su relación cotidiana con el mundo y con quienes le rodeaban.

Se ha sugerido explícitamente que la influencia del psicoanálisis sobre la psicoterapia se centra en varios de sus presupuestos, uno de los cuales está referido al hecho de que es imprescindible sentar las bases metodológicas que nos posibiliten situar al paciente en condiciones de poder elaborar su conflicto psíquico ampliando el campo de su conciencia, de manera que a partir de una experiencia relacional única, como la que se entabla entre él y el terapeuta, pueda alterar sus relaciones con los demás y consigo mismo, y establecer otras más sanas y provechosas[11]. Germina así, en una forma todavía embrionaria, la idea de que la psicoterapia ofrece al paciente una relación correctora que más tarde podrá exportar a las distintas esferas de su vida. Lógicamente, el paciente es representado aún como un *enfermo*, y por extensión, como una persona que se desvía del criterio de la normalidad establecido por el poderoso discurso médico.

El marco donde se encuadra el tratamiento psicoterapéutico está definido en gran medida por un *esquema relacional*, es decir, por el vínculo que se entabla entre el propio paciente y su terapeuta. Esto nos

---

ciente, productora de vida anímica: «El saber se alcanza mediante un acto de conciencia que tiene por objeto el descubrimiento de la situación real de los dinamismos afectivos, y el restablecimiento de su unidad armónica si había quedado rota»; CHOZA, J., *Conciencia y Afectividad*, Eunsa, Navarra, 1992, 2ª ed., p. 133.

10. SOLOMS, M., «A psychoanalytic contribution to contemporary neuroscience», en VELMANS, M. (ed.), *Investigating phenomenal consciousness*, John Benjamins, Amsterdam, 2000, pp. 67-95.

11. Cfr. ANGUERA, B. y GIMÉNEZ, Mª. C., «Fundamentos de la psicoterapia psicoanalítica», en ÁVILA, A. y POCH I BULLICH, J. (Comps.), *Manual de técnicas de psicoterapia. Un enfoque psicoanalítico*, Siglo XXI, Madrid, 1994, pp. 91-106.

lleva a considerar un punto principal del psicoanálisis como estrategia exploratoria de la conciencia: la *relación transferencial* o *neurosis transferencial*. Quiso el destino que J. BREUER y S. FREUD intercambiaran más que palabras. La «cura catártica», una forma de abreacción mnésico-emotiva inducida en el transcurso de una sesión hipnótica o sugestiva, había sido empleada por el doctor BREUER en el tratamiento de sus pacientes histéricos con resultados asombrosos e inquietantes. A luz de estos resultados la hipótesis psicosomática de los trastornos histeroformes tomaba mayor consistencia. Era bastante plausible pensar, dado que ni las investigaciones anatomopatológicas, ni tampoco las neurológicas, habían aportado alguna evidencia del supuesto daño estructural que explicaría los misteriosos síntomas traumáticos: parálisis de miembros, cegueras, pérdida de sensibilidad, ilusiones sensoriales, desvanecimientos y crisis pseudoepiléticas entre otros, que su expresión somática en realidad ocultaba o encubría algún tipo de disfunción psicológica. Sabedor S. FREUD de los detalles que el mismo J. BREUER le fue confiando en relación a sus experiencias con la «cura catártica» y los efectos que en sus pacientes ocasionaba, incluidos aquellos menos previsibles como los que se relatan en el caso de *Anna O.* pero más trascendentales desde la óptica clínica, se dispuso a profundizar en esta dirección. Así en 1895 vio la luz el trabajo preliminar a *La interpretación de los sueños*, me estoy refiriendo a *Estudios sobre la histeria*.

En su capítulo introductorio, titulado «El mecanismo psíquico de los fenómenos histéricos» y escrito en colaboración con J. BREUER, se desvelan y apuntan las líneas maestras de lo que poco tiempo más tarde llegaría a ser la terapia psicoanalítica. En las primeras páginas de esta obra se aboga por una etiología traumática afectiva, esto es, en la neurosis histérica la conciencia del paciente se encuentra sometida a cierto tipo de constricción mnésica, se halla imposibilitada para acceder a, podríamos decir, determinada información que permanece en el lugar donde reside el olvido: el inconsciente. La conciencia está disociada, lo cual provoca que las reacciones del individuo en apariencia carezcan de cualquier sentido. Precisamente por medio de la hipnosis o la sugestión es posible el recuerdo de un acontecimiento vivido en el pasado por el paciente que ocasionó en él un efecto pernicioso: «En la neurosis traumática, la verdadera causación de la enfermedad no es la leve lesión corporal, sino el sobresalto o sea el trauma psíquico (...) Cualquier suceso que provoque los afectos penosos del miedo, la angustia, la vergüenza o el dolor psíquico puede actuar como tal trauma»[12]. A través

---

12. FREUD, S., *Obras Completas*, Biblioteca Nueva, Madrid, 1996, pp. 42-43.

de la hipnosis como procedimiento facilitador del recuerdo e inductor de la reacción afectiva contenida en éste se inicia el camino hacia la curación: «... los distintos síntomas histéricos desaparecen inmediata y definitivamente en cuanto se conseguía despertar con toda claridad el recuerdo del proceso provocador, y con él el afecto concomitante, y describía el paciente con el mayor detalle posible dicho proceso dando expresión verbal al efecto»[13].

Pero volviendo al asunto de la transferencia y del esquema relacional del psicoanálisis, debemos decir que éstas fueron el marco teorético y práctico a partir del cual sería posible reconstruir los acontecimientos pasados insertos en la genealogía traumática, esclareciendo los motivos y deseos enturbiados, velados y ocultos que darían sentido a los síntomas clínicos. La existencia de un componente emocional en los ataques histéricos, la verbalización, e incluso la gesticulación de actitudes amorosas y de contenido erótico que se dirigían al médico durante el estado hipnótico no pasaron desapercibidas para S. FREUD. Incluso en aquellos casos donde la experiencia clínica se mostraba rebelde a estos supuestos, S. FREUD se esforzaba por corroborarlos: «Pero hay también ataques que aparentemente sólo consisten en fenómenos motores, faltando en ellos la fase pasional. Cuando durante uno de estos ataques, compuesto de contracciones generales o rigidez cataléptica, o en un *attaque de sommeil* conseguimos ponernos en *rapport* con el enfermo, o, mejor aún, cuando logramos provocar el ataque durante la hipnosis, hallamos que también estos caso entrañan, en su base, el recuerdo del trauma psíquico o de una serie de traumas, recuerdo que en otras ocasiones se hacía visible en la fase alucinatoria»[14].

El relato de lo sucedido durante el tratamiento que llevó a cabo J. BREUER con *Anna O.*, y ciertos acontecimientos que se fueron sucediendo en la consulta privada de S. FREUD con las pacientes que acudían a tratamiento, pusieron de manifiesto que la relación entre el paciente y el terapeuta no era afectivamente aséptica. Lo que en principio se creía como una «variable extraña» un «efecto no esperado o previsible del tratamiento» que entorpecía el acceso a los contenidos inconscientes, se descubrió más tarde como una herramienta terapéutica fundamental que permitiría la exploración, el análisis y la comprensión de la peculiar dinámica de los complejos inconscientes. Extraer de las profundidades, sacar a la superficie de la conciencia lo sumergido, desconocido y ne-

---

13. FREUD, S., *op. cit.*, p. 43.
14. Ibíd., p. 48.

gado para el paciente, sólo era posible en el marco de un encuentro interpersonal en el que la relación paciente-terapeuta asumía una condición de canal afectivo. El encuentro con el *otro* era antropológicamente necesario para los fines terapéuticos perseguidos por el psicoanálisis, la cura por la palabra no era posible sin el *otro* y sin el vínculo relacional.

2. LA CONCIENCIA DE «SÍ MISMO», O EL NACIMIENTO DE LA «PERSONA» EN LA PSICOTERAPIA

Ahora nos introducimos de lleno en ciertas consideraciones acerca del sentido de la conciencia y la relación psicólogo-paciente desde la óptica de la Psicoterapia Humanista. He tomado como referentes en este apartado las aportaciones de dos autores bien conocidos: V. FRANKL y C. ROGERS, que como bien sabemos han pasado a la posteridad por sus ricas trayectorias vitales e intelectuales. El espectro de autores que responderían a la categoría de «psicoterapeutas humanistas» es muy amplio, y de seguro las contribuciones de R. MAY, A. MASLOW, K. HORNEY o del mismo E. FROMM que directa o indirectamente guarda relación con esta corriente, hubieran sido igualmente reveladoras y valiosas para nuestro propósito. En cambio de nuevo es necesario realizar una elección que no responde a un juicio estimativo en el sentido que lo expresaba J. ORTEGA Y GASSET, sino a una preferencia afectiva, filial y casi genealógica, por supuesto en el sentido figurado de la palabra, mas como un débito intelectual y profesional que como un verdadero vínculo de parentesco.

Parece evidente que la psicoterapia, de manera muy genérica y a partir de la «revolución psicoanalítica», incluye diversos tratamientos por medio de los cuales el terapeuta realiza una actividad pedagógica e intenta enseñar al paciente cómo afrontar, controlar o reducir ciertos trastornos mediante la trasmisión de habilidades y estrategias de los que el terapeuta tiene sobrado conocimiento. Podemos afirmar que la finalidad principal de la psicoterapia sería también la de incrementar el conocimiento que el paciente tiene sobre sí mismo y el mundo que le rodea, sobre el significado de sus experiencias, acciones, sentimientos y pensamientos. Lograr la auto-compresión de sí mismo, o como los psicoanalistas lo han expresado, alcanzar un *insight emocional* e *intelectual,* es la meta final de todo proceso psicoterapéutico.

Con V. FRANKL la psicoterapia se transfigura radicalmente, pasa de ser un mero esfuerzo hiperinterpretativo a convertirse en un verdadero análisis existencial de la experiencia humana y del sentido de la vida.

Es una propuesta la de V. FRANKL arraigada en la firme creencia de que la Psicoterapia ha de superar el puro ámbito de lo psíquico para tener en cuenta la existencia humana total, en toda su profundidad y altura. De la «psicología desenmascaradora» de S. FREUD, como la llamó en alguna ocasión el propio V. FRANKL, entramos en una «psicología elevada» en la que el sentido de la vida es el motor que mueve y arrastra el devenir constante de la experiencia cotidiana y de los complejos neuróticos. Una psicología del transcurrir vital y vivencial en la que el hombre, en tanto que ser consciente de sí mismo, posee en sus manos la posibilidad de elegir, de elegir la manera en que desea vivir su propia vida y asumir esta vocación inexorable de tintes éticos y antropológicos: «De una reflexión general sobre las bases más profundas de la existencia humana resulta la siguiente fórmula antropológica: *ser yo* quiere decir ser consciente y ser responsable»[15]. Para V. FRANKL el hombre está interpelado en su vida por la necesidad de dirigir conscientemente sus actos dotándolos de una significación vital que no es, como sucedía en el psicoanálisis freudiano, una condición restrictiva impuesta por emociones y pulsiones irracionales, sino todo lo contrario, el reconocimiento, y por tanto la toma de conciencia, de que la realidad psíquico-mental del hombre es encuentra supeditada a dos procesos íntimamente ligados: la realización personal y el hallazgo de sentido.

Movido por el acontecer desgarrador de su vida, y por influencias teóricas venidas del psicoanálisis, especialmente de A. ADLER, y de la filosofía, HUSSERL, HEIDEGGER, JASPERS o SCHULTZ, V. FRANKL iría configurando una propuesta *metaclínica* sobre el sentido del sufrimiento humano, la transitoriedad de la vida y ciertas cualidades del ser humano como la libertad, la responsabilidad, la voluntad y la trascendencia. V. FRANKL idea una formulación antropológica básica a partir de la cual la Psicoterapia (entendida como «acción» y «proceso»[16]) amplia su punto de mira. Se trata ahora de la existencia humana en su totalidad, ya que sin esta visión es prácticamente imposible avanzar hacia un conocimiento certero sobre el acontecimiento neurótico. No es la psicoterapia, como sucedía anteriormente con el psicoanálisis freudiano, una actividad dirigida a profundizar en la vida anímica e inconsciente del individuo para conocer, una vez vencidos el olvido, la represión y descubier-

---

15. FRANKL, V., *Logoterapia y análisis existencial,* Herder, Barcelona, 1990, p. 18.
16. El lector puede consultar si lo desea una escueta reflexión sobre este aspecto en mi trabajo «La antropología de la acción en la psicoterapia humanista y sistémica» publicada en *Pensar lo Humano. Actas del II Congreso de Antropología Filosófica de la SHAF,* Interamericana, Madrid, 1996, pp. 55-58.

tos los pasadizos del inconsciente, el origen de los síntomas neuróticos, sino un plan premeditado para que el paciente tome conciencia sobre su propia existencia, en palabras de V. FRANKL: «... la toma de conciencia existencial de sí mismo, de su ser genuino y, justamente, en oposición a la total determinación del hombre estipulada por el naturalismo de las leyes biológicas, sociológicas y psicológicas»[17]. El modelo que nos propone V. FRANKL se orienta hacia un humanismo personalista de características relacionales: «El hombre apunta por encima de sí mismo hacia algo que no es él mismo, hacia algo o alguien, hacia un sentido cuya plenitud hay que lograr o hacia un semejante con quien uno se encuentra»[18].

Esta visión de la psicoterapia transforma el *rol* del terapeuta, lo instala en unos parámetros completamente distintos a los que la tradición psicoanalítica había dibujado, y ya no es la función reveladora la que predomina en este caso, sino una actitud analítica existencial. El terapeuta no se limita a interpretar los síntomas y conducir al paciente a recónditos lugares de su pasado en un ejercicio extenuante y catártico de rememoración constante; todo esto ha quedado atrás y no parece tener demasiada importancia para V. FRANKL puesto que el psicoterapeuta establece ahora las condiciones para que el enfermo descubra su capacidad de extraer sentido de su propia vida con toda su singularidad y peculiaridad, de ser consciente de la responsabilidad que posee: «No se trata de que demos al paciente un sentido de la existencia, sino que única y exclusivamente se trata de que le pongamos en condiciones de que encuentre el sentido de su existencia»[19]. Con V. FRANKL el paciente cobra una dimensión distinta, es *persona*, depositario entonces de cualidades humanas incondicionales más allá de las muestras evidentes de su sufrimiento mental o psicológico.

La consumación de este proceso revisionista y crítico de la función terapéutica tendrá lugar finalmente con C. ROGERS, y el empleo de la *conciencia de sí* como herramienta psicoterapéutica. Este proceso alcanzará su expresión teórica en el término de *autoconcepto* por él acuñado. Así al hilo de lo expuesto anteriormente tomaremos como punto de referencia para nuestro análisis del sentido de la conciencia y la relación terapéutica dos trabajos fundamentales de este autor: *Psicoterapia centrada en el cliente* (Client-Centered Therapy. *Its current practice, implications and theory*, 1951) y *El proceso de convertirse en persona* (On becoming a

---

17. FRANKL, V., *La voluntad de sentido*, Herder, Barcelona, 1994, p. 93.
18. FRANKL, V., *op. cit.*, p. 21.
19. FRANKL, V., *Logoterapia y análisis existencial*, Herder, Barcelona, 1990, p. 163.

person, 1961). Mi intención, al adoptar esta orientación interpretativa, es congruente con el propósito original de este trabajo: enunciar de manera coherente, y al mismo tiempo hacer explícita, la visión que del hombre y de la naturaleza humana se derivan de la acción y del proceso psicoterapéutico según los parámetros que definió Carl ROGERS para los mismos, desvelando así las claves de su antropológica mirada. En los citados trabajos, ROGERS desarrolla con profundidad los tres elementos que conferirán sentido y unidad epistemológica, práctica y técnica al modelo de intervención psicológica que él mismo denominó como *psicoterapia centrada en el cliente:* a) el descubrimiento de las cualidades y las capacidades de la persona, b) la consolidación de una relación terapéutica basada en la *autenticidad* y la *seguridad,* y c) las posibilidades de cambio y crecimiento personal que ofrece, tanto para el terapeuta como para el paciente, la aceptación incondicional del *otro* y el reconocimiento de su propia individualidad.

La desmitificación de las posibilidades que el mero diagnóstico de un tipo de psicopatología ofrece para su comprensión, y para el tratamiento integral de los padecimientos de la persona, alentaron el trabajo y la práctica psicológica de Carl ROGERS que discurrieron definitivamente, y casi desde su mismo inicio, en otras direcciones (v. g. «diagnóstico centrado en el cliente»). ROGERS se decantó, en su concepción de la psicoterapia, del papel «tradicional» que asumía el psicoterapeuta en el proceso curativo. Con esta actitud intelectual y crítica[20], nos anunciaba la alteración radical de la asimetría que hasta el momento había presidido la relación terapéutica entre el médico/psicólogo y el paciente. Pero lo que estamos tratando aquí, no es únicamente una cuestión que afecte al ordenamiento y a la definición de roles en la interacción terapéutica, sino que en la psicoterapia rogeriana se delimita, por así decirlo, un nuevo marco de actuación y relación de cualidades esencialmente diferentes, donde la responsabilidad del cambio no recae en el «experto» (médico o psicólogo) designado y sancionado socialmente, sino que depende en mayor medida, ya lo veremos, de las condiciones relacionales establecidas durante el proceso psicoterapéutico. Sólo de esta manera se

20. A renglón seguido de este argumento es importante mencionar que en la oposición de Carl ROGERS al psicodiagnóstico subyace una condición antropológica más relevante, que ya ha señalado por ejemplo J. M. GONDRA: «En lo más hondo de la oposición rogeriana a la actitud diagnóstica y al diagnóstico late la idea de responsabilidad y libertad individual. La terapia ha de ajustarse totalmente a estos principios (...) una manifestación importante de una toma de postura antropológica fundamental, a saber, el respeto a la independencia y autodirección de la persona»; GONDRA, J. M., *La psicoterapia de C. R. Rogers,* Desclée de Brouwer, Bilbao, 1992, p. 298.

rompe una dinámica perversa que impedía, a los ojos de ROGERS, vislumbrar ciertas cualidades inherentes a la persona humana, que en ningún caso han sido anuladas por la propia conflictividad personal que algunos individuos muestran a través de sus patologías.

Así pues, el terapeuta adopta una disposición al encuentro con el *otro* sin la necesidad de parapetarse en un *rol* profesional caracterizado por una distancia simbólica y socioestructural que le mantiene alejado de un espacio y un tiempo relacionales marcados ahora por la *cercanía*. Por supuesto no nos referimos a una *cercanía* física, a la mera proximidad entre dos cuerpos, más bien se trata de una disposición comprensiva vuelta hacia el *otro,* es decir, una actitud intelectual que no sólo atiende a los síntomas clínicos perfectamente identificados y clasificados por los modelos biomédicos, sino también a las experiencias subjetivas, a las necesidades de autorrealización y autoafirmación del paciente, y a su propia condición espiritual como persona humana.

No es la conciencia en sentido estricto el eje en torno al cual giran las propuestas de ROGERS, es otro su referente conceptual y teórico el que asume el mayor protagonismo: la *persona.* Su quehacer curativo, su estilo de afrontar el sufrimiento psicológico y vital expresado en la terapia por el paciente, está orientado a la transformación progresiva del «status vivencial» del individuo, pasando de *ser* únicamente, a *ser persona.* Lo cual viene a significar ni más ni menos, que la terapia rogeriana activa los resortes necesarios para que se produzca un reordenamiento de la imagen que el sujeto posee de sí mismo y de una búsqueda activa de su verdadera o auténtica «identidad personal». Claro está, todo ello implica en gran medida la intermediación de la conciencia, que en definitiva, posibilitará que se produzca esa transformación.

El proceso de transformación del que aquí estamos hablando no es una actividad en la que el esfuerzo recae casi totalmente en el paciente, todo lo contrario. El terapeuta está en una disposición de apertura y define ciertas condiciones relacionales que facilitarán el desarrollo de la psicoterapia y la consecución del fin que anteriormente se ha mencionado. En el ideario rogeriano la relación terapéutica se ha de consolidar y dinamizar como resultado de un valor que preside la relación entre paciente y terapeuta: la *autenticidad.* Este es uno de los elementos que configuran lo que se conoce con el nombre de *giro existencial rogeriano:* «La autenticidad exigida al terapeuta en el uso de las técnicas fue extendida a toda su persona en el momento en que ROGERS considera a su terapia un encuentro personal»[21]. Esta disposición de apertura al *otro,* de

21. GONDRA, J. M., *op. cit.,* p. 212.

reconocimiento y aceptación de su condición individual y de su realidad personal única ha de sentar las bases antropológicas de una relación psicoterapéutica auténtica, y al mismo tiempo ha de permitirnos abrirnos a las experiencias y al campo fenoménico del individuo, como si se tratara de un *alter ego.* Por ello es improbable alcanzar esta disposición genuina o «estado de gracia» si, previamente, el terapeuta no renuncia a la posibilidad de esconderse tras su rol profesional, en definitiva, a ocultar su *yo* más auténtico y verdadero tras un disfraz. La autenticidad como actitud y como valor comporta para ROGERS dos elementos indisociables, por un lado la accesibilidad a la conciencia de todos los sentimientos del terapeuta y, por otro, la disposición a comunicar estos sentimientos al objeto de que la relación terapéutica sea sincera y real[22].

Nos introducimos así en el segundo elemento constitutivo de la *psicoterapia centrada en el cliente:* la consolidación de una relación terapéutica basada en la *autenticidad* y en la *seguridad.* En este modelo de intervención el terapeuta deja de serlo para convertirse ahora en un consejero. Las cualidades terapéuticas de este consejero se resumen, en palabras de C. ROGERS, en su capacidad para reconocer la dignidad y la significación del individuo[23]. Se gesta, o tiene lugar así, la primera premisa de lo que ROGERS denomina la «orientación filosófica del consejero», que no es sino la recreación por parte del terapeuta de un *otro* que es al mismo tiempo un *uno mismo.* El respeto y el reconocimiento del *otro* como semejante a uno mismo es el paso previo que cualquier terapeuta debe dar antes de comenzar con su formación en la *terapia centrada en el cliente*[24]. Este reconocimiento, y a la vez, respeto por el *otro,* promueve actitudes en el terapeuta que son la base de herramientas psicoterapéuticas tan elementales en este modelo fenomenológico y humanista de ROGERS como la *empatía,* la *escucha activa* o la *promoción del desarrollo personal*[25]. En este sentido escribe lo siguiente: «La persona que avanza en dirección a un mayor respeto por el individuo encuentra en el enfo-

---

22. Ibíd., p. 211

23. ROGERS, C. R., *El proceso de convertirse en persona,* Paidós, Barcelona, 1989, 6º ed., p. 33.

24. Cfr. ROGERS, C. R., «The attitude and orientation of the counselor in client-centered therapy», en *Journal of Consulting Psychology,* 13 (1949): 82-49.

25. Cfr. ROGERS, C., «Being in Relationship», en *Voices: the Art and Science of Psychotherapy,* Vol. 6 (2) (1970): 11-19; «The therapeutic relationship: Recent theory and research», en *Autralian Journal of Psychology,* 17 (2) (1965): 95-108; «The interpersonal relationship: the core of guidance», en *Harvard Educational Review,* 32 (49) (1962): 416-429; *A therapist's view of personal goals,* Wallingford, PA., Pendle Hill, 1960; «Becomings a person; some hypotheses regarding the facillitation of personal growth», en *Pastoral Psychology,* 7 (61) (1956): 9-13.

que centrado en el cliente un desafío y una mediatización de sus opiniones. Encuentra que éste es un punto de vista sobre las relaciones humanas que tiende a llevarlo filosóficamente más allá de donde hasta entonces se ha aventurado (...) mediante las técnicas centradas en el cliente, una persona puede instrumentalizar su respeto hacia los otros solamente en la medida que ese respeto es una parte integrante de la estructura de su personalidad»[26].

Pero no es ésta la única actividad que el terapeuta debe iniciar para consolidar un marco de trabajo que permita al paciente manifestar las vivencias que tiene de sí mismo. Es importante generar un clima de seguridad y comprensión, de manera que en la relación puedan aflorar todo tipo de emociones, sentimientos y pensamientos, con la convicción, por parte del paciente, de que en ningún momento está siendo juzgado, evaluado o recriminado. A este respecto podemos leer en su obra *El proceso de convertirse en persona* lo siguiente: «En la seguridad de la relación que brinda un psicoterapeuta centrado en el cliente y en ausencia de cualquier amenaza, real o implícita, al sí mismo (yo), el cliente puede permitirse examinar diversos aspectos de su experiencia tal como realmente los siente y los aprehende a través de sus aparatos sensorial y visceral, sin que necesite distorsionarlos para adecuarlos al concepto que tiene de sí mismo en ese momento»[27]. Esta «atmósfera psicológica de confort» se alcanza cuando frente a cualquier tipo de ataque o supuesta reacción inapropiada, el terapeuta trasmite con su disposición que la aceptación del *otro* es una condición irreversible del proceso terapéutico, y que el cliente-paciente tiene vía libre para expresar lo que desea, teme, odia, anhela, etc., sin que por ello se cuestione su valía personal. De este modo el cliente tiende a disminuir su actitud defensiva y comienza a trabajar sobre todo aquello que considera y estima relevante en su vida[28].

La relación basada en la *autenticidad* y la *seguridad* es, en sí misma, un instrumento curativo que promociona el cambio en el paciente, por medio de ella el terapeuta intenta mostrar al otro un camino seguro, que no doloroso o complejo, para lograr una visión de sí mismo más auténtica y genuina. Un camino que conduce a la liberación de un *yo* aprisionado y carente de autonomía que espera ser redimido y explorado. Esto sólo es posible bajo el supuesto de la aceptación incondicio-

---

26. ROGERS, C., *El proceso de convertirse en persona*, Paidós, Barcelona, 1989, pp. 77-78.
27. ROGERS, C., *op. cit.*, p. 34.
28. Cfr. ROGERS, C., «Significant aspects of Client-Centered Therapy», en *American Psycologist*, 1 (1946), pp. 415-422.

nal: «Sólo cuando *comprendo* los sentimientos y pensamientos que al cliente le parecen horribles, débiles, sentimentales o extraños y cuando alcanzo a verlos tal como él los ve y aceptarlo con ellos, se siente libre de expresar los rincones ocultos y los vericuetos de su vivencia más íntima y a menudo olvidada»[29].

Se fundan así las bases antropológicas de la *terapia no directiva.* Por una parte el terapeuta no puede iniciar su labor sin reconocerse como un ser autodirectivo, digno del máximo respeto y dotado de una fuerza voluntarista inconmensurable y de una vocación libertaria intrínsecas a su naturaleza humana, y sin reconocer estas mismas cualidades en el cliente-paciente. Por tanto, en el *otro,* unas veces como *cliente* otras como *persona,* se proyecta esta imagen poderosa y optimista del hombre que podemos resumir en las siguientes afirmaciones:

1. El cliente posee una significación existencial que transciende la relación terapéutica, en cuanto que ésta pertenece al ámbito propio de su naturaleza y es común a todos los seres humanos.

2. El individuo es capaz de autodirigirse y actualizarse, es por tanto una organización fluida.

3. El individuo tiende a satisfacer tres grandes necesidades vitales: la necesidad de consideración positiva, la necesidad de autoestima y la necesidad de experimentarse a sí mismo como congruente según la imagen que ha construido de sí mismo a lo largo de su vida.

Por otra parte, y con ello entramos de lleno en el tercer elemento constitutivo de la *psicoterapia centrada en el cliente,* en las posibilidades de cambio, agencia y crecimiento personal que otorgan al paciente su aceptación incondicional y el reconocimiento de su propia individualidad, Carl ROGERS plantea una visión del hombre dinámica. Se trata de un hombre que no está acabado, que se transforma continuamente, que, y aquí es donde percibimos claramente la influencia de la fenomenología en su pensamiento, persigue «llegar a ser» sin «llegar nunca a ser» puesto que su experiencia personal, su manera de percibir y de entender el mundo que le rodea es en todo momento cambiante, y su interioridad está sujeta a las leyes y los principios de la condicionalidad temporal, de la historicidad biográfica y del devenir vital.

Podemos leer en la introducción a su trabajo *El proceso de convertirse en persona* lo que sigue: «Permítaseme poner fin a esta larga enumera-

---

29.   ROGERS, C., *El proceso de convertirse en persona,* Paidós, Barcelona, 1989, p. 41.

ción con una última enseñanza que puede enunciarse brevemente: *La vida, en su óptima expresión, es un proceso dinámica y cambiante, en el que nada está congelado.* En mis clientes y en mí mismo descubro que los momentos más enriquecedores y gratificantes de la vida no son sino aspectos de un proceso cambiante. Experimentar esto es fascinante y, al mismo tiempo, inspira temor. Cuando me dejo llevar por el impulso de mi experiencia en una dirección que me parece ser progresiva hacia objetivos que ni siquiera advierto con claridad, logro mis mejores realizaciones. Al abandonarme la corriente de mi experiencia y tratar de comprender su complejidad siempre cambiante, comprendo que en la vida no existe nada inmóvil o congelado. Cuando me veo como parte de un proceso, advierto que no puede haber un sistema cerrado de creencias ni un conjunto de principios inamovibles a los cuales atenerse. La vida orientada por una comprensión e interpretación de mi experiencia constantemente cambiante. Siempre se encuentra en un proceso de llegar a ser»[30].

La *persona* es una realidad inacabada. Esta es una idea que se verá materializada en la descripción que realiza ROGERS de los episodios experienciales que jalonan lo que él mismo denominó como el proceso de convertirse en persona. Tres son las cualidades o dimensiones antropológicas de la persona: *autoconciencia, libertad y voluntad.* Por un lado el hombre como persona que emerge a través de la relación con el hombre. Una relación que el caso de la psicoterapia rogeriana posee, como ya hemos visto, especiales connotaciones. Hablamos de la persona entendida como ser consciente, consciente, en primer lugar de su propia experiencia vital, es decir, capaz de vivenciarse a sí mismo y percibir toda clase de sensaciones por incongruentes y alarmantes que sean de manera que éstas no signifiquen un peligro para la integridad de su *yo*: «En la seguridad de la relación que brinda un psicoterapeuta centrado en el cliente y en ausencia de cualquier amenaza, real o implícita, al sí mismo, el cliente puede permitirse examinar diversos aspectos de su experiencia tal y como realmente los siente y los aprehende a través de sus aparatos sensorial y visceral, sin que necesite distorsionarlos para adecuarlos al concepto que tiene de sí mismo en ese momento. Muchos de estos aspectos captados por el cliente contradicen por completo su concepto de sí mismo y habitualmente no podrían ser experimentados en su totalidad; sin embargo, gracias a la seguridad que proporciona esta relación, puede emerger a la conciencia sin distorsión alguna»[31].

---

30. ROGERS, C., *op. cit.*, p. 35.
31. Ibíd., pp. 77-78.

La teoría orientada hacia la *persona* de ROGERS nace de la práctica clínica. Sus postulados se han fraguado apoyándose también en conceptos como el de *self* o *sí mismo* que tuvieron en la Psicología de la época una honda repercusión. Dentro de la corriente psicodinámica, Heinz Kohut fue el referente inmediato en la configuración de una teoría sobre el *self*. ROGERS tomaría también como referente teórico la investigación que desarrolló Victor. C. Raing para su tesis doctoral, en la que se entendía el *self* como un elemento principal en la organización de la personalidad y de la experiencia sensorial-perceptiva, cognitiva y biográfica del individuo. La idea de *self* o *sí mismo* la delimitaría ROGERS del siguiente modo: «Está integrado por elementos tales como las percepciones de las propias características y capacidades; los preceptos y conceptos de sí mismo en relación con los demás y el ambiente; las cualidades valiosas que se perciben y asocian con experiencias y con objetos, y los objetivos e ideales que se perciben como valencias positivas o negativas»[32].

Por otra parte, *libertad* y *voluntad*, como cualidades intrínsecas a la naturaleza humana, nos aproximan a la visión rogeriana de la *persona* y al personalismo en la acción y el proceso psicoterapéuticos. Ambas cualidades sitúan la responsabilidad del cambio en la psicoterapia en el propio individuo, el cual, para transformarse en persona, deberá reconocer que tiene ante sí múltiples elecciones, caminos que se bifurcan, que es imposible inhibirse a estas posibilidades y que además la consecución de nuevas metas y objetivos en la vida requiere de la acción planificada y del ejercicio de nuestra propia voluntad. Son opciones que están en nuestra mano, nosotros podemos decidir, tal vez no podamos decidir, como se desprende de la teoría voluntarista de la libertad de J. Stuart Mill[33], desear o no desear, pero sí elegir entre diferentes deseos, e incluso entre resistirnos, postergarlos o reprimirlos.

El núcleo alrededor del cual giran los problemas que el paciente revela al terapeuta en la consulta, se concreta para ROGERS en una clara incongruencia entre la *imagen idealizada* que el sujeto posee de sí mismo y su *yo auténtico*. En este punto es necesario hacer una aclaración. Esa imagen o representación idealizada que posee el individuo de sí mismo proviene en esencia de fuentes externas. Son las personas de nuestro entorno íntimo, aquellas que estimamos por el vínculo afectivo que nos une con ellas, quienes de algún modo, y a través de sus manifestaciones, actitudes, comportamientos y mensajes construyen y dan sentido y con-

---

32. ROGERS, C., *La psicoterapia centrada en el cliente*, Paidós, Barcelona, pp. 127-128.
33. Cfr. GORDILLO, L., *Trayectoria voluntarista de la libertad: Escoto, Descartes, Mill*, Nau Llibres, Valencia, 1996, pp. 79 y ss.

sistencia a esa imagen idealizada que de nosotros mismos hemos interiorizado y asimilado sin ningún tipo de razonamiento, como si se tratara de una clara e inequívoca seña de nuestra identidad, como si en ella se resumiera todo lo que en realidad somos. Tenemos pues una conciencia de nosotros mismo, construida a partir de relaciones significativas con los otros.

La lógica de la intervención psicoterapéutica se centra en la desmitificación paulatina de esta idealización descubriendo un *yo auténtico* basado en nuevas experiencias y percepciones cuyo origen está en el propio organismo. Es aquí donde interviene esa *conciencia organísmica* que al principio mencionaba: «En este intento de descubrir su auténtico sí mismo, el cliente habitualmente emplea la relación para explorar y examinar los diversos aspectos de su propia experiencia para reconocer y enfrentar las profundas contradicciones que a menudo descubre. Entonces aprende que en gran medida su conducta y los sentimientos que experimenta son irreales y no se originan en las verdaderas reacciones de su organismo, sino que son sólo una fachada, una apariencia tras la cual trata de ocultarse. Descubre que una gran parte de su vida se orienta por lo que él cree que *debería ser* y no por lo que es en realidad. A menudo advierte que sólo existe como respuestas a exigencias ajenas, y que no parece poseer un sí mismo propio; descubre que trata de pensar, sentir y comportarse de la manera en que los demás creen que *debe* hacerlo»[34].

La meta en la vida de todo individuo es, para Carl ROGERS, llegar a ser uno mismo, convertirse en persona y dejar a un lado todos los prejuicios, desembarazarnos de la carga coercitiva del *debería ser*. Si bien la exploración del cliente inicialmente se centra en los aspectos más periféricos de su problema, que habitualmente suponen el motivo inicial de consulta, el proceso de la psicoterapia se desplaza pronto hacia el sí mismo[35]. Uno de los objetivos terapéuticos es la «vivencia del sí mismo potencial», que sólo puede acontecer dentro de las coordenadas marcadas por una relación basada en la seguridad, la congruencia y la autenticidad.

3. CONCLUSIÓN

Conciencia y relación terapéutica se han dado la mano para mostrarnos el itinerario antropológico que abarcan la psicoterapia psicoana-

---

34. ROGERS, C., *op. cit.*, p. 105.
35. Ibíd., p. 126.

lítica y humanista. Hemos podido comprobar la transformación del paciente en *persona* o *cliente,* como un programa curativo que ahonda en el fomento activo de las potencialidades de la persona humana. Tres estatutos, *paciente, cliente y persona,* son al tiempo condiciones del ser humano enteramente relacionales. Si el psicoanálisis freudiano supuso la recuperación del hombre más allá de los límites que la neurosis, la enfermedad misma, imponía a su condición, la psicoterapia humanista reconfiguró la visión del *otro,* incorporando en él cualidades auténticamente humanas.

Hemos aprendido de esta forma que en la práctica clínica el psicólogo se enfrenta con la realidad humana en plenitud, con un sentido trascendental de la vida, de la propia existencia y de la existencia ajena. Las realidades que se muestran a través de la psicoterapia son experiencias, sentimientos, memorias, pensamientos, etc., insertados en el discurrir de lo humano, sin que el debate acerca de lo que es, o no es, patológico, enfermizo o anormal, nos empuje a una consideración restringida y parcial de la persona humana, como si en ella no existieran elementos cualitativamente distintivos más allá de las etiquetas diagnósticas o los tratamientos psicológicos.

El humanismo antropológico de las psicoterapias de C. ROGERS y V. FRANKL distanció la práctica clínica de un discurso o saber médico en el que el paciente estaba desposeído de acción y voluntad, sometido en términos de M. FOUCAULT, a las técnicas curativas y disciplinas médicas como formas de dominación y expresiones del poder institucional. De ello podemos extraer una conclusión. Si en el esfuerzo por cuidar, sostener o curar olvidamos que el paciente no es el objeto pasivo de nuestra actividad, sino que más bien se nutre *junto a* y *con nosotros* de la relación terapéutica, para ser autónomo y auténtico, estaremos entonces pervirtiendo el valor del encuentro con el *otro,* su razón de ser, al margen del propósito aparente y funcional que delimita la relación psicólogo-paciente.

El programa antropológico psicoanalítico es, en cierto sentido, anterior al psicoanálisis mismo. Surge de la *percatación del otro* y del *encuentro con el otro.* Esa disposición a considerar lo humano en la relación, permitió desarrollar un conocimiento sobre los fenómenos psíquicos y las causas de los síntomas patológicos presentes en la *neurosis* y la *psicosis.* Ahí encontramos las huellas del mismo modelo antropológico, al igual que cuando realizamos una evaluación psicológica y empleamos ciertos criterios diagnósticos lo hacemos poniendo en circulación distintas visiones de lo humano, que se corresponden claramente con un saber antropológico que trasciende los límites disciplinares y se superpone a ellos. Los psicólogos humanistas se esforzaron por construir un lenguaje congruente con su antropológica mirada, respondiendo a la necesidad urgente de avanzar en la recuperación del hombre, esta vez, no como *paciente*, sino como *persona* o *cliente*, provisto de intencionalidad, voluntad de sentido y, esencialmente, libertad.

Los profesionales sanitarios, psicólogos, médicos, enfermeros, etc., que están cercanos a experiencias tan radicales y humanas como la enfermedad, la pérdida o la curación, deberían al menos considerar en su actividad no sólo los fundamentos éticos de su acción, sino también los principios antropológicos que la guían, porque de otro modo su trabajo puede caer en el peligro evidente de una grave deshumanización. La relación está inscrita en lo humano, y viceversa, este es un corolario antropológico del que no es posible prescindir en la labor terapéutica, y que hemos recordado a través de las aportaciones de V. FRANKL y C. ROGERS. Desde esta óptica no es únicamente lo relacional como interacción social ordenada, ni siquiera como modelo estructurado en el que se vuelcan infinidad de protocolos estandarizados, normas, técnicas de intervención y procedimientos terapéuticos presentes en el sistema sanitario, es más bien el encuentro del hombre con el hombre, y el desvelamiento de la trascendencia, voluntad de sentido y deseo de autonomía y libertad de la persona lo que confiere autenticidad humana al proceso curativo.

La experiencia vital de la persona con edad avanzada

Mª ÁNGELES DE JUAN PARDO

INTRODUCCIÓN

En las últimas décadas hemos experimentado un suceso demográfico único hasta ahora: el envejecimiento de la población. Alcanzar una edad muy avanzada ya no es algo vivido por unos pocos, sino un fenómeno de masa que ha llegado a modificar notablemente la estructura de la población con todo lo que esto conlleva. En la actualidad, alrededor de un 9,1% de la población mundial es mayor de 65 años y se estima que para el 2050 alcance el 20,61%[1]. Entre otros hechos, este envejecimiento de la población está ocasionando un cambio de paradigma de la epidemiología mundial: cada vez hay un mayor número de personas que presentan múltiples patologías, asumiendo un gran protagonismo las enfermedades crónicas asociadas al aumento de edad[2] (diabetes, enfermedades cardíacas, Parkinson, Alzheimer y otras demencias, etc.), llegándose por ello a acuñar la expresión «epidemia del envejecimiento»[3].

Este fenómeno plantea numerosos retos a los políticos, profesiona-

---

1. United Nations, Department of Economic and Social Affairs, Population Divission. World Population Prospects, the 2010 Revision. (2011) Recuperado de *http://esa.un.org/wpp/population-pyramids/population-pyramids_percentage.htm*.
2. Solo una de cada 20 personas mayores de 80 años es completamente móvil y casi la mitad de esta población sufre afectación cognitiva de demencia como parte de la fase final de la vida (c.f. President's Council on Bioethics (U.S.), *Taking Care: Ethical Caregiving in Our Aging Society* (Washington (DC): President's Council on Bioehics, 2005) Recuperado de *http://www.bioethics.gov/reports/taking_care/index.html*.
3. Shaklee Corporation. (2008). Boletín de investigaciones contra el envejecimiento (No.#75571 [New 8/08]). Shaklee Corporation.

les de la salud, familiares y a toda la sociedad, así como a la persona en particular, que un día en la mayoría de los casos envejecerá. En este contexto, enfermería con frecuencia, debe asumir un importante papel en la promoción de la salud de las personas ancianas. Sin embargo, como se plantea con insistencia, los profesionales de enfermería han de escapar de la mirada reduccionista del modelo biomédico centrado únicamente en lo biológico. Al atender a la persona sana o enferma, han de tener en cuenta su situación personal, múltiples dimensiones, el contexto, etc., y entender la salud en un sentido amplio, no solo como ausencia de enfermedad. Para proporcionar una atención individualizada e integral a la persona anciana es importante comprender en qué consiste la vivencia de la ancianidad, sus principales características y su significado.

Descubrir el sentido de la vida en la vejez y el mismo significado de la vejez, no es un tema fácil. LAFOREST lo ilustra de modo muy gráfico al equipararlo al dilema del nudo gordiano[4]. No obstante, no es una cuestión meramente teórica reservada a los filósofos, sino una pregunta existencial, eminentemente práctica, que nos afecta a todos. Pero para quienes se adentran en la edad avanzada, esta respuesta además tiene carácter apremiante. Sin embargo, como indica LAFOREST: *si todos nos enfrentamos al mismo enigma, no todos lo resolvemos de la misma manera*[5]. Hay quienes prefieren «cortar» el nudo, con soluciones aparentemente fáciles, como ignorarlo o huir de él, tratar de alargar la juventud, ocultar la vejez, unas veces en el refugio en el recuerdo del pasado, otras en una frenética actividad para llenar la jornada, pero al final de su vida tendrán que enfrentarse inevitablemente a este dilema existencial o caer en la profunda desesperación.

Por este motivo se ha realizado un estudio sobre la antropología de la ancianidad, desde el punto de vista filosófico, acerca de las principales características del fenómeno de ser anciano y de su significado y el sentido de la vejez. Para complementar la reflexión teórica, se ha considerado oportuno la realización de una investigación cualitativa acerca de la vivencia de la ancianidad, para alcanzar una mayor comprensión del fenómeno del estudio. A través de una investigación fenomenológica-hermenéutica se han analizado las narraciones de vivencias de 14 personas ancianas que participan en un Centro Diurno en Roma, acerca de su experiencia vivida de la ancianidad. Siguiendo la teoría de interpreta-

---

4. LAFOREST, J. (2002). *La vieillesse apprivoisée*. Canadá: Les Editions Fides, p. 11.
5. *Ibid.*, p. 13.

ción de textos de Paul RICOEUR[6], se han procurado identificar aquellas características universales, comunes a la experiencia de todos los ancianos. Como dice Romano GUARDINI: «buscaremos las formas típicas: precisamente en tanto que típicas no se dan por entero en ninguna parte, pero si son correctas se podrán aplicar de algún modo a todos los casos»[7]. No se ha pretendido abarcar todos los aspectos y dimensiones de este fenómeno, pero sí ofrecer una descripción suficientemente amplia, profunda y completa del mismo, de manera que las personas de edad avanzada puedan sentirse identificadas con dicha descripción y de esta manera, la lectura de los resultados les ayude a comprenderse mejor y reelaborar nuevos significados. Las personas que están en contacto cotidiano con ancianos también podrán reconocer en el texto que aquí se presenta los principales rasgos que caracterizan a las personas en esta etapa de la vida. Los resultados de este estudio podrán a su vez servir de base para desarrollar medidas de apoyo a la persona anciana en el proceso de envejecimiento. Además, se presentan algunas propuestas específicas para los profesionales de enfermería.

1. COMPRENDER EL SIGNIFICADO DE LA VIVENCIA DE LA ANCIANIDAD

Entre las principales características esenciales del fenómeno de la experiencia vivida de ser anciano se encuentran: tener una edad avanzada, que conlleva la experiencia de numerosas pérdidas, y a su vez, la perspectiva desde la que se puede contemplar la totalidad de la biografía personal. El haber recorrido toda una biografía personal, confiere una amplia experiencia de vida. Además, es frecuente en la ancianidad sentir una mayor cercanía de la propia muerte.

Estas características propias de la vivencia de la ancianidad facilitan el que la persona anciana realice el balance de su vida vivida, pudiendo rectificar si es necesario en esta última etapa. Además, con esa mirada al pasado, puede reelaborar experiencias, descubriendo el significado de lo vivido a la luz de la mayor perspectiva de la que goza. Por la situación en que se encuentra, la persona anciana es más consciente de lo pasajero y de lo que permanece. Esto le puede ayudar a vivir el presente con mayor plenitud y además a prepararse para el futuro, que

---

6. Paul RICOEUR (1995). *Teoría De La Interpretación: Discurso y Excedente de Sentido.* México [etc.]: Siglo Veintiuno.
7. GUARDINI, R. (2006). *Las Etapas De La Vida: su importancia para la ética y la pedagogía. Biblioteca Palabra. Pensamiento* (5a. ed.). Madrid: Palabra, p. 33.

para muchos se abre hacia la eternidad, lo cual otorga un sentido a la vida más profundo en esta última etapa.

2. AYUDA A LA PERSONA ANTE LA EXPERIENCIA VITAL DEL EN-VEJECIMIENTO

En este contexto, la persona anciana puede recibir ayuda para comprender mejor qué significa la etapa de la vejez, cómo afrontar la crisis de la vejez en sus múltiples dimensiones, y cómo asegurar un tiempo lleno de significado.

Tal y como señalan diversos autores referentes en la investigación fenomenológica, la comprensión de una vivencia puede ayudar a descubrir nuevas posibilidades de acción:

«Una percepción más profunda de lo que es una situación vivida o una experiencia (...) humaniza nuestro entendimiento, algo de vital importancia como base de la práctica ética (...) pues describe a personas en situaciones interactivas y holísticas y evita así una visión de los humanos como objetos iguales a otros objetos»[8].

En este estudio además, al haber realizado el análisis interpretativo del significado de las vivencias a la luz de la antropología filosófica del envejecimiento, se ha podido entrever no solo el significado –en un nivel más vivencial– sino también el sentido que puede tener esta etapa de la vida. Esto puede ayudar a enfermería a suuperar la percepción negativa hacia la vejez, tan frecuente en la sociedad actual. Además, puede mover a los profesionales de la salud a una mayor empatía con la persona anciana, lo que puede promover una relación interpersonal de cuidado.

La fenomenología además, ayuda a saber cómo tratar los eventos diarios[9]. Por tanto, los resultados de este estudio pueden contribuir no solo a un cambio de actitud de enfermería, sino a mejorar también la ayuda que presta al anciano para afrontar su vivencia en el día a día. Esto repercutirá en una mejora de la calidad de vida de las personas mayores. Por ejemplo, al ayudar a afrontar los cambios fisiológicos y psicológicos que se producen de alguna manera en la edad avanzada, y a afrontar la percepción de la proximidad de la propia muerte.

---

8. TODRES, L. & HOLLOWAY, I. (2006). Investigación fenomenológica. *Investigación en Enfermería* (5a. ed., pp. 224-237). Madrid [etc.]: McGraw Hill, Interamericana.
9. LINDSETH, A. & NORBERG, A. (2004). A Phenomenological Hermeneutical Method for Researching Lived Experience. *Scandinavian Journal of Caring Sciences*, 18 (2), 145-153. doi:10.1111/j.1471-6712.2004.00258.x.

Otro aspecto a considerar es el de la promoción de la salud en la vejez. Desde hace varias décadas se considera la salud y su promoción en un sentido amplio, no solo como ausencia de enfermedad. La promoción de la salud de la persona anciana debería incluir la ayuda a la persona que envejece a superar de manera positiva la crisis de la vejez, en todas sus dimensiones.

De lo expuesto se deduce que puede ser interesante una cierta *educación para la vejez*, en la que enfermería puede asumir un papel importante, y que también habrá situaciones que faciliten o dificulten una vejez positiva. Todas las etapas de la vida están relacionadas. Cada una tiene un sentido propio. Las crisis que preceden cada etapa se pueden superar de manera positiva, o por el contrario, presentar algunas carencias, anclarse en alguna de ellas, o experimentar un retroceso.

Para una aceptación positiva es importante el reconocimiento del sentido propio de la vejez. La percepción social de la vejez juega un importante papel en el concepto que se tenga sobre la vejez y en la elaboración del sentido de las propias vivencias, como indica GUARDINI[10] en el siguiente texto:

«La sociedad debe dar a la persona que envejece la posibilidad de que lo haga de forma correcta, pues ello no depende de la persona mayor misma más que en una parte, y por lo demás está en función de que su entorno, su familia y su círculo de amistades, pero también la sociedad, los distintos estamentos públicos y el Estado la rodeen de las condiciones de vida que esa persona no puede darse por sí misma» (p. 156).

Una sociedad en la que la consideración de la juventud es el único referente de valor, probablemente hará sentirse al anciano muy lejano de los estándares que marca una vida joven, fuerte, «productiva», y con frecuencia podrá verse como una carga, como un peso para la sociedad. Algunos autores como HILLMAN[11] han hecho afirmaciones que ilustran la fuerza de este fenómeno: «Tal vez los ancianos lleguen a ser disfuncionales porque no imaginamos para ellos ninguna función: la productividad y la invalidez es una noción de incapacidad demasiado paralizante» (p. 52).

Una sociedad que no tolera la vulnerabilidad, que no reconoce la realidad de que el hombre es por naturaleza dependiente, verá en mu-

---

10. GUARDINI, R. (2006, p. 156).
11. HILLMAN, J. (2007). *La forza del carattere. La vita che dura*. Milano: Adelphi.

chos casos a la ancianidad como algo meramente negativo, considerará que las personas mayores son una carga, un peso para la sociedad, una porción de la población no productiva que aumenta el porcentaje de las relaciones de dependencia, como pone de manifiesto el estudio económico y social mundial[12]. Además, FERNÁNDEZ-BALLESTEROS menciona la existencia de estudios longitudinales que demuestran la relación que hay entre la percepción de estereotipos negativos hacia la vejez y una menor salud en los ancianos y viceversa[13]. Será por tanto sumamente importante rectificar la actual imagen negativa de la vejez. Supondrá una tarea cultural y educativa que debería comprometer a todas las generaciones y profesiones. Las personas que trabajan en el campo de la comunicación tienen una especial responsabilidad, puesto que los medios de comunicación tienen un gran impacto en el desarrollo de la opinión pública y en este caso, de la percepción social de la vejez. En este ámbito cabe además un peligro reconocido por algunos autores como BOBBIO[14]: promover una nueva «retórica de la vejez» que, lejos de defender esta etapa de la vida, se fundamenta en motivos económicos. Transmitir una imagen de anciano en apariencia feliz, pero en el que subyace una actitud principalmente consumista, puede originar una nueva fuente de mercado, pero a su vez, puede causar sufrimiento a los ancianos que no tengan gran poder adquisitivo o a sus familias y, ante todo, ocultar el sentido propio de la vejez. Los profesionales de la salud pueden también tener un impacto importante en los medios de comunicación. Cada vez es más frecuente su presencia activa en la prensa, televisión, internet, etc.

Además de subrayar la necesidad de modificar los estereotipos actuales sobre la vejez partiendo de una visión más positiva y menos reduccionista, a la luz de la revisión realizada, se proponen algunas sugerencias para ayudar a las personas a envejecer de manera positiva:

Cada persona envejece según su propia historia de vida y en consecuencia esto nos compromete personal y socialmente, y nos convierte en responsables de prepararnos para ella desde las etapas anteriores[15]. Pero parte de esta responsabilidad se puede trasladar a la sociedad, ya

---

12. Naciones Unidas. Departamento de Asuntos Económicos y Sociales. Estudio Económico y Social Mundial 2007. Desarrollo En Un Mundo Que Envejece. Reseña, 2007. Nueva York: EE UU. Recuperado de *http://www.un.org/en/development/desa/policy/wess_archive/2007wess_overview_sp.pdf* (p. 4).
13. FERNÁNDEZ-BALLESTEROS, R. (2004). Psicología de la vejez. *Monografías Humanitas*, 1, 27-38.
14. CICERÓN, M. T. (2001). *De Senectute. Acerca de la vejez*. Madrid: Triacastela.
15. NERVO, G. (1994). *Anziani problema o risorsa?* Bologna: EDB.

que como consecuencia de la dimensión social de la persona, se puede reconocer la necesidad de promover el crecimiento personal desde los primeros años de la vida. Para ello, la familia, es el lugar privilegiado de educación, por lo que tendrá una gran responsabilidad en la ayuda a las personas en el inicio de la vida y hasta la edad adulta. Otros ámbitos son la escuela, la sociedad, los amigos, las relaciones profesionales, etc. Por supuesto, es especialmente importante que desde enfermería se promueva y se facilite el mantenimiento de un estilo de vida sano en todos los momentos del desarrollo de la persona. Además de brindar atención a la persona, se puede dar una ayuda importante a su familia y las personas que colaboran en su cuidado.

Una manera de ayudar a la persona anciana a alcanzar un estilo de vida sano en la vejez, es mediante el estímulo y los recursos que faciliten el que ésta pueda realizar alguna actividad, tanto física como intelectual. La actividad disminuye o enlentece el compromiso funcional propio del envejecimiento. Esta actividad puede ser beneficiosa incluso en personas que han mantenido una vida sedentaria durante muchos años, aunque habrá que recomendarla con moderación y bajo supervisión para valorar su grado de tolerancia[16].

Además puede ocurrir que si durante muchos años se ha desarrollado una actividad meramente manual, cuando la persona anciana se enfrente a grandes limitaciones que impidan que siga realizando esas tareas, ésta pierda el sentido de la vida o considere la ancianidad como una carga que es obligatorio soportar. Esto no quiere decir que solo las personas que se dedican a tareas intelectuales pueden envejecer de manera satisfactoria. Puede ser muy recomendable potenciar –también en la edad adulta– que durante la actividad manual se pongan en juego todas las capacidades de la persona, desarrollando por tanto la facultad intelectiva y la espiritual, pudiendo evitar lo que comenta LAÍN ENTRALGO[17] al hablar de «mecanización de la actividad profesional»[18].

También, para el que solo tuvo en cuenta su belleza corporal o su fortaleza física, la ancianidad puede resultar sumamente negativa. Para evitarlo será muy positivo por un lado, fomentar el desarrollo de activi-

16. GALARDI, A. & QUADRO ARISTARCHI, A. (2002). *Lo Sviluppo Delle Competenze: Il Ciclo Di Vita* (Vol. 2). Milano: Vita e Pensiero.
17. LAÍN ENTRALGO, P. (2001). *La Empresa De Envejecer*. Barcelona: Galaxia Gutenberg: Círculo de lectores.
18. Para profundizar más sobre este tema se sugiere confrontar el siguiente texto: CHIRINOS, M. P. (2006). *Claves para una antropología del trabajo*. Astrolabio. Filosofía. Pamplona: EUNSA.

dades de tipo intelectual y espiritual –que con frecuencia se pueden seguir realizando en la edad avanzada-o manual pero para las que no se requiera una especial fuerza, y que se puedan hacer dentro de las limitaciones que presente la persona anciana. Para ello, se puede animar al desarrollo de *hobbies* ya en la edad adulta, y también tras la jubilación, ya que habitualmente se posee más tiempo libre. Los Centros de día y las actividades de voluntariado son un importante recurso en este sentido. Por otro lado, también será importante facilitar que las personas ancianas sean reconocidas y que se les permita continuar manteniendo una presencia activa en la sociedad, sin considerarlos únicamente como meros receptores de intervenciones asistenciales, como objetos de atención y servicio. Algunos autores hablan del papel y responsabilidad social para facilitar esto[19].

Un tema relacionado con el fomento de la actividad (en un sentido amplio) en las personas ancianas, es el del entorno. Como señalan PETRINI, CARETTA, ANTICO y BERNABEI (1994), es importante para la persona anciana vivir en un ambiente estimulante. Ya que en caso contrario, se promueve en él una actitud pasiva, en la que se les considera ajenos de toda responsabilidad. Esto influye de manera negativa en su desarrollo personal, tendiendo a desfigurarse su propia individualidad, homogeneizándose en un estado apático. Éste viene determinado por la decadencia intelectiva y el agotamiento afectivo ante la falta de estímulo (1994, p. 54).

Además de facilitar la actividad de las personas mayores, será importante respetar e incluso promover tiempos de cierta soledad para estimular la reflexión sobre la propia biografía, el encuentro con uno mismo sobre sus problemas existenciales, sobre el significado de la existencia y la elaboración de sentido de la vejez. Esto puede ser especialmente importante para quienes hayan mantenido un ritmo acelerado propio de la sociedad actual[20]. Las actividades dirigidas a estimular la reminiscencia, si puede ser, mediante el recuerdo de la totalidad de la historia personal[21], pueden ayudar en esta tarea de reflexión.

Otro aspecto a considerar en la ayuda a las personas ancianas es el de las relaciones sociales: los ancianos pueden mantener vivas las relaciones afectivas o amicales, que como ya se ha dicho juegan un gran

---

19. LAÍN ENTRALGO (2001).
20. FIZZOTTI, E. (1990). *Nel Cavo Della Mano: Agli Anziani.* Brezzo di Bedero (VA): Salcom.
21. FISHMAN, S. (1992). Relationships Among an Older Adult's Life Review, Ego Integrity, and Death Anxiety. *International Psychogeriatrics/IPA,* 4 Suppl 2, 267-277.

papel en el desarrollo de la persona anciana así como en la ayuda a los más jóvenes. De nuevo es positivo promover la asistencia de los ancianos a los centros diurnos, ya que estos pueden ser un óptimo lugar de encuentro con otras personas. También será positivo promover el voluntariado que fomente por ejemplo la compañía a las personas ancianas, o el ayudarles a salir de casa. Gran parte de este voluntariado puede realizarse por personas jubiladas que se encuentren bien de salud. Ellos, al tener más tiempo en sus nuevas circunstancias, pueden ir con menos prisas, escuchar serenamente y ofrecer su compañía, tantas veces necesaria, a las personas ancianas.

Pero el trato reservado a los ancianos también en el ámbito familiar está condicionado fuertemente por los modelos de vida más difundidos: la prisa y el activismo frecuentes en la sociedad contemporánea, pueden dificultar enormemente las relaciones con las personas ancianas, ya que estos presentan con frecuencia unos ritmos mucho más lentos debido a los cambios biológicos y psicológicos propios de la edad avanzada. En este contexto será más difícil comprender la tardanza del anciano, y concederles una legitimidad temporal en los ritmos cotidianos. Russo sugiere una actitud paciente y respetuosa frente al anciano, que respete sus ritmos más enlentecidos. Además, aunque las conversaciones de las personas ancianas resulten algo repetitivas, es importante considerar que el recuerdo del pasado forma parte de la narratividad del anciano, que puede ayudarle a elaborar experiencias, entre otras cosas[22].

Se ha visto cómo a lo largo de la historia, en las distintas sociedades y culturas la actitud de las personas más jóvenes respecto a los ancianos ha oscilado entre dos polos: uno positivo de respeto y reconocimiento, como señala PLATÓN: honrar la vejez al saludar, ceder el paso, acompañar, consultar, o bien uno más negativo, que los aparta de la sociedad, y los considera un peso y una carga para la sociedad. Como se ha indicado, es importante hacer frente a los estereotipos hacia la vejez, y reconocer el verdadero valor de la misma y de las personas ancianas. Esto repercutirá positivamente en el trato de los más jóvenes hacia las personas de edad avanzada.

En las relaciones intergeneracionales también influyen significativamente otros factores, como los contenidos habituales de las conversaciones (por ejemplo entre familiares y amigos): si estas versan únicamente sobre el trabajo, faltará la posibilidad de intercambio con quien

---

22.   Russo, M. T. (2004). *Corpo, Salute, Cura: Linee Di Antropologia Biomedica* (Soveria Mannelli (Catanzaro): Rubbettino, p. 245.

ya no trabaja[23]. Se puede recomendar a los familiares de las personas ancianas y a quienes les son cercanos, que en lugar de hablar solo del presente y del futuro, incluyan en las conversaciones temas del pasado, en los que el anciano tendrá una importante aportación como transmisores de la memoria colectiva. También podrán ser muy ricas e interesantes las conversaciones con las personas ancianas sobre su experiencia en las diversas situaciones que han vivido que, en muchos casos, serán similares a las de las personas más jóvenes que les escuchan: la experiencia de tener un hijo; la del primer trabajo; la del momento en que experimentaron por primera vez la pérdida de una persona cercana, la experiencia del enamoramiento, la de la reconciliación, etc.

En esta relación entre jóvenes y ancianos, PLATÓN, en el libro la República, comenta –y puede ser interesante considerarlo– que con frecuencia serán los jóvenes los que tengan que acercarse primero a los ancianos porque puede que los ancianos no tengan fuerza para acercarse a los más jóvenes[24]. Además, será importante la actitud de los jóvenes frente a los ancianos, para que éstos estén en las mejores condiciones posibles de pensar y contar la historia, aconsejar, etc., cuando los mecanismos psicosomáticos han empezado a autonomizarse y a obstaculizar la expresión de la realidad unitaria[25].

3. CONCLUSIONES

Como fruto de este estudio, además de aportar una mejor comprensión de la experiencia de la ancianidad por parte de enfermería, y por tanto una mayor empatía, se concluye ofreciendo algunas recomendaciones prácticas más concretas para facilitar a los profesionales la enfermería su ayuda al anciano:

1. Procurar que en todo momento la persona anciana tenga una parte activa en su cuidado. Esto implica tener en cuenta sus gustos, sus preocupaciones, sus necesidades individuales, y permitir una parte activa en las decisiones y acciones en el mismo, así como promover en la medida de lo posible, su autocuidado. Capacitándole con recursos, conocimientos y habilidades adecuados a su situación personal, familiar y contextual.

23. Russo (2004, p. 245).
24. C.f. La República, 328b/330a en PLATÓN, María ARAÚJO and José Antonio MIGUEZ, *Obras Completas* (Madrid: Aguilar), pp. 664-667.
25. CHOZA, J. (1994) – Humanismo de la ancianidad. En CHOZA, J. (Ed.). *Los otros humanismos* (pp. 183-211) Pamplona: EUNSA.

2. Tratar de proporcionar una atención integral que reconoce la unidad de la persona y sus múltiples dimensiones: biopsicosocial, espiritual, cultural, etc. En este sentido –como ya se ha comentado– la fenomenología puede aportar numerosas luces.

3. Ante la percepción de la cercanía de la propia muerte, se recomienda ofrecer recursos adecuados a su situación: teleasistencia, atención domiciliaria, ayuda a la familia y cuidadores etc. Así como el tratar de este tema con la persona anciana y ofrecerle el apoyo que necesite. En este sentido, el desarrollo que ha tenido la ayuda a la persona al final de la vida en el ámbito de los cuidados paliativos, puede servir de modelo. Esto será una tarea de todo el equipo de salud.

4. En cuanto a la relación con la persona anciana, se recomienda firmemente que esté basada en el reconocimiento, aprecio y respeto de la individualidad. Además, como ya se ha comentado, es importante respetar los ritmos de las personas ancianas. A su vez, hay que tener en cuenta que los profesionales de enfermería y otros profesionales de la salud disponen de poco tiempo para cada consulta. Para suplir esta carencia de tiempo y teniendo en cuenta las necesidades y características de las personas ancianas, se sugieren algunas propuestas:

   a) Ayudar a las personas ancianas a preparar las sucesivas consultas con los diversos profesionales de la salud. Es ya una iniciativa que se está promoviendo desde algunos ámbitos, como es la denominada «Universidad de los Pacientes» (cfr. *www.universidadpacientes.org*). Así, desde casa, dedicando el tiempo que necesite, la persona de edad avanzada puede anotar qué es lo que le preocupa, qué sucesos le han ocurrido en relación a su salud, qué dudas tiene, etc. En esta tarea sería interesante también la ayuda y la aportación de las personas cercanas que colaboran en su cuidado.

   b) Fomentar una relación interpersonal de cuidado, en la que como indica José Carlos BERMEJO, el poco tiempo se puede solventar aumentando la calidad, en este caso, de la comunicación[26]. Con respeto, atención, empleando un lenguaje adecuado, con palabras comprensibles e indicaciones breves y un tono de voz no excesivamente alto.

---

26. BERMEJO, J. C. (1999). *Salir de la noche. Por una enfermería humanizada.* Cantabria: Sal Terrae.

5. Ayudar a la persona anciana a superar de manera positiva la crisis de autonomía: por ejemplo, sugiriéndole recursos (adecuados a su situación) que puedan ayudar a mantener o aumentar la autonomía personal en la medida de lo posible. En muchas ocasiones, el profesional de enfermería conoce los recursos y características personales del anciano: su domicilio, familia, recursos, habilidades, etc. Y en situaciones de grande invalidez, es especialmente importante reconocer, y hacerles sentir, el valor de la persona que se encuentra en ese estado, teniendo en cuenta que todos somos esencialmente dependientes.

Paciente terminal: individuo, salud y factores determinantes*

MARGARITA GONZALVO-CIRAC

Entender la evolución del paciente terminal dentro de la ciencia demográfica y epidemiológica requiere de un análisis cualificado. Su descripción viene determinada por dos grandes dimensiones: como habitante de una población y como enfermo y gira en torno a tres grandes conceptos: Transición Demográfica, Transición Epidemiológica y Transición Sanitaria. En este capítulo vamos a presenta un recorrido teórico y cronológico desde los orígenes de estos conceptos hasta los planteamientos más actuales, algunas de las principales críticas y una discusión sobre la influencia que han tenido los factores determinantes que acompañan al individuo y al enfermo.

1. LA TRANSICIÓN DEMOGRÁFICA

1.1. GESTACIÓN DEL MODELO DE LA TRANSICIÓN DEMOGRÁFICA: LOS PRECEDENTES

Los censos han sido numerosos desde hace siglos, pero los estudios sobre la población, y más concretamente sobre los fenómenos que determinan la evolución numérica y las características demográficas (a saber, la mortalidad, la fecundidad y las migraciones) son más recientes[1].

Los estudios sobre fecundidad toman protagonismo a finales del

---

* Trabajo realizado en el marco del proyecto CSO 2012-31206, *Relaciones dinámicas entre mortalidad y fecundidad en las primeras fases de la Transición Democrática*, financiado por el Ministerio de Economía y Competitividad, donde la autora colabora como investigadora.
1. PRESSAT, R. (1977). *Introducción a la demografía.* Barcelona.

siglo XVIII, cuando R. MALTHUS[2] intenta explicar los mecanismos que la regulan. Una gran crítica a MALTHUS proviene del campo ruso, E. BOSE-RUP[3]. Pero, cuando las ideas de BOSERUP se hicieron públicas ya hacía décadas que la teoría de la Transición Demográfica había nacido y se estaba desarrollando. En contra de lo que había postulado MALTHUS sobre el aumento de la población a finales del siglo XVIII, el descenso de la natalidad era una realidad y se evidenciaba tanto, ya desde mediados del siglo XIX en algunos países de Europa, que a principios del siglo XX se extendió una visión alarmista sobre el declive demográfico y fin de la población.

1.2. FORMULACIÓN DE LA TRANSICIÓN DEMOGRÁFICA

El proceso de transición demográfica describe el cambio experimentado por la población desde un régimen «pretransicional» de alta natalidad y alta mortalidad a un régimen «postransicional» de baja natalidad y baja mortalidad. Entre medio tiene lugar la fase transicional propiamente dicha, causada normalmente por un declive de la mortalidad anterior a la caída de la natalidad, por lo que se produce mientras tanto un crecimiento significativo de la población donde la salud tiene mucho que decir.

Esta teoría o marco conceptual se formula entre los años 1930 y 1945 sobre una base empírica bastante concreta, limitada en el espacio, para algunos países de Europa, y temporalmente, para los siglos XVIII a XIX. CHESNAIS[4] defiende que hubo distintos padres del modelo de la Transición Demográfica como W. THOMPSON, K. DAVIS o A. LANDRY[5]. Éste último fue de los primeros en esbozar este marco teórico. La formulación clásica de la Teoría de la Transición demográfica distingue tres fases en la evolución de la población:

1. en la fase Pretransicional, eran básicamente las fluctuaciones en los niveles altos de la mortalidad (por guerras, epidemias, ham-

---

2. MALTHUS, R. (1798). *Essay on the Principle of Population/* (ed. 1951) *Ensayo sobre el principio de la población,* México D. F.: Fondo de Cultura Económica.
3. BOSERUP, E. (1965). «The conditions of agricultural growth. The economics of Agrarian C hange under population pressure», London.
4. CHESNAIS, J. C. (1986). *La transition démographique. Etapes, formes, implications économiques.* Paris, PUF-INED.
5. THOMPSON, W. S. (1929). *Population.* American Journal of Sociology, 34, pp. 959-975 y DAVIS K. (1945). *The world demographic transition,* Annals of the American Academy of Political and Social Science, 237, pp. 1-11 y LANDRY, A. (1982). *La révolution démographique. Études et essais sur les problèmes de la population.* Paris, PUF. (original en 1934).

brunas...) quienes imponían el ritmo en el crecimiento o decrecimiento de la población;

2. la fase de Transición consistió en el proceso de sustitución de la mortalidad por la fecundidad como nuevo mecanismo de regulación demográfica. En esta etapa la mortalidad disminuye considerablemente produciéndose un crecimiento acelerado de la población,

3. finalmente, durante la fase Postransicional el control de la fecundidad hace que se mantengan niveles bajos en la población.

Queda patente en esta formulación que son básicamente dos los principales mecanismos para el crecimiento de la población: la mortalidad y la fecundidad. Posteriormente, también se ha introducido el papel jugado por las migraciones (en la actualidad) y la nupcialidad (en épocas históricas) en el proceso transicional. Un desarrollo posterior de la teoría transicional ha sido el de la denominada Segunda Transición Demográfica[6].

1.3. CRÍTICAS A LA TEORÍA DE LA TRANSICIÓN DEMOGRÁFICA

Algunas críticas al proceso de la Transición Demográfica se pueden encontrar en trabajos de ARANGO[7], quien duda de su validez como teoría. No obstante, y como señala SZRETER[8] en tono irónico, la teoría de la Transición Demográfica ha tenido la virtud y función de proporcionar una metáfora gráfica que trata de describir y predecir los patrones de cambio demográfico a largo plazo. En sociedades tradicionales fecundidad y mortalidad eran elevadas; en las modernas, una y otra son bajas y en medio se encuentra la Transición demográfica. Por su parte, NICOLAU[9] propone que es un proceso con diversas fases y formas ya que las respuestas al crecimiento de la población pudieron ser múltiples y combinarse en distinta intensidad y tiempo.

---

6. LESTHAEGE, R. (1982). *The Decline of Belgian Fertility, 1800-1970.* Princeton: Princeton University Press y VAN DE KAA, D. (1988). «The second demographic transition revisited: theories and expectations», Comunicación presentada en la Conferencia *Symposium on Population Change and European Society,* Florencia, European University Institute.
7. ARANGO, J. (1980). «La teoría de la transición demográfica y la experiencia histórica». *Revista Española de Investigaciones Sociológicas,* n° 10, pp. 169-198.
8. SZRETER, S. (1993). The idea of demographic transition and the study of fertility change: a critical intellectual history. Population and Development Review, 19, pp. 659-701.
9. NICOLAU, R. (1990). *Trajectories régionales dans la transition démographique espagnole.* Tesis Doctoral, Institut d'Etudes Politiques (Paris).

La relación entre el desarrollo económico, el descenso de la mortalidad y el descenso de la natalidad no es lineal depende de muchos factores: salud, cultura, economía, clima, geografía, política... De hecho, la teoría de la Transición Demográfica nos entrega un marco conceptual general para entender las dinámicas de la población y en particular, para comprender la evolución de la población y su relación con otras variables como es la salud.

1.4. CAUSAS DEL DESCENSO DE LA MORTALIDAD EN LA TRANSICIÓN DEMOGRÁFICA: EL DEBATE ALREDEDOR DE LA HIPÓTESIS ALIMENTARIA

¿Cuándo comenzó la Transición Demográfica y cuáles fueron sus desencadenantes? No hay unanimidad entre los distintos autores. Algunos autores consideran que, en el modelo inglés, el aumento de la población que se dio durante la primera fase de la transición se debe a un aumento de la natalidad y no a la disminución de la mortalidad. J. T. KRAUSE y H.J. HABAKKUK[10] consideran que la mortalidad no comenzó a disminuir hasta después de las guerras napoleónicas. Otros autores, como FLINN[11], consideran que el aumento de la natalidad es previo pero que el crecimiento de la población es consecuencia de la disminución de la mortalidad que se dio con la llegada de la Revolución Industrial. Por su parte, J. KNODEL y VAN DE WALLE[12] han relativizado la idea de que el declive de la mortalidad fue el único y principal motor de la Transición.

En realidad, dentro de este marco conceptual, los nacimientos y los fallecimientos no son más que las entradas y salidas de un mismo sistema. El contexto social, económico, cultural, ambiental, médico... en que se encuentra este sistema afecta, pero de distinta, forma a ambos fenómenos. La incidencia de estos fenómenos exógenos sobre la población ha generado un intenso debate entre los expertos a la hora de decidir quiénes han sido los factores más decisivos que ha permitido descender los niveles de mortalidad[13]. El continuo incremento de los niveles

---

10. KRAUSE, J. T. (1959). «Some neglected Factors in the English Industrial Revolution» en *Journal of Economic History*, nº 19 y HABAKKUK, H. J. (1972). *Population Growth and Economic Development*. Leicester.
11. FLINN, M. W. (1989) *El sistema demográfico europeo*, 1500-1820, ed. Crítica, Barcelona.
12. KNODEL, J. y VAN DE WALLE, E. (1979). «Lessons from the past: Policy implications of historical fertility studies». *Population and Development Review*, 5, pp. 217-245 y VAN DE WALLE, F. (1986). *Infant mortality and the European demographic transition*. Princeton N.J, Princeton University Press.
13. GONZALVO-CIRAC, M., (2011). *Las mujeres vivimos más. Concepto de salud/mortalidad diferenciada*. ISBN: 978-3-8465-7223-8, EAE: Alemania.

de la esperanza de vida es, en efecto, uno de los factores explicativos fundamentales del crecimiento de las poblaciones experimentado durante la Transición Demográfica. En este sentido, es la variable salud la que explica la evolución de la población.

Las causas o factores determinantes que provocaron el declive de la mortalidad entre finales del siglo XIX y principios del siglo XX fueron poco estudiados y analizados; hasta 1976 T. McKEOWN[14] no se publican artículos y discusiones sobre el tema.

1.4.1. La teoría alimentaria de McKEOWN

Uno de los primeros en resumir los factores determinantes del aumento de la esperanza de vida fue McKEOWN. Analizó minuciosa y sistemáticamente las posibles razones desencadenantes del descenso de la mortalidad. Según él, en las poblaciones de Inglaterra y Gales desde 1848 hasta 1971 el factor clave del declive de la mortalidad fue la notable mejoría de la alimentación. Los principales factores que habrían actuado directamente sobre los pacientes en la disminución de las enfermedades infecciosas, habrían sido, en primer lugar, la mejora en las condiciones de vida, sobre todo, en la alimentación; en segundo lugar, los conocimientos científico-médicos alcanzados; y, finalmente, la reducción virulenta de los microorganismos. Las tesis de McKEOWN se han limitado a considerar la respuesta de la alimentación como el único factor que podría por si solo dar cuenta de las transformaciones asociadas al proceso de la Transición. Tras una alimentación en cantidad y en calidad adecuadas, el ser humano es más fuerte y resistente frente a los microorganismos que provocan las enfermedades infecciosas.

En la hipótesis de McKEOWN la incidencia y la evolución de las enfermedades infecciosas son determinantes para analizar el descenso de la mortalidad y los factores que han provocado tal declive están relacionados con:

- Los avances médicos en el diagnóstico, la terapia quirúrgica y la química.
- Los cambios en la relación entre el microorganismo y el huésped humano (el microorganismo debe reducir su virulencia para que no desaparezca su huésped; además, estos huéspedes humanos van adquiriendo una inmunidad natural de tipo genético).

---

14. McKEOWN, T. (1978). *El crecimiento moderno de la población.* Barcelona: Bosch. (Original en inglés en 1976).

– Las mejoras en las condiciones de vida que conducen a una menor exposición al contagio y/o al aumento de la resistencia del huésped.

Si la mayoría de las enfermedades infecciosas se transmiten por agua o alimentos contaminados, al introducirse determinadas medidas sanitarias como el alcantarillado, el suministro de agua potable y el control en la manipulación de alimentos, se tendría que reducir en gran parte la posibilidad de contagio por tales enfermedades. Aunque es indiscutible la relación existente entre enfermedades infecciosas y desnutrición, ésta interpretación ha sido sometida a una crítica muy extensa.

1.4.2. Críticas a McKEOWN

Para otros el factor decisivo del descenso de la mortalidad fue de tipo médico. La aportación médica al descenso de la mortalidad es la vía por la que se recogen los efectos más importantes. Muchos investigadores como RAZELL[15] en 1974 y VAN DE WALLE (1986) mantienen la creencia en la importante contribución de la inoculación y la vacunación de la viruela. Realmente los métodos diagnósticos mejoraron, notablemente, durante el siglo XIX con los descubrimientos de la auscultación, el estetoscopio y la microbiología, pero sólo se logrará la terapia efectiva con la invención de las sulfamidas (1937) y los antibióticos (1940). Los avances médicos, aun siendo importantes, fueron efectivos a partir del segundo tercio del siglo XX, mientras que en muchos países de Europa occidental el descenso de la mortalidad ya se había iniciado siglos antes (SCHOFIELD, REHER, 1991). PRESTON, VAN DE WALLE y otros (1980), afirman que la causa principal del aumento de la esperanza de vida fueron las mejoras en las condiciones sanitarias e higiénicas, medidas de salud pública, reduciéndose, así, el contagio por las principales enfermedades infecciosas.

Por otra parte, también se cuestiona de McKEOWN que no siempre una mayor alimentación quiere decir una mejor nutrición. Para SZRETER, entre finales del siglo XIX y principios del siglo XX, existe un aumento en la cantidad de los alimentos ingeridos, pero no de nutrientes. Otros estudios sobre medicina y nutrición sitúan la mejora en los nutrientes y en los métodos alimentarios en la década de 1920-30[16], observándose los efectos en la población años más tarde. La aportación de la leche

---

15. RAZELL, P. E. (1974). «An Interpretation of the Modern Rise of Population in Europe – A critique», en *Population Studies*, 28 (1), pp. 5-18
16. SALAS, J. (1985). Análisis del riesgo de malnutrición en macro y micronutrientes en la población de Reus, tesis doctoral, Facultat de Medicina de Reus.

pasteurizada en la década de los veinte[17], la preocupación por medir el aporte proteico como base de la alimentación a partir de 1930, la fabricación de vitaminas por síntesis para prevenir las enfermedades de hipovitaminosis, etc. desacreditan la relación de mayor alimentación igual a mejor nutrición en el siglo XIX y principios del siglo XX, utilizada por McKEOWN. Sin embargo, el avance de técnicas e higiene en la alimentación se inicia a finales del siglo XIX con la conservación de los alimentos por los nuevos métodos de Appert, Graville y Pasteur, por las innovaciones de refrigeración..., pero, ¿en todos los países y en todos los sectores de la sociedad se introdujeron estos nuevos cambios al mismo tiempo?, ¿sus efectos fueron en el mismo momento y por igual?.

La crítica que formuló LIVI BACCI[18] ataca directamente la tesis y los postulados de McKEOWN. Respecto a la relación efectiva entre alimentación y enfermedades infecciosas, LIVI BACCI demuestra que en ciertas ocasiones, los períodos de malnutrición son consecuencia, más que causa, de los procesos infecciosos. Por otro lado, la malnutrición no sería la única causa de las enfermedades infecciosas sino que, junto a las causas de carácter social como son la pobreza, la falta de higiene y de conocimientos, entre otras, habrían producido el agravamiento de las condiciones de supervivencia.

Por otra parte, para que la tesis de McKEOWN fuera cierta –según LIVI–, la relación entre los habitantes de territorios con mayores disponibilidades alimenticias y el descenso de la mortalidad sería directa, hecho que no es siempre cierto. Si, durante los primeros meses de vida, todos los niños recibieran la misma alimentación se deberían esperar similares niveles de mortalidad infantil, pero esto no es así.

Finalmente, la aportación de McKEOWN es haber concretado y animado el diálogo sobre los factores determinantes de la población. Actualmente, las críticas, las distintas posturas ideológicas e intelectuales y la creación de teorías están dando soporte al encuentro de nuevos factores.

1.4.3. Buscando los factores determinantes de la falta de salud

La lucha encarnizada entre los seguidores del factor clave, el econó-

---

17. Antes de la pasteurización de la leche, la lactancia artificial resultaba una vía bastante segura para la transmisión de las enfermedades infecciosas. (KNODEL y VAN DE WALLE, 1967).
18. LIVI-BACCI, M. (1988). *Ensayo sobre la historia demográfica europea. Población y alimentación en Europa*. Barcelona: Ariel (Original en 1987).

mico o el de salud se mantuvo durante algunos años. Pero, como señalan SCHOFIELD y REHER[19], una comprensión viable del descenso de la
mortalidad ha de tener en cuenta ambos factores. Así, la nutrición y la
salud sintetizarían una amplia gama de factores que influyeron en el
aumento de la esperanza de vida. Existe un fenómeno multifactorial
ligado al descenso de la mortalidad, según BERNABEU[20]. Con el estudio
de la transición epidemiológica el descenso de la mortalidad en los países occidentales en los siglos XVIII y XIX está más determinado social
que médicamente, aunque estas actuaciones sociales también incluían
algunas medidas asistenciales, higiénicas y sanitarias, según BERNABEU.
En suma, la teoría de la transición epidemiológica constituye un paradigma esencial a la hora de abordar las características, los determinantes
y las consecuencias del descenso de la mortalidad[21].

2. LA TRANSICIÓN EPIDEMIOLÓGICA

2.1. FORMULACIÓN DE LAS FASES DE LA TRANSICIÓN EPIDEMIOLÓGI-CA

En estas últimas décadas, y de forma contemporánea a las anteriores discusiones, se han incorporado nuevos campos que estudian la relación existente entre la evolución de los patrones epidemiológicos y los
procesos de modernización de los pacientes terminales, incluyendo las
mejoras socio-económicas y los cambios en los servicios de salud. A
estos nuevos marcos teóricos se les ha denominado Transición Epidemiológica y Transición Sanitaria.

La **Transición Epidemiológica** describe la evolución de la tendencia
de las enfermedades o causas de muerte, observando los cambios producidos en los patrones de morbilidad o mortalidad. También describe
el cambio en el ritmo y en el calendario de la evolución de éste fenómeno en el marco de la teoría de la Transición Demográfica.

Este término fue acuñado en 1971 por OMRAN, proponiendo tres
etapas en este proceso[22]:

---

19. SCHOFIELD, R., REHER, D. S. y BIDEAU, A. (1991). *Medicine and the Decline of Mortality.*
Oxford, Oxford University Press.
20. BERNABEU, J. (1995). *Enfermedad y población: introducción a los problemas y métodos de la
epidemiología histórica,* Seminari d'Estudis sobre la Ciència, Valencia y BERNABEU, J.
(1998). «Transición sanitaria y evolución de la medicina (diagnostic, profilaxis y
terapéutica) 1885-1942», en Boletín ADEH, 16, pp. 15-38.
21. BLANES, A. (2007). *La mortalidad en la España del siglo XX. Análisis demográfico y territo-
rial.* Tesis doctoral. Universitat Autònoma Barcelona.
22. OMRAN, R. (1971). «The Epidemiologic Transition. A Theory of the Epidemiology of
Population Change», en *The Milbank Quarterly,* 49 (4), pp. 509-538.

- la de las pestes y las hambrunas (*«The Age of Pestilence and Famine»*);

- la del descenso y la desaparición de la pandemia (*«The Age of Receding Pandemics»*); y

- la de las enfermedades degenerativas y producidas por el hombre (*«The Age of Degenerative and Man-Made Diseases»*).

La primera etapa, de las *pestes y hambrunas*, en la que la mortalidad es alta y fluctuante, es característica de épocas anteriores al siglo XX en algunos países de Europa, entre ellos España. Está protagonizada por las llamadas crisis de mortalidad, según PÉREZ MOREDA[23]: enfermedades infecciosas. La esperanza de vida no supera los 30 años, el crecimiento de la población es muy bajo o está estancado.

Durante la segunda, la del *descenso y desaparición de la pandemia*, los niveles de mortalidad decrece progresivamente a medida que las crisis epidémicas disminuyen en frecuencia, produciéndose un aumento sostenido de la población. Destaca este período por la disminución de las enfermedades endémicas, parasitarias y deficitarias, de los azotes epidémicos y de las enfermedades materno-infantiles. La esperanza de vida al nacer se incrementa de los 30 a los 50 años.

En la tercera y última fase de esta Transición, las enfermedades infecciosas, las de malnutrición y las enfermedades infantiles prácticamente desaparecen, siendo reemplazadas por las enfermedades no infecciosas y, un poco más tarde, en un contexto de creciente envejecimiento de la población, por las llamadas *enfermedades degenerativas* que afectan en la mayoría de casos a personas en edades avanzadas, así como por las *enfermedades sociales o producidas por el hombre*, causadas por malos hábitos (tabaquismo, alcoholismo, accidentes de circulación, etcétera). La esperanza de vida supera con creces los 50 años.

Para OMRAN los conocimientos epidemiológicos sobre estos patrones y sus determinantes sirven, no sólo para predecir los cambios que se suceden en las poblaciones, sino también como fuente de hipótesis para construir una teoría de la población.

Posteriormente, los avances en los estudios sobre la evolución de la mortalidad y morbilidad han hecho que se describan etapas sucesivas

---

23. PÉREZ MOREDA, V. (1980). *Las crisis de mortalidad en la España interior* (siglos XVI-XIX). Madrid, Siglo XXI y PÉREZ MOREDA, V. (1988). «Hambre, mortalidad y crecimiento demográfico en las poblaciones de la España preindustrial». *Revista de Historia Económica*, vol. VI, nº 3, pp. 709-735.

a las tres descritas por OMRAN, es decir, que se formulen la cuarta, quinta y sexta etapas de la Transición epidemiológica.

OLSHANSKY y AULT[24] proponen añadir una cuarta etapa al proceso de Transición: el de las *enfermedades degenerativas tardías*, caracterizada por un retraso de las edades en que las principales enfermedades degenerativas provocan la muerte. Este hecho viene caracterizado por el envejecimiento de la población, los avances médicos y por la reducción de los factores de riesgo. Obviamente, este proceso –según BLANES– ha ido incentivando una mayor concentración de medios y recursos humanos y materiales en la investigación y en la mejora de la atención médica y sobre la salud en estas edades avanzadas o muy avanzadas.

Esta cuarta etapa también tiene otra formulación. Para ROGERS y HACKENBERG[25] la cuarta etapa se denominaría *híbrida*, pues esta etapa vendría caracterizada por un cambio en los hábitos de los patrones de mortalidad: las enfermedades infecciosas todavía no se han erradicado y se encuentran elevadas puntas de estas enfermedades en algunos subgrupos de población dentro de las mismas zonas geográficas estudiadas. Por otra parte, los malos hábitos: el tabaquismo, el sedentarismo, alcoholismo, etc., aumenta el riesgo a sufrir enfermedades como cánceres y problemas cardiovasculares. Los comportamientos individuales y los hábitos pueden ir cambiando en beneficio de una disminución de la morbilidad y de la mejora de la salud.

Sin lugar a dudas las dos cuartas etapas descritas anteriormente se complementan. Para BAH y RAJULTON[26] la primera cuarta etapa explicada describe factores macro de servicios sanitarios, programas de salud, etc., mientras que la segunda cuarta etapa se centra en los comportamientos individuales.

A principios del siglo XXI algunos autores describen una quinta y una sexta etapa en la transición epidemiológica. Para MESLÉ y VALLIN[27]

---

24. OLSHANSKY, S. J. y AULT, A. B. (1986). «The fourth stage of the epidemiologic transition: the age of delayed degenerative diseases», en *The Milbank Quarterly*, 64, pp. 355-391 y OLSHANSKY, S. J. y otros (2001). «Emerging infectious diseases: the fifth stage of the epidemiologic transition?», en World Health Statistic Quarterly, 51, pp. 207-217.

25. ROGERS, R. G. y HACKENBERG, R. (1987). «Extending epidemiologic transition theory», en *Social Biology*, 34, pp. 234-243.

26. BAH, S. y RAJULTON, F. (1992). «Has Canadian mortality entered the Fourth Stage of the epidemiologic Transition?» en *Canadian Studies in Population*, 18 (2): 18-41.

27. MESLÉ F. y VALLIN, J. (2002). «La transition sanitaire: tendences et perspectives», en CASELLI, G., VALLIN, J. y WUNSCH, G. *Demographie: analyse et synthèse. Les déterminants de la mortalité*, pp. 439-461, París, INED y VALLIN, J. (1989). «La mortalité en Europe de 1720 a 1914: tendances a long terme et changements de structure par sexe et par age». *Annales de Démographie Historique*, pp. 31-54.

después de la cuarta vendría una etapa que se caracterizaría por el *descenso de las enfermedades cardiovasculares,* que pasan a constituir el principal factor de incremento de las expectativas de vida de la población.

Por su parte, HORIUCHI[28] postula que los avances en la esperanza de vida han sido el fruto de la reducción sucesiva de las enfermedades que en cada período dominaban la estructura interna de la mortalidad, aunque durante ese proceso se pueden producir fenómenos de superposición de etapas y períodos de freno o de incremento de la mortalidad. En consecuencia, esta etapa adicional sería la del *descenso de los tumores.* Para HORIUCHI lograr el control del cáncer requerirá tanto de avances claves en la investigación oncológica y el tratamiento de la enfermedad, como de una reducción de los factores de riesgo. Después de estas bajas tasas de mortalidad por tumores y enfermedades cardiovasculares emergería un nuevo patrón, o sexta etapa de la transición, donde la mortalidad y morbilidad se concentraría en edades muy avanzadas y estaría dominada por algunas enfermedades del aparato respiratorio (neumonías, bronquitis...), por las mentales y del sistema nervioso y por enfermedades de difícil catalogación por la multiplicidad de factores que intervienen en la muerte en esas edades. En esta etapa final de la transición, que denomina *«slowing of senescence»* o atrasamiento de la senectud, la cuestión sería hasta qué punto puede frenarse el deterioro del organismo desplazando aún más la edad de la defunción.

2.2. CRÍTICAS A LA TEORÍA DE LA TRANSICIÓN EPIDEMIOLÓGICA

Las críticas a la teoría de la Transición epidemiológica se han centrado en las dudas sobre el calendario, sobre la falta de explicación lógica del paso de una etapa a otra, sobre las diferencias dentro del mismo país, etc.

Hay investigadores críticos que no critican tanto la teoría en sí como la formulación de sus distintas fases, y consideran necesario realizar una profunda reconsideración de las etapas de la transición, ya que si las dos primeras se caracterizan por patrones epidemiológicos claramente definidos, en las posteriores éstos son más difusos, lo que dificulta establecer el instante en que se produce el paso de la segunda a la tercera y, especialmente, entre ésta y la cuarta etapa[29]. Otros autores plantean

---

28. HORIUCHI, S. (1999). «Epidemiological transitions in human history» en CHAMIE, J. y CLIQUET, R. L. (eds), *Health and Mortality. Issues of global concern. Proceedings of the symposium on health and mortality,* Bruselas.

29. ROBINE, J. M. (2001). «Redéfinir les phases de la transition épidémiologique à travers l'étude de la dispersión des durées de vie: le cas de la France» en *Population,* n° 1-2, pp. 199-222.

que las etapas y el modelo propuesto por OMRAN ignora el papel fundamental que la fecundidad y las migraciones desempeñan en la evolución de la morbilidad[30].

La crítica de MACKENBACH[31] manifiesta por su parte la ambigüedad del concepto de Transición Epidemiológica, dudando en aquello que hace referencia a la localización en el tiempo del inicio y del final de esta transición. A su vez, propone investigar a fondo los cambios en los patrones de mortalidad a través de la reconstrucción de series temporales amplias geográficamente. Esto permitiría revelar patrones comunes de cambio y proporcionar una noción más clara sobre el concepto de la transición epidemiológica o de las transiciones epidemiológicas existentes en la comparación de las series.

Sin embargo, PHILLIPS[32] señala que quizás el papel más importante de la transición epidemiológica sea el de proporcionar un marco formal donde situar las estrategias y los cuidados de salud a medio y largo plazo. Este marco teórico es, según GRIBBLE y PRESTON[33], una herramienta de gran utilidad para la planificación adecuada de servicios de salud.

Obviamente y, de acuerdo con la Teoría de la Transición Epidemiológica, el descenso de la mortalidad habría que atribuirlo a un complejo conjunto de factores que aparecen ligados al «proceso de modernización» de las diferentes sociedades.

Sin lugar a dudas, la Transición Demográfica y la Transición Epidemiológica requieren de una explicación en profundidad de los factores que podrían estar afectando a estos cambios. La consideración de las dimensiones socio-culturales y el papel clave atribuido al concepto de salud están en el origen de la formulación del concepto de la Transición Sanitaria, según J. CALDWELL.

3. LA TRANSICIÓN SANITARIA

Se parte del principio de que la causa de enfermedad o de muerte

---

30. RILEY, J. C. y ALTER, G. (1990). «The epidemiologic transition and morbidity». Working Paper 10, *Population Institute for Research and Training*/Indiana University.
31. MACKENBACH, J. P. (1994). «The epidemiologic transition theory», en *Journal of Epidemiology and Community Health*, 48, pp. 329-332.
32. PHILLIPS, D. R. (1994). «Does epidemiological transition have utility for health planners?», en *Social Science Medicine*, n° 38, vol. VII-X.
33. GRIBBLE, J. N. y PRESTON, S. H. (1993). «Introduction», en J. N. GRIBBLE y S. H. PRESTON, *The Epidemiological Transition. Policy and planning implications for developing countries*, Workshop Proceedings, Washington D. C., National Academy Press.

es el eslabón final de una serie de acontecimientos que unen a la muerte con los verdaderos factores determinantes, que son de naturaleza biológica, socioeconómica, cultural, ambiental, educativa, política, etc., y que determinan los estados de salud y enfermedad de las diferentes poblaciones, chocando frontalmente con las tesis de aquellos que consideran al factor económico como explicación determinante única del descenso de la mortalidad. Por lo tanto, las causas de enfermedad o de muerte pueden ser un indicador indirecto de estos factores (VALLIN, 1988; BERNABEU, 1995).

La **Teoría de la Transición Sanitaria** (*«Health Transition»*) explica los distintos cambios epidemiológicos en las poblaciones debidos a los factores sociales y a los conductuales desarrollados por éstas.

Desde 1989, existen dos vías principales de investigación sobre la Transición Sanitaria: la primera analiza empíricamente los determinantes sociales, los culturales y los de comportamiento sobre la evolución del estado de salud. La segunda, con un carácter teórico, intenta establecer las bases de lo que será la Teoría de la Transición Sanitaria.

3.1. ANÁLISIS EMPÍRICO DE LOS DETERMINANTES DEL ESTADO DE SALUD

Dentro de la primera vía de investigación destacan los trabajos realizados por la Escuela de Canberra, cuyo autor principal es CALDWELL[34], y los llevados a cabo por el Centro de Estudios sobre Población y Desarrollo de Harvard (1994).

Las investigaciones de la escuela australiana explican, a través de la transición sanitaria, los cambios acaecidos en las poblaciones y, aunque no desarrollen todavía un contexto teórico generalizado, toman este término de Transición Sanitaria como una ampliación de la Transición Epidemiológica, dotando de importancia a los determinantes sociales, de comportamiento y/o culturales como causales del estado de salud de las poblaciones. Será pues la economía o los factores socioeconómicos un factor más, dentro de los determinantes del descenso de la mortalidad. CALDWELL reconoce, en primer lugar, que el buen estado de la salud depende de los recursos, valores y comportamientos de los individuos, familias y comunidades. En segundo lugar, supone un cambio desde la

---

34. CALDWELL, J. C. (1990). «Introductory thoughts on health transition», en J. C. CALDWELL, *et alii.*, (eds), *What we know about Health Transition: the cultural, social and behavioural determinants of health.* Health Transition Center/The Australian National University, Canberra.

preponderancia atribuida anteriormente a las intervenciones médicas en el examen y consideración de los determinantes de la salud, en general, con la nutrición, la higiene, etcétera. Y en tercer lugar, implica un interés hacia cuestiones tan amplias como la evolución social, la educación, la equidad y el «*empowerment*» o empoderamiento[35].

Contemporáneamente a estos trabajos, se llevaron a cabo, entre 1987 y 1990, en la Universidad de Harvard unos seminarios de investigación sobre la transición sanitaria, cuyo objetivo era promover la comprensión de las dimensiones sociales de los cambios de salud en países desarrollados. El factor cultural es la causa central para esta conceptualización. Es decir, además de estudiar factores económicos, sociales, socioculturales, etc., se considera esencial el examinar el impacto de las relaciones interpersonales en los cambios producidos en el estado de salud individual[36].

Actualmente, se están buscando indicadores para explicar la complejidad del término de la transición sanitaria. Algunos autores proponen la mortalidad infantil como indicador útil y válido para esta transición. Aunque los niveles de mortalidad infantil varían de una población a otra, su descenso suele ser constante y continuo. Existe un nivel en torno a 10 defunciones por mil nacidos, que marcaría la culminación exitosa de la transición, VAN DE WALLE[37]. Otros consideran que el análisis de la esperanza de vida puede medir objetivamente el estado de salud de las poblaciones. Sin embargo, los trabajos que tienen mayor acogida son los que intentan hacer un análisis mediante las causas de enfermedad o de muerte, que describan los cambios a través de la transición epidemiológica, para después poder estudiar los factores determinantes.

La aportación fundamental de esta primera vía es la búsqueda de variables que sean capaces de recoger y medir la incidencia de los factores sociales, los culturales y los de comportamiento sobre el estado de salud. Por ejemplo, la educación de las madres se toma como variable explicativa de la supervivencia de los niños e incluso de su comporta-

---

35. CLELAND, J. (1990). «The idea of the health transition», en J. C. CALDWELL, *et alii*. (eds.), *What we know about Health Transition: the cultural, social and behavioural determinants of health*. Health Transition Center/The Australian National University, Canberra.

36. CHEN, L. C., *et alii*. (1994). *Health and Social change in international perspective*. Harvard School of Public Health, Boston.

37. VAN DE WALLE, F. (1990). How do we define the health transition?, en CALDWELL, J. C., *et al.* (eds). *What we know about Health Transition: the cultural, social and behavioural determinants of health*. Health Transition Center/The Australian National University, Canberra.

miento dentro del grupo en los adultos[38]. Aparece una asociación lineal muy clara entre la duración del período educativo de las madres y la reducción de la mortalidad infantil. Se ha demostrado que por cada año adicional de escolarización de la madre, la mortalidad infantil se reduce entre un 7 y un 9‰ (CALDWELL*et al.*, 1990). Las madres con más escolarización conocen mejor y poseen un mayor acceso a servicios sanitarios y una mayor información sanitaria.

Finalmente, el «comportamiento» es, para CALDWELL, otra de las dimensiones de los estudios de salud desde la vertiente del cuidado o prevención, especialmente de los accidentes y riesgos que se pueden sufrir.

3.2. CONSTRUCCIÓN DE UNA TEORÍA DE LA TRANSICIÓN SANITARIA

Dentro de la segunda vía de investigación destacan los trabajos de FRENK[39]. El objetivo, además de definir de una manera más concreta el concepto de Transición Sanitaria, es el de sistematizar sus distintos componentes para la formulación de una Teoría de la Transición Sanitaria.

Así, FRENK establece una diferencia conceptual entre la transición sanitaria y la epidemiológica. La primera comportaría cambios en las condiciones de salud y enfermedad de las poblaciones afectadas. Para ello sería necesario estudiar los factores determinantes de las condiciones de salud y enfermedad, que actúan en distintos niveles y donde el concepto de «factor de riesgo» tiene un papel central.

Estos factores determinantes se extraen de la comparación entre grupos de sujetos expuestos al factor o factores causales; para ello se miden los riesgos de determinados grupos de individuos expuestos de forma diferente a ciertos factores de riesgo. Esta comparación se realiza a partir de la elaboración de unos índices epidemiológicos. El riesgo variará según determinadas características individuales (sexo, edad, ciertos factores socioeconómicos...) o determinados factores biológicos. Un factor de riesgo puede ser la causa de una determinada enfermedad pero no ser imprescindible su presencia para que necesariamente se de-

---

38. CALDWELL, J. C. y otros (1990). «Cultural, social and behavioural determinants of health and their mechanisms: a report on related research programs», en J. C. CALDWELL *et alii*. (eds.), *What we know about Health Transition: the cultural, social and behavioural determinants of health.* Health Transition Center/The Australian National University, Canberra.

39. FRENK, J., *et al.*, (1989). «Health Transition in middle-income countries: new challenges for health care». *Health Policy and Planning*, 4, pp. 29-39.

sarrolle esta enfermedad. Un factor es causa de una enfermedad si una modificación de su frecuencia supone una modificación de la frecuencia de esta enfermedad. Será la incidencia de la enfermedad la medida de la frecuencia que permite juzgar el papel de un determinado factor en el momento de desarrollarse una enfermedad que, a su vez, puede conducir a la muerte.

En una primera parte de la transición sanitaria, FRENK señala la importancia de describir los cambios acaecidos en una población a través del análisis de la mortalidad, de las causas de muerte y/o de enfermedad, mediante una agrupación de los datos, haciendo series temporales.

En segundo lugar se pasará al nivel explicativo, la Transición Sanitaria propiamente dicha, donde el objetivo fundamental será subrayar los factores o causas que pueden estar detrás de los problemas de salud que afectan a la población y que intervienen en la aparición y desaparición de las enfermedades. Para ello se comparan los riesgos de determinados grupos de individuos expuestos de forma diferente a ciertos factores de riesgo y se eligen aquellos factores generales que se deducen son la causa de una enfermedad.

Partiendo de la formulación de este marco teórico, durante la década de los noventa del siglo XX se han intensificando los estudios sobre la transición sanitaria, desde ópticas y zonas geográficas distintas. Así, contamos con los estudios de CASELLI[40], PERRENOUD[41], VALLIN que han puesto de manifiesto, gracias al estudio de las características de las transiciones epidemiológica y sanitaria en diferentes regiones, la existencia de una gran diversidad de ritmos y modelos.

En este contexto, el estudio de la mortalidad por causas ha ayudado a explicar no sólo las razones del descenso de la mortalidad (que acompañaron al proceso de transición demográfica), sino también su diversidad geográfica, tanto en intensidad como en cronología, según CASSELLI.

El primer Congreso sobre la reconstrucción de las causas de muerte se realizó en 1993 en la Universidad de Indiana (en Bloomington), bajo

40. CASSELLI, G. (1993). «L'évolution à long terme de la mortalité en Europe», en BLUM, A. y RALLU, J.-L., *European population. Demographic dynamics,* Jhon Libbey/INED, Congresses & Colloquia, n° 9, París.

41. PERRENOUD, A., (1992). «La mortalité des enfants en Europe francophone: Etat de la question», comunicació presentada al *Seminar on Child and Infant Mortality in the Past,* Montreal y PERRENOUD, A. (1993). «Nosología y patocenosis: contribución al debate sobre las causas del descenso de la mortalidad», en *Expresiones diagnósticas y causas de muerte,* Asociación de Demografía Histórica (ADEH).

el título: *The History of Registration of Causes of Death*. De entre los investigadores que asistieron cabe destacar a VALLIN, CASSELLI, PERRENOUD,
CALDWELL, REHER, BERNABEU, etc. Una de las conclusiones más generalizadas atribuía a los factores del descenso de la mortalidad, en épocas
actuales, una relación muy directa con las mejoras en la calidad de vida.
En efecto, la salud se adapta a los nuevos tiempos mediante un factor
cultural o de comportamiento, los distintos «estilos de vida» y los nuevos tratamientos terapéuticos y de prevención, que serán la causa del
descenso de mortalidad a finales de la década de 1990. El estilo o la
calidad de vida es causa de una mejora en la salud y en la esperanza
de la vida. El uso de una mejor dieta en la alimentación, hacer deporte,
las revisiones médicas anuales, etcétera, pueden explicar parte de la incidencia de este factor cultural sobre el estado de salud (CASELLI, 1993).
También factores más macro, como la situación política y económica por
la que están pasando los países repercute en la salud y en la muerte de
sus habitantes. Tanto para J. VALLIN como para CASELLI, el descenso de
la mortalidad en estos últimos años se explica, como ya apunta CALD-
WELL, por un factor cultural o ligado al comportamiento.

En los últimos años, varios informes internacionales han realizado
una aproximación a los principales factores de riesgo que determinan la
carga de mortalidad y morbilidad en distintas regiones del mundo como
paso previo para la implementación de medidas de salud pública. En el
informe de la Organización Mundial de la Salud del año 2002 y también
en el de EUROSTAT del 2003, se señala que entre los factores de riesgo
principales para la salud se encuentran los relacionados con los modos
de vida (alimentación, actividad física, tabaquismo, alcoholismo), con el
entorno ambiental, con las condiciones de trabajo y transporte, y con el
sistema sociosanitario (recursos, utilización...).

En su aplicación práctica, BLANES y SPIJKER[42] analizan e interpretan
los diferenciales provinciales de mortalidad por edad y causa en la década de los sesenta del siglo pasado en Cataluña y en el conjunto de
España. La cuestión que se plantea es hasta qué punto esos diferenciales
respondían a diferencias de ritmo y de fase entre las provincias españolas en su proceso de la transición epidemiológica, cuya explicación remi-
tiría a desigualdades de desarrollo socioeconómico.

También los estudios y trabajos de investigación llevados a cabo

---

42. BLANES, A. y SPIJKER, J. (2010). «Las desigualdades territoriales de mortalidad en la
España de los años sesenta: una aproximación a sus niveles y determinantes» *Revista
Asociación de demografía Histórica*, ADEH.

desde el Departamento de Salud Pública de la *Universitat d'Alacant* (BER-NABEU, ROBLES y otros) desde finales de los años noventa del siglo XX han ayudado a la construcción de una Teoría sobre la Transición Sanitaria, en especial en el espacio español.

El desarrollo de la Teoría de la Transición Sanitaria demuestra que, aunque el análisis y las aportaciones argumentales de los factores determinantes monocausales (económico, salud e higiene o cultural) son muy interesantes, el estudio de la mortalidad necesita un abordaje integral. Como dice PERRENAUD (1993: 94): «todo proceso morboso debe ser analizado como si se tratase de un elemento perteneciente a un sistema complejo, es decir, un conjunto coherente de estructuras, conectadas entre sí por relaciones mudables, y con una organización y unas conexiones entre los elementos que se desarrollan y se transforman con el tiempo». En resumen, el fenómeno de la evolución del paciente terminal: individuo, salud y factores determinantes debe de ser estudiado en toda su complejidad igual que a su atención integral en los últimos instantes de su vida.

El derecho a no saber y el consejo genético

NICOLÁS JOUVE DE LA BARREDA

1. INTRODUCCIÓN. BASE MOLECULAR DE LOS GENES Y EL PROYECTO GENOMA HUMANO

El «genoma» se puede definir como la información genética contenida en las moléculas de ADN de un ser vivo. Cada especie cuenta con un genoma propio en el que se cifra la información de que dependen sus características biológicas. La información se encuentra registrada en la secuencia lineal de las llamadas «bases nucleotídicas», que son las unidades básicas A, T, C y G (Adenina, Timina, Guanina y Citosina) en que se basa el lenguaje los genes[1]. El genoma humano posee aproximadamente 3.175 millones de pares de estas bases en su complemento básico, repartidos en los 23 pares de cromosomas, y cada individuo humano requiere para su constitución morfogenética de una información básica de unos 21.000 genes que se recibe de ambos parentales vía gametos. Las distintas variantes de cada uno de los genes –lo que en términos genéticos se denominan «alelos»– son responsables de los rasgos físicos y fisiológicos y explican la enorme diversidad de genotipos posibles de nuestra especie, lo que a su vez se traduce en una identidad prácticamente irrepetible de cada individuo.

Cuando hablamos del repertorio de genes que contribuyen a dar

---

1. Los genes son tramos de la molécula del ADN. Esta se compone de dos filamentos enrollados uno alrededor del otro formando una «doble hélice». Cada uno de estos filamentos, consiste en un polímero compuesto por la sucesión de las unidades básicas denominados nucleótidos. Los genes pueden variar en su tamaño, desde unos cientos a miles o cientos de miles de pares de bases. De cada gen pueden existir diversas versiones o «alelos» cuyas diferencias son la principal fuente de variación genética y cuyas modificaciones pueden explicar múltiples enfermedades hereditarias.

forma a un ser vivo, sea humano o de cualquier otra especie, debemos distinguir entre los «genes mayores» y los «genes menores». Los genes mayores actúan de forma directa y cualitativa (moreno, rubio, albino, grupo sanguíneo A o B, etc.) y su efecto fenotípico es usualmente el producto de la combinación de los dos alelos –paterno y materno– que posea cada individuo para ese gen. A este tipo corresponden los caracteres monogénicos, en los que interviene un solo gen. Estos caracteres no suelen ofrecer problemas de clasificación fenotípica, ya que es fácil distinguir unos individuos de otros de acuerdo con el fenotipo que muestran.

Los «genes menores», también llamados «poligenes», tienen un efecto sobre caracteres de tipo cuantitativo (peso, envergadura, talla, intensidad de color, etc.). Estos sistemas no dependen de un solo gen, sino a veces de un gran número repartidos por todo el genoma que suman sus efectos (factores múltiples, polímeros o poligenes). En este caso, la manifestación del carácter se debe a los efectos acumulativos de los alelos de estos genes y en la manifestación del carácter hay una patente influencia ambiental.

Dicho todo lo anterior, hemos de añadir que el desarrollo humano es el fruto de la expresión de los genes, que se realiza de forma ordenada, sucesiva o simultánea, a base de oleadas de expresiones y represiones, en el momento y en el tejido que en que corresponde la actuación de cada gen y de acuerdo con un programa que hace que del total de los genes presentes en cada célula solo estén activos los que corresponden a la especialidad del tejido a que pertenece. De este modo, el genoma funciona de acuerdo con un programa, dependiente a su vez de un tercer tipo de genes, los genes llamados «reguladores» que son los que dictan la orden de qué genes, dónde y cuándo han de expresarse a lo largo del desarrollo.

Los pasos por los que transcurre el desarrollo embrionario obedecen a procesos regulares de crecimiento en número de células y expresión de genes diferentes, cuando se requiere su participación, de acuerdo con los papeles específicos de cada linaje celular en el organismo. Al principio todas las células son idénticas, lo que explica el hecho de la capacidad de compensación incluso de una pérdida de células o una subdivisión del embrión hasta el estado de blastocisto. De este modo una segmentación accidental de un blastocisto incipiente explica la formación de los gemelos monocigóticos, por el que las partes del embrión único que se independizasen podrían reorganizarse y emprender el camino de un desarrollo independiente normal. Sin embargo, a partir de la implantación y a medida que avanza el desarrollo, van surgiendo los papeles diferentes de los linajes celulares y este proceso de diferenciación celular implica activación o desactivación de genes distintos en cada célula, tejido u órgano.

Los mecanismos del desarrollo normal y las formas en las que éste sufre alteraciones constituyen la base conceptual para entender el origen de muchos tipos de enfermedades humanas. Los defectos genéticos constituyen la primera causa de los abortos espontáneos y de la mortalidad perinatal y son la segunda causa de morbilidad de los países desarrollados. Aproximadamente uno de cada seis embarazos termina en un aborto espontáneo y de ellos, casi la mitad se deben a anormalidades cromosómicas y la otra mitad a causas desconocidas, en cuya mayoría estarían implicadas las alteraciones de genes mayores o sistemas poligénicos y también fallos de expresión del programa de desarrollo debidos a la influencia de agentes teratogénicos[2].

En 1990 se inició un ambicioso proyecto consistente en «leer» el mensaje genético completo del ADN de los 23 cromosomas humanos. Se trataba de conocer el número, la posición y la función de los genes y las restantes regiones no génicas del genoma de nuestra especie. En principio se trataba de estudiar lo que se podría llamar el genoma estándar, común a todos los miembros de nuestra especie, para luego ir estudiando todas las variantes de cada gen, lo que nos daría una idea de la diversidad de nuestra especie y de los efectos de las mutaciones en la manifestación de los caracteres, incluidas las patologías.

Según el genetista José Antonio ABRISQUETA: «la principal justificación del proyecto genoma humano es la adquisición de información fundamental relativa a nuestra constitución genética, que pueda aumentar nuestra comprensión científica básica sobre la genética humana y el papel de los genes en la salud y en la enfermedad»[3]. Mediante el Proyecto Genoma Humano se trataría de resolver una serie de cuestiones de interés para la Medicina. En concreto, los tres campos que se beneficiarían de inmediato con el conocimiento de nuestro genoma serían el diagnóstico, el terapéutico y el farmacológico. El proyecto invitaba al optimismo en lo que respecta a la capacidad de diagnosticar, prevenir y curar muchas enfermedades con base genética. El conocimiento de la estructura

2. Los agentes teratogénicos son factores ambientales, físicos o químicos que producen alteraciones genéticas en los embriones o en los fetos de las que se derivan malformaciones.
3. J. A. ABRISQUETA «Proyecto Genoma Humano: Perspectivas y límites». *Verdad y Vida* (1993) 51, 204, 411-421.

molecular de los genes implicados en las enfermedades hereditarias permitiría habilitar pruebas de laboratorio para la detección de alteraciones en las secuencias del ADN, y por tanto para su diagnóstico incluso desde antes de su manifestación, ya desde las primeras etapas del desarrollo embrionario. Por otro lado, a partir del conocimiento de la base molecular de las alteraciones de los genes, se preveía el desarrollo de protocolos de terapia génica, que permitirían la corrección de algunas enfermedades mediante la inserción de secuencias génicas correctas en el genoma de pacientes portadores de genes alterados.

El proyecto se completó en dos fases. En julio del 2000 se había obtenido un borrador bastante completo, que informaba sobre la distribución de la mayoría de nuestros genes y su posición en los 23 cromosomas. El proyecto se consideró culminado en abril de 2003 al completar la información de todas las secuencias del ADN de nuestros genes y regiones intergénicas. Tras ello los investigadores dirigieron su atención hacia el conocimiento de la función de los genes, que es la fase conocida como «genómica funcional». Las alteraciones de muchos de los genes ya conocidos son causa de determinadas enfermedades cuya recopilación y descripción puede ser consultada en la base de datos OMIM (Online Mendelian Inheritance in Man), a cargo del Dr. Victor A. McKUSICK, de la Facultad de Medicina de la Universidad John Hopkins de Baltimore[4].

Transcurridos 10 años de la publicación del borrador del genoma humano, constatamos avances espectaculares en el aspecto científico[5]. Gracias a los avances de la Genética del Desarrollo y la Genómica, se han llegado a clarificar los papeles de los genes y los mecanismos de la regulación genética. Se constata que cada ser pluricelular comienza su desarrollo corporal a partir del cigoto, cuyo genoma singular contiene las instrucciones que se irán cumpliendo de forma ordenada a medida que transcurra el tiempo, crezca el número de células y se vayan expresando o silenciando los genes.

A pesar de todo este fermento intelectual, cabe preguntarse por los resultados prácticos esperados: ¿dónde están los nuevos métodos para prevenir, diagnosticar, tratar y curar enfermedades?, ¿se ha beneficiado realmente la salud humana? Los dos líderes del conocimiento del ge-

---

4. V. McKUSICK «Mendelian Inheritance in Man: A Catalog of Human Genes and Genetic Disorders», Johns Hopkins University Press, Baltimore (1997). *http://www.ncbi.nlm.nih.gov/omim*.
5. E. C. HAYDEN. «Human genome at ten: Life is complicated» *Nature* (2010) 464:664-667 doi:10.1038/464664a (31 March 2010).

noma humano, Francis COLLINS[6] y Craig VENTER[7], en artículos publicados en abril de 2010 en *Nature,* respondían con honestidad a estas preguntas con un sincero, «no se ha logrado mucho». Ha habido algún avance en la vertiente farmacológica gracias al desarrollo de fármacos dirigidos contra algunos defectos genéticos identificados en varios tipos de cáncer y en algunas enfermedades genéticas raras. Parte de las premonitorias previsiones se han cumplido, pero la investigación biomédica parece todavía distante de todo el provecho que tan magno proyecto había despertado, por lo que el deseado manantial de «terapias génicas» aún está por venir.

2. DEL PROYECTO GENOMA HUMANO AL DIAGNÓSTICO GENÉTICO

El campo de la medicina que más se ha beneficiado del Proyecto Genoma Humano es sin duda el de la adquisición de pruebas genéticas de identidad y de diagnóstico genético, que se utilizan ya en la práctica. Con la secuenciación del ADN de nuestro genoma, acompañada de otros avances biotecnológicos y citogenéticos, se ha facilitado la capacidad de diagnosticar los tipos de alelos de los genes o la constitución cromosómica ya desde las primeras etapas del desarrollo. Dado que el ADN del genoma individual se constituye en el momento de la fecundación y se mantiene invariable –salvo mutación puntual– en todas las células del individuo a lo largo de la vida, el diagnóstico se puede hacer en cualquier momento, a partir de muestras celulares obtenidas en fase embrionaria temprana (diagnóstico genético preimplantatorio), fetal (diagnóstico genético prenatal) o en adulto. El diagnóstico es posible incluso desde mucho antes de que se manifieste la patología objeto del análisis.

La información obtenida es de gran importancia ya que de ella se podrán derivar una serie de actuaciones, de las que las más positivas serían las medidas correctoras y terapéuticas. En el caso de practicarse en embriones obtenidos por fecundación *in vitro* es determinante de la decisión sobre la implantación del embrión. Si el diagnóstico se ha realizado en el feto puede condicionar la continuidad del embarazo pero también podría favorecer la corrección farmacológica o quirúrgica in-

6. F. COLLINS «Has the revolution arrived?» *Nature* 464, 674-675. doi:10.1038/464674a; Published online (31 March 2010).
7. J. C. VENTER. «Multiple personal genomes await» *Nature* 464, 676-677 doi:10.1038/464676a; Published online (31 March 2010).

cluso en útero. La práctica en adultos tendrá sin duda su repercusión en las expectativas de vida o en las condiciones en que ésta vaya a desarrollarse en un futuro más o menos inmediato.

Las tecnologías del diagnóstico genético han avanzado mucho, especialmente tras la irrupción de la amplificación del ADN con la denominada Reacción de la Polimerasa en Cadena (PCR)[8], la secuenciación, la posibilidad de cultivar las células in *vitro*, el análisis cromosómico con bandas y la hibridación *in situ*, aunque es importante señalar que por mucha capacidad de diagnosticar los alelos de un determinado gen o la modificación de una región cromosómica implicada en una enfermedad, nunca existirán garantías de la normalidad en el resto del genoma no investigado. El diagnóstico genético, sea preimplantatorio, prenatal o de adulto, ha facilitado la predicción de más de un centenar de enfermedades monogénicas, entre las que se encuentran las más comunes, como la acondroplasia, anemia falciforme, ataxia espino cerebelosa, distrofia miotónica de Steiner, enfermedad de Huntington, enfermedad de Tay-Sachs, fibrosis quística, hemofilias A y B, hipercolesterolemia, neurofibromatosis de Von Recklinghausen, poliposis adenomatosa, polipolis cólica familiar, síndrome de Marfan, síndrome del X Frágil, etc. También es predecible el sexo y un amplio repertorio de cromosomopatías, tanto en los embriones como en los fetos. La observación cromosómica con las modernas técnicas del bandeado o del pintado cromosómicos, permiten diagnosticar variantes génicas o detectar la presencia o no del cromosoma Y, la existencia de una trisomía 13, 18 o 21, relacionadas con los síndromes de Patau, Edwards o Down, respectivamente, o las deleciones u otras alteraciones cromosómicas relacionadas con patologías viables, así como las que surgen en los procesos tumorales. Es importante significar que la mera detección de una variación cromosómica o de un alelo alterado de un gen, no nos revelará en muchas ocasiones el grado de expresividad y gravedad que alcanzaría una patología, muy dependiente de factores epistáticos y fisiológicos internos del paciente.

Por otra parte, el diagnóstico genético no es aplicable a los sistemas poligénicos, como los responsables de muchas enfermedades mentales o del comportamiento humano, entre los que se encuentran patologías tan importantes como las alergias, asma, epilepsia idiopática, espina bífida, fisura palatina, diabetes mellitus, etc. La utilización del diagnóstico

---

8. La PCR es una técnica de biología molecular desarrolladas en 1986 por Kary Mullis, cuyo objetivo es obtener un gran número de copias de un fragmento de ADN particular, partiendo de una única copia de ese fragmento, que se utiliza como molde para sintetizar de forma controlada millones de réplicas en un tiempo reducido.

genético es una práctica en crecimiento en los países de sistemas sanitarios avanzados, aunque su notable costo económico, hace que estas tecnologías sean difícilmente extensibles a una medicina social.

En cualquier caso, la tecnología del «diagnóstico genético» plantea serios problemas éticos ya que se instrumentalizan los embriones y fetos, que se convierten en objetos cuyo destino queda en manos de los padres o del personal médico. El uso del diagnóstico genético como medio para librar a la familia o la población de sujetos con patologías o enfermedades genéticas es en sí mismo un acto de eugenesia. Se trata de un tipo de eugenesia practicada a nivel individual, en contraste con la «eugenesia social» o «darwiniana» practicada durante décadas en países desarrollados a principios del siglo XX.

Esta «neoeugenesia» o «eugenesia liberal», basada en el diagnóstico genético preimplantatorio o prenatal, es una realidad de los países occidentales más desarrollados, no solo por las mejoras técnicas que lo permiten, sino por la existencia de leyes que lo promueven, facilitando la selección de los embriones o permitiendo la eliminación de una vida en gestación durante el desarrollo fetal. La situación actual en relación con el aborto eugenésico es realmente alarmante. La lista de anomalías detectables, no necesariamente graves, va en aumento, al tiempo que se ofrece la «eutanasia eugenésica» como una opción en cuanto se detecta una posible anomalía.

En un estudio realizado en el año 2000 en Gran Bretaña se comprobó que tras el uso masivo del diagnóstico prenatal los abortos producidos por defectos físicos alcanzaban a un 43% de los bebés con fisura palatina (paladar hendido) y al 64% de bebés con pie zambo, a pesar de que su pronóstico es excelente mediante cirugía y tratamiento posterior al nacimiento. El diagnóstico prenatal que con mayor frecuencia se utiliza para justificar el aborto eugenésico es el del síndrome de Down, seguido del de la espina bífida. En un artículo publicado a finales de 2009 en la revista *British Medical Journal* titulado *«Con los nuevos tests prenatales ¿desaparecerán los niños Down?»* se concluía que el diagnóstico prenatal no cura nada, y que el «aborto eugenésico» no previene ni cura absolutamente nada, sino que hace desparecer a un niño presente, aunque no nacido, con el agravante de tratarse de un bebé indefenso y afectado por una discapacidad, malformación o enfermedad, en ocasiones con buen pronóstico. En la misma línea Frank BUCKLEY y Sue BUCKLEY en un artículo de 2008[9] denuncian este hecho señalando que la

---

9. Los métodos invasivos consisten en métodos de obtención de muestras biológicas que implican intrusión en el cuerpo humano, por ejemplo la extracción de una mues-

mayoría de los resultados con las pruebas del diagnóstico genético prenatal dan falsos positivos, además de requerir el uso de procedimientos invasivos que plantean riesgos adicionales a los bebés por nacer[10]. Según estimaciones de estos autores la práctica actual del diagnóstico genético prenatal en Inglaterra y Gales reduce anualmente los nacimientos de bebés con el síndrome de Down en aproximadamente unos 660 y conduce a la pérdida de 400 bebés sin síndrome de Down.

Del mismo modo, desde la entrada en vigor de la ley del aborto de 1985[11], se han llevado a cabo más de 40.000 abortos en España. La nueva Ley del aborto promulgada en España en 2010[12], agrava esta situación al conceder el derecho a abortar sin límite de tiempo cuando se detecte en el feto una enfermedad extremadamente grave e incurable en el momento del diagnóstico y así lo confirme un comité clínico. Estos son los datos escalofriantes de una sociedad que parece olvidar el valor insustituible de la vida humana y la realidad de que un niño, una persona adulta con síndrome de Down, lejos de ser una carga para la familia o la sociedad, es alguien que puede desarrollarse y tener una vida feliz y útil para sí mismo y su entorno. Por otra parte, la mujer que opta por el aborto eugenésico va a sufrir los síntomas del síndrome postaborto, como demuestra la realidad clínica avalada por numerosos trabajos de investigación. De acuerdo con Elena POSTIGO y Mª Cruz DÍAZ DE TERÁN «las leyes del Estado tienen como objetivo natural la tutela del bien de la persona y la defensa de los más débiles e inocentes de las agresiones injustas. Con ello no se quiere indicar que el Derecho alcance el nivel de la caridad, pero sí que debe proteger a todos y cada uno de modo que se excluyan aquellos actos que suponen atentados indebidos. Sólo así es posible el respeto a la convivencia y al bien común»[13].

Todo tipo de eugenesia es condenable y se enfrenta con la ética más elemental de la dignidad de los seres humanos y de la defensa de la vida. Pero además, la neoeugenesia es censurable por su propia ineficacia. Nadie puede garantizar ni la «pureza genética» de un embrión o un

---

tra de sangre con aguja y jeringa, como en el caso de la amniocentesis para extraer muestras biológicas procedentes del feto durante el embarazo.

10. BUCKLEY F., BUCKLEY S. J. «Wrongful deaths and rightful lives – screening for Down syndrome». *Down Syndrome Research and Practice*. 2008; 12 (2); 79-86.
11. Ley orgánica 9/1985, de 5 de julio. Despenalización del aborto en determinado supuestos.
12. Ley 2/2010, de 3 de marzo. De Educación Sexual y reproductiva y de la Interrupción Voluntaria del Embarazo.
13. E. POSTIGO y M. C. DÍAZ DE TERÁN (2006) «Nueva Eugenesia: la selección de embriones *in vitro*». En *http://www.bioeticaweb.com*.

feto, por el mero hecho de diagnosticar la ausencia de un determinado alelo de un gen o una dotación aparentemente normal de cromosomas, ni que la eliminación de los embriones o fetos que presenten anomalías genéticas vaya a librar a la población de este tipo de situaciones en cualquier caso indeseadas. Por otra parte, sorprende la excesiva confianza en los determinismos genéticos de muchas patologías, algunas veces mal diagnosticadas y otras curables o tratables sin gran detrimento de la «calidad de vida» de quien lo padece. Esto por no hablar del propio relativismo de la gravedad de una enfermedad, o de las variantes genéticas consideradas deseables o indeseables. En cualquier caso, sorprende la permisividad con que se propende a la eliminación de una vida humana sometida al examen genético, en contraste con otras prácticas, como ocurre ante la falta de rigor en el control de la donación de gametos para la práctica de la fecundación *in vitro* heteróloga. En España se han dado casos de nacimientos repetidos con idéntico síndrome cromosómico porque el donante anónimo era portador de una translocación equilibrada. Un problema vinculado al anonimato de los donantes de semen o de óvulos, a los que no se obliga a realizar un diagnóstico genético previo a la donación.

Capítulo aparte merece el delicado asunto del diagnóstico genético en adultos. El desvelar una patología inesperada, aun no manifiesta en un adulto, podría ejercer una influencia negativa en las expectativas de vida o en la psicología del individuo afectado, lo que en todo caso obliga a contemplar el derecho a la intimidad y el derecho a no saber sobre las características genéticas de las personas, como veremos más adelante.

3. EL CONSEJO GENÉTICO

El consejo genético es una actividad recomendada por un ginecólogo y desarrollada normalmente por un genetista, con el fin de ayudar a los futuros padres a planificar su descendencia cuando hay antecedentes familiares de alguna enfermedad hereditaria y cabe la posibilidad de que el hijo esperado o los previsibles hijos venideros, pudieran tener problemas de salud.

Los padres en cuyas familias hay constancia de familiares próximos (hermanos, padres, tíos, primos) con enfermedades genéticas, y aquellos que sin conocimiento de dichos casos han tenido un hijo con alguna patología de carácter genético, tienen ante sí el compromiso de reflexionar e informarse sobre las causas a las que se debe la enfermedad y la posibilidad de recurrencia en futuros hijos que pudieran igualmente verse afectados. La existencia en el historial familiar de casos con alteraciones genéticas debe suponer un motivo de preocupación respecto a la posibilidad de transmitir los genes responsables de tales patologías a sus descendientes.

El consejo genético, trata de identificar y ayudar a interpretar los patrones de la herencia y explicar los riesgos de los trastornos hereditarios, desde antes o ya durante el embarazo. El estudio de cada caso permitirá sugerir a los padres los análisis recomendados y explicar las posibilidades o perspectivas. El asesoramiento genético trata de orientar a las parejas en estos casos e informarles sobre el riesgo de transmisión, las consecuencias y la asistencia médica y social con los que pueden contar. Además el consejo genético debe incluir un estudio de los temas emocionales relacionados con un resultado de confirmación de una patología y ha de tratar de ayudar a los padres y sus hijos en el caso de presentarse una enfermedad.

La Ley de Investigación Biomédica, define el Consejo genético como «*El Procedimiento destinado a informar a una persona sobre las posibles consecuencias para él o su descendencia de los resultados de un análisis o cribado genéticos*[14]*y sus ventajas y riesgos y, en su caso, para asesorarla en relación con las posibles alternativas derivadas del análisis. Tiene lugar tanto antes como después de una prueba o cribados genéticos e incluso en ausencia de los mismos*»[15]. El problema de esta definición estriba en el establecimiento de los límites del asesoramiento, ya que en cualquier caso, el consejo genético es un proceso de apoyo que no debe ser inducido por el médico hacia una determinada opción. Señala KIEFFER que «*el primer mandamiento de un asesor genético es no ser directivo. En otras palabras, no se debe dar el consejo como en el caso más general de las relaciones doctor-paciente... En el fondo del principio de no dirección está la pregunta ¿entiende completamente la pareja la información que se le da, de modo que pueda tomar una decisión libre e informada?*»[16].

El asesor genético debe contar con toda la información posible de la familia que requiere su atención antes de evaluar y establecer un diagnóstico de la situación. Para ello, debe contar con un historial clínico lo más completo posible en cuanto a los antecedentes familiares relacionados con la patología genética de que se trate. Usualmente los historia-

---

14. El cribado genético es una prueba genética sistemática que se realiza a gran escala y se ofrece como parte de un programa a una población o a un subconjunto de ella con el fin de detectar rasgos genéticos en personas asintomáticas.
15. Ley 14/2007, de Investigación Biomédica. BOE 7 de julio de 2007.
16. G. H. KIEFFER. *Bioética*. Alhambra Universidad. Madrid 1983.

les que manejan los genetistas en estos casos se plasman de forma gráfica en cartas genealógicas. En estas cartas se representan con símbolos a los miembros de la familia de varias generaciones, con indicación del sexo, fenotipo respecto al carácter de cada miembro y si los hubiere abortos espontáneos y muertes prematuras. Es importante también conocer si, en el caso de existir antecedentes familiares de una determinada patología, la madre ha estado expuesta a agentes físicos o tratamientos farmacológicos que podrían haber ejercido un efecto teratogénico durante el embarazo. Naturalmente, las causas de una muerte provocada por un agente de este tipo liberarían a la pareja del riesgo de encontrarse con un problema de carácter genético, de cara a un futuro hijo y crearía un ambiente de mayor tranquilidad para los demás miembros de la familia.

Las cartas genealógicas tienen por finalidad indagar si el carácter es o no hereditario, determinar sí tiene su sede en un cromosoma sexual (X o Y) o en uno de los 22 pares de cromosomas restantes (autosomas); el tipo de herencia en cuanto a si es monogénico o poligénico, dominante o recesivo, nuclear o mitocondrial. En base a estos datos se podría estimar el riesgo de recurrencia. Estos estudios también deben ir acompañados de otras informaciones relacionadas con la herencia que el especialista podrá constatar en la bibliografía existente sobre casos relacionados, como el momento de aparición en el desarrollo, la frecuencia de la mutación, la variación en la intensidad de la expresión, la existencia de interacciones con otros genes o con factores ambientales, etc.

El consejo genético es especialmente recomendado en los siguientes casos:

♦ Cuando haya habido un resultado sintomático de síndrome de Down, tras una prueba prenatal de rutina o una amniocentesis en madres de más de 35 años, dado que la probabilidad de tener un hijo con síndrome de Down aumenta con la edad de la madre (1 de 350 embarazos a los 35 años; 1 de 110 a los 40, y 1 de 30 a los 45 años)

♦ Cuando uno de los padres o un familiar cercano tiene una enfermedad hereditaria o un defecto de nacimiento

♦ Cuando los padres, o uno de ellos, ya han tenido un hijo con una enfermedad genética

♦ En el caso de que la madre haya tenido abortos o bebés que nacieron al poco de nacer

El consejo genético se ha facilitado tras la adquisición de la capacidad de hacer un diagnóstico genético basado en el análisis del ADN o los cromosomas. Las pruebas moleculares, cromosómicas, bioquímicas, ecográficas, etc., permitirán deben servir para completar la información, confirmar o desestimar la existencia de un problema médico y calibrar mejor el grado de manifestación de la posible patología en su caso. En ningún caso el diagnóstico de una patología genética es infalible ya que la manifestación de un carácter, el fenotipo, puede variar de acuerdo con un rango que depende de múltiples factores no genéticos.

Naturalmente, todo lo anterior nos lleva al punto más crítico y difícil. El consejo genético permite conocer e informar a la familia de la situación, pero tras este conocimiento, los padres, supuestamente bien informados, han de hacer frente a la realidad de un hijo que les va a plantear un reto imprevisto. Se van a ver abocados al conflicto entre el deseo, usualmente fuerte, de tener un hijo y la angustia ante el riesgo de traer al mundo un hijo defectuoso. La forma de afrontar esta situación puede ser distinta para cada caso, pero no debe perderse la perspectiva de que un hijo es una persona humana. En el peor de los casos, cuando los padres han recibido la confirmación de que existe un alto riesgo de que un hijo ya concebido traiga un grave defecto de nacimiento, no deben sentirse culpables de los genes que le han transmitido y de que son portadores. Deben armarse de serenidad y afrontar libremente la situación, informados de la realidad y conocedores de las consecuencias y de las opciones que se les presentan, no todas ellas éticamente aceptables aunque estén autorizadas por ley. El marco legal actual en España ha hecho que muchos ginecólogos se muevan en un contexto en el que parecen inseparables y equivalentes el buen uso (terapéutico) del diagnóstico prenatal y el mal uso (aborto eugenésico).

Sí el diagnóstico se hizo en embriones, tras una fecundación *in vitro*, la opción será implantar o no el embrión presuntamente afectado. Incluso, ante la duda de que los nuevos embriones que se pudieran producir con los gametos de la propia pareja resultasen igualmente afectados, se les podría plantear la opción de una fecundación *in vitro* heteróloga, con un donante de óvulos, de esperma o de ambos gametos, ajenos a la pareja. Siempre queda la opción de renunciar a un hijo en estas condiciones y optar por la adopción, lo que en cualquier caso, desde una ética de defensa de la vida es éticamente más defendible que cualquiera de los recursos anteriores.

Sí el diagnóstico se produce durante el embarazo, los padres tendrán que afrontar varios retos. En primer lugar una preparación psicológica y médica con la que se habrán de enfrentar cuando nazca su bebé. Una fibrosis quística, una hemofilia, un síndrome de Down, etc., por poner solo algunos casos son perfectamente tratables y asumibles y pueden suponer un motivo de mayor unión entre los miembros de la familia, padres, hijos y hermanos. También puede ocurrir que se plantee la corrección mediante cirugía en el feto con el fin de restaurar el defecto antes del nacimiento, como ocurre en muchos casos de espina bífida o de hernia congénita diafragmática. Lamentablemente, la mayoría de los defectos no pueden ser tratados mediante cirugía. La última opción es el aborto, no solo por tratarse de la más censurable desde la perspectiva ética, sino por el poso psíquico que dejará a los padres que opten por esta vía.

4. EL DIAGNÓSTICO GENÉTICO EN ADULTOS Y EL DERECHO A LA INTIMIDAD

El diagnóstico de enfermedades en adultos plantea una serie de situaciones en la relación del médico con su paciente que trascienden el campo de lo meramente clínico, en la misma medida que trasciende la dignidad del ser humano lo que de él señalen los datos genéticos. Lo cierto es que el diagnóstico de una enfermedad genera un impacto emocional en el paciente que el profesional de la medicina ha de afrontar mediante una actitud positiva de respeto a los deseos del mismo con el fin de contribuir a hacer más llevadero el proceso de la enfermedad.

El examen del genoma individual afecta a la identidad biológica del individuo, que es lo más propio de la intimidad de cada persona, un derecho fundamental constitucionalmente reconocido en el ordenamiento jurídico europeo[17] y español[18]. En la relación entre el médico y su paciente entran en juego aspectos que pertenecen a la privacidad y vida íntima de la persona afectada, por lo que existe la obligación de mantener el secreto de los datos clínicos que se obtienen con el análisis genético. La información genética, mal utilizada, puede afectar a la intimidad personal y familiar del paciente, generando incluso perjuicios y

17. El artículo 10.2 del Convenio de Biomedicina del Consejo de Europa establece que «toda persona tendrá derecho a que se respete su vida privada cuando se trate de informaciones relativas a su salud».

18. El artículo 18.1 de la Constitución española protege el derecho a la privacidad y a la intimidad. Los artículos 10.3 y 61 de la Ley General de Sanidad reconocen el derecho a la confidencialidad de toda la información relacionada con los datos médicos.

discriminación[19]. La divulgación de los datos clínicos u otros hechos de la intimidad del paciente podría crear una reacción de desconfianza de éste hacia su médico o, más allá, causarle un perjuicio en su entorno familiar, laboral, económico o social.

Por otra parte, el secreto sobre los datos genéticos y el respeto a la privacidad de los mismos ha sido ratificado en el Código de Ética y Deontología de la Organización Médica Colegial reformado en 2011. En el Artículo 58 se recuerda la necesidad de contar con el consentimiento informado por parte del paciente, y en los apartados 3 y 4, se señala que «*El médico debe preservar secretos los datos genéticos de los pacientes a los que atiende. Éstos son propiedad del paciente y el médico solo es su custodio. El médico nunca podrá colaborar para que los datos genéticos se utilicen como elemento discriminatorio*».

En una reciente revisión sobre *Genética y Sociedad*, plantea Juan Ramón LACADENA el hecho de que durante tiempo ha sido norma extendida y socialmente aceptada el que las empresas privadas y la Administración Pública realicen un reconocimiento médico a la persona que ha de ser contratada o nombrada para un puesto determinado. LACADENA se pregunta ¿por qué entonces nos rasgamos ahora las vestiduras cuando algunas empresas han pretendido en los Estados Unidos conocer el ADN de los candidatos a un puesto de trabajo? Si la idea era prevenir cualquier situación futura que afectase a la función laboral de la persona que había de ser incorporada a un puesto de trabajo, tan ético sería el reconocimiento médico como el análisis del genoma individual. La diferencia esencial es que el diagnóstico molecular del ADN puede desvelar el riesgo de contraer una enfermedad que el futuro trabajador no había padecido con anterioridad, pero que puede surgir en adelante[20]. Este es el auténtico poder del diagnóstico genético, que no obstante, no es omnímodo, ni en la precisión del momento de la aparición de la enfermedad ni en el pronóstico de su gravedad.

Por estas razones, existe un debate sobre el posible conflicto de intereses entre el derecho a la intimidad del paciente y el derecho a conocer los datos médicos. En la Reunión del Comité Internacional de Bioética de la UNESCO, celebrado en Rabat en 1999, se aprobó la recomendación de que no se debe obligar a nadie a someterse a unas pruebas genéticas

19. T. BEARDSLEY «Tendencias en Genética Humana: información vital». *Investigación y Ciencia.* Mayo 1996, 70-77.
20. J. R. LACADENA. *Genética y Sociedad.* Instituto de España. Real Academia Nacional de Farmacia. Madrid 2011.

si no lo desea, pero en caso de que se realice y se descubran datos estos deben darse a conocer en caso de que de su ocultación se derivaran perjuicios a terceros.

La *Declaración Universal sobre el Genoma Humano y los Derechos Humanos* de la UNESCO, emitido en noviembre de 1997, hace énfasis en la dignidad de cada persona y señala en su Art. 2 que «*Esta dignidad impone que no se reduzca a los individuos a sus características genéticas y que se respete el carácter único de cada uno y su diversidad*» y en el Art. 5 añade que «*en todos los casos, se recabará el consentimiento previo, libre e informado de la persona interesada (...). Se debe respetar el derecho de toda persona a decidir que se le informe o no de los resultados de un examen genético y de sus consecuencias*». Asimismo, en el Art. 7 de esta declaración se hace la siguiente recomendación: «*se deberá proteger en las condiciones estipuladas por la ley la confidencialidad de los datos genéticos asociados con una persona identificable, conservados o tratados con fines de investigación o cualquier otra finalidad*».

Tras la culminación del Proyecto Genoma Humano, en octubre de 2003, el Comité Internacional de Bioética de la UNESCO emitió una *Declaración Internacional sobre los datos genéticos humanos*. En su preámbulo se reconoce que estos datos son singulares por su condición de datos sensibles, toda vez que pueden indicar predisposiciones genéticas de los individuos y para la familia, comprendida la descendencia; que pueden contener información cuya relevancia no se conozca necesariamente en el momento de extraer las muestras biológicas; y que pueden ser importantes desde el punto de vista cultural para personas o grupos. Lo que todo esto significa es que aunque los datos genéticos son patrimonio de un paciente, su conocimiento puede ser importante para terceras personas.

Parece obvio que sí el conocimiento de una alteración genética heredable tiene importancia para otros miembros de la familia del paciente, éstos tienen derecho a ser informados, ya que todos los individuos emparentados con éste se ven afectados[21]. En este caso diríamos que los genes no son solo patrimonio de cada persona adquiriendo su auténtico significado lo que señala la *Declaración Universal sobre el Genoma Humano y los Derechos Humanos* de la UNESCO en su artículo primero: «*... en sentido simbólico, el genoma humano es el patrimonio de la humanidad*». A

---

21. J. FIBLA. «Estrategias en el diagnóstico molecular de las enfermedades hereditarias». En *Los retos de la genética del siglo XXI: genética y bioética* (CASADO M., GONZÁLEZ R., eds.) Barcelona: Edicions Universitat de Barcelona; 1999: 39.

este respecto, recuerda María Dolores VILA-CORO que «*el Código civil español, en sus artículos 142 y 143, expresa la necesidad recíproca de asistencia entre cónyuges, ascendientes y descendientes y entre hermanos, al referirse a "los auxilios necesarios para la vida"*», en el entendimiento de que entra en el contenido de este artículo «*la obligación de proporcionar los datos necesarios en todo cuanto se relaciona con la salud de los familiares mencionados. El derecho a la privacidad decae en estos casos frente al derecho a la vida y a la salud de parientes próximos, que puedan ser también portadores de la patología que se pretende ocultar*»[22]. Del mismo modo, Gonzalo HERRANZ, presidente de la Comisión Deontológica Colegial, afirma que la obligación primaria del médico es guardar el secreto, pero, ante una patología que pudiese afectar a terceros debe poner los medios de persuasión y si no logra la colaboración del paciente tiene la obligación de evitar lo que sería un abuso, un abuso mortal. No se trata de una delación, sino de velar por un interés mayor: la protección de la vida[23].

5. EL DERECHO A NO SABER

En el artículo cuarto de la *Declaración Internacional sobre los datos genéticos humanos* de la UNESCO se reconoce la singularidad de cada ser humano en lo que se refiere a su identidad genética, y se insiste en que se debería prestar la debida atención al carácter sensible de los datos genéticos humanos e instituir un nivel de protección adecuado de esos datos y de las muestras biológicas. Se recomienda igualmente que para recolectar datos genéticos humanos, debería obtenerse el consentimiento previo, libre, informado y expreso de la persona interesada, sin tratar de influir en su decisión mediante incentivos económicos u otros beneficios personales. Lo que sí es cuestionable es la legitimidad de los poderes públicos o particulares a almacenar información genética.

La singularidad, pero a su vez la importancia de los datos genéticos, ha llevado a los gobernantes de diferentes países a reconocer nuevos derechos con objeto de proteger la intimidad de las personas sin desatender la repercusión que para su entorno familiar y social puedan tener. El primer derecho a reconocer sería el «derecho a no saber». Este derecho tiene su fundamento en la autonomía de la persona para evitar un daño en su integridad psicológica. Es evidente que este derecho es con-

22. M. D. VILA-CORO. *La vida humana en la encrucijada. Pensar la Bioética* Ediciones Encuentro, Madrid. 312 pp. (2010).
23. G. HERRANZ. Citado en M. D. VILA-CORO. *La vida humana en la encrucijada. Pensar la Bioética* Ediciones Encuentro, Madrid. 312 pp. (2010), p. 97.

trario al derecho a saber, que también se le reconoce al paciente, y puede oponerse al deber de informar que afecta al profesional de la medicina. Ante esta situación se ha de contar con el consentimiento del paciente para, en el caso de desvelar una situación de importancia para terceros, tras dar conocimiento al propio sujeto del diagnóstico y comunicarlo también a las personas que pudieran verse indirectamente afectadas, por ser potenciales portadoras de la misma causa genética que el sujeto de la exploración.

El artículo décimo de la citada declaración señala que cuando se recolecten datos genéticos humanos con fines de investigación médica y científica, en la información suministrada en el momento del consentimiento debería indicarse que la persona en cuestión tiene derecho a decidir el ser o no informada de los resultados de la investigación. En su caso, los familiares identificados que pudieran verse afectados por los resultados deberían gozar también de los mismos derechos. Parece obvio que no se puede obligar a nadie a conocer datos sobre predisposiciones a enfermedades futuras que no tengan curación, porque se generaría una situación de impotencia que podría influir negativamente en el modo de vida de las personas afectadas.

En cualquier caso hay que insistir en que el derecho a no saber es un derecho relativo, pues podría ser restringido de darse una situación de riesgo para personas genéticamente relacionadas con el paciente, o en el caso de que exista un tratamiento que pudiera paliar o prevenir la evolución de la patología en cuestión.

Además de las razones indicadas como base del derecho a no saber pueden existir otras razones de índole personal. A propósito de esto, el Art. 14 de la declaración sobre los datos genéticos humanos, relacionado con la privacidad y confidencialidad, recomienda que no sean dados a conocer ni puestos a disposición de terceros, en particular de empleadores, compañías de seguros, establecimientos de enseñanza y familiares de la persona en cuestión, salvo por una razón importante de interés público en los restringidos casos previstos en el derecho interno compatible con el derecho internacional relativo a los derechos humanos o cuando se haya obtenido el consentimiento previo, libre, informado y expreso de esa persona, siempre que éste sea conforme al derecho interno y al derecho internacional relativo a los derechos humanos.

Señalábamos más arriba que el médico ha de respetar a su paciente y tratar de proporcionarle información sobre los datos obtenidos con las pruebas que se le practiquen, conforme al deseo expreso de aquél y de forma que no le cause un problema psicológico que pudiera interferir en el problema que se plantee. A este respecto Hans JONAS defiende el derecho a no saber de la siguiente forma: «*no se debe violar el derecho a la ignorancia que es una condición para la posibilidad de la actividad auténtica; o el respeto al derecho de cada vida humana a encontrar su propio camino y a sorprenderse de sí mismo*»[24]. El médico debe calibrar la información que ha de suministrar a su paciente de forma veraz, medida y equilibrada y ha de procurar no traspasar el umbral del deseo o no de saber del paciente. En opinión de María Dolores VILA-CORO, «*La información suficiente es la estrictamente precisa para obtener su consentimiento en caso de que la actividad médica lo requiera. No se trata, en ningún caso, de engañarle, de no decirle siempre la verdad, ya que la simple duda de que no se le habla con franqueza quebraría la confianza en el médico, que es un elemento esencial para que se encuentre en paz, tranquilo y esperanzado*».

Es importante especialmente cuidar el bienestar del enfermo en los casos de un proceso irreversible e inevitable de muerte. En la actualidad en los centros sanitarios de cierta entidad existen unidades especiales de «cuidados paliativos», en los que participan profesionales de diversas especialidades que tratan de ofrecer un soporte médico justo al enfermo y a su entorno familiar, eludiendo la eutanasia y el encarnizamiento terapéutico y proporcionándoles todo lo que sea humanamente posible en las dimensiones física, psíquica y espiritual. Los servicios de cuidados paliativos implican una atención especial al entorno familiar del enfermo, hasta el punto que se considera a este y a su familia conjuntamente, como la unidad a tratar. De algún modo la experiencia indica que la tranquilidad de la familia repercute directamente sobre el bienestar del enfermo. Es particularmente significativo sobre la importancia de los cuidados médicos, psicológicos y espirituales, lo que señala la Guía de la SECPAL acerca de los últimos días de un enfermo terminal[25]: «*No debemos olvidar que el enfermo, aunque obnubilado, somnoliento o desorientado también tiene percepciones, por lo que hemos de hablar con él y preguntarle sobre su confort o problemas (¿descansa bien?, ¿tiene alguna duda?, ¿qué cosas le preocupan?) y cuidar mucho la comunicación no verbal (tacto) dando instrucciones a la familia en este sentido. Se debe instruir a la familia para que eviten comentarios inapropiados en presencia del paciente. Hay que*

24. H. JONÁS, «Biological engineering – a preview». In *Philosophical Essays. From Ancient Creed to Technological Map*, 1974, p. 163.
25. R. ALTISENT TROTA y col.: Comité de Ética de la SECPAL. «Declaración sobre la eutanasia de la Sociedad Española de Cuidados Paliativos». *Medicina Paliativa* (2002) 9 (1): 37-40.

interesarse por las necesidades espirituales del enfermo y su familia por si podemos facilitarlas (contactar con el sacerdote, etc.)».

6. CONCLUSIONES

1. Con la secuenciación del ADN de nuestro genoma, acompañada de otros avances biotecnológicos y citogenéticos, se ha facilitado la capacidad de diagnosticar los tipos de alelos de los genes o la constitución cromosómica ya desde las primeras etapas del desarrollo. Este diagnóstico se puede hacer en cualquier momento, a partir de muestras celulares obtenidas en fase embrionaria temprana (diagnóstico genético preimplantatorio), fetal (diagnóstico genético prenatal) o en adulto. El diagnóstico es posible incluso desde mucho antes de que se manifieste la patología objeto del análisis.

2. El diagnóstico genético, sea preimplantatorio, prenatal o de adulto, ha facilitado la predicción de más de un centenar de enfermedades monogénicas. Sin embargo no es aplicable a los sistemas poligénicos, como los responsables de muchas enfermedades mentales o del comportamiento humano.

3. La tecnología del «diagnóstico genético» plantea serios problemas éticos ya que se instrumentalizan los embriones y fetos, que se convierten en objetos cuyo destino queda en manos de los padres o del personal médico. Por otra parte, el desvelar una patología inesperada, aun no manifiesta en un adulto, podría ejercer una influencia negativa en las expectativas de vida o en la psicología del individuo afectado.

4. El consejo genético tiene la finalidad de ayudar a los futuros padres a planificar su descendencia cuando hay antecedentes familiares de alguna enfermedad hereditaria. El consejo genético se ha facilitado tras la adquisición de la capacidad de hacer un diagnóstico genético basado en el análisis del ADN o los cromosomas. Se trata de un proceso de apoyo que nunca ha de ser directivo. Son los padres, supuestamente bien informados, los que han de hacer frente a la realidad de un hijo que les va a plantear un reto imprevisto.

5. El marco legal actual en España ha hecho que muchos ginecólogos se muevan en un contexto en el que parecen inseparables y equivalentes el buen uso (terapéutico) del diagnóstico prenatal y el mal uso (aborto eugenésico).

6. El diagnóstico de una enfermedad en un adulto genera un impacto emocional en el paciente que el profesional de la medicina ha de afrontar mediante una actitud positiva de respeto a los deseos del mismo con el fin de contribuir a hacer más llevadero el proceso de la enfermedad.

7. Se reconoce el «derecho a no saber». Este derecho tiene su fundamento en la autonomía de la persona para evitar un daño en su integridad psicológica.

8. Sin embargo, el derecho a no saber es un derecho relativo, pues podría ser restringido de darse una situación de riesgo para personas genéticamente relacionadas con el paciente, o en el caso de que exista un tratamiento que pudiera paliar o prevenir la evolución de la patología en cuestión.

La autonomía relacional y el multiculturalismo

FABRIZIO TUROLDO

INTRODUCCIÓN. LA AFIRMACIÓN DE LA AUTONOMÍA

El principio de autonomía, a través de varias sentencias judiciales, se ha convertido, aunque gradualmente, en parte integrante de la práctica clínica en medicina y, cosa aún más relevante, del ordenamiento teórico de la medicina de la segunda mitad del siglo diecinueve. Esta reorganización conceptual ha sido posible gracias a la apelación cada vez más frecuente al consentimiento informado, cuyo cumplimiento, a finales del siglo XIX, se hacía urgente por el empleo de la anestesia quirúrgica. La utilización de esta técnica, de hecho, inicialmente iba dirigida no solo a la disminución del dolor, sino también a vencer las resistencias que el paciente oponía a la intervención. Era característico de la concepción médica habitual atribuir a la incapacidad del paciente el rechazo de someterse a una operación; por consiguiente se le permitía al médico –por el propio bien del paciente– proceder contra su deseo. Para considerar la acogida que han tenido estos procedimientos a nivel de la sociedad, basta decir que hacia finales del siglo XIX, los tribunales americanos fueron asediados por reclamaciones de pacientes que se consideraban víctimas de la cirugía. En los primeros años del siglo XX, la cuestión de las vacunas obligatorias levanta ulteriores conflictos morales inherentes a la autonomía, y, también en estos años, algunos países proceden a la esterilización coactiva de retrasados mentales suscitando conflictos y debates sobre la autonomía. Pero lo que ratificó definitivamente como indispensable el derecho a la autonomía fue el flagelo nazi, que golpeó Europa, como es sabido, entre los años treinta y cuarenta del siglo XX.

En 1946 el proceso de Núremberg dirigió la atención de la comunidad internacional sobre los experimentos llevados a cabo con seres humanos en los campos de concentración nazi, y vio, además, la presencia de veinte médicos entre los imputados. Precisamente este proceso estableció la importancia del consentimiento informado para el principio de autonomía: durante las diligencias procesales, se establecieron algunos principios fundamentales, contenidos luego en el «Código de Núremberg», entre los cuales destaca el hecho que *el consentimiento voluntario del sujeto humano es absolutamente necesario.*

En los Estados Unidos, en la misma época, se dieron casos de experimentos nocivos llevados a cabo sin el consentimiento informado de los sujetos implicados; luego esto condujo al reconocimiento tanto del principio de autonomía como del consentimiento informado[1]. Como primer caso podemos recordar la inyección de células cancerígenas en pacientes ancianos –completamente desconocedores– llevada a cabo en el Jewish Chronic Disease Hospital de Nueva York en 1964, con el objetivo de estudiar el desarrollo de la enfermedad. Experimentos análogos, y con la misma finalidad, se llevaron a cabo entre 1959 y 1970 en la New York's Willowbrook State School, un orfanato, mediante la inyección del virus de la hepatitis. Y todavía más: en 1972 en Tuskegee, en Alabama, miembros de la comunidad afroamericana fueron, sin saberlo, seleccionados e infectados con el virus de la sífilis con el fin de estudiar su desarrollo en ausencia de tratamiento.

En los años cuarenta la centralidad de la autonomía se lleva a cabo a partir de las nuevas técnicas de ventilación cardiopulmonar, a las que les siguen en los años sesenta el uso del desfibrilador eléctrico combinado con el masaje cardíaco. En los hospitales se empezaron a organizar equipos de médicos, enfermeros y técnicos pertinentemente instruidos para gestionar estas nuevas opciones médicas. En 1974 la American Cardiologic Association estableció los criterios para la reanimación, desaconsejando su uso en presencia de enfermedades terminales. Sin embargo, la adopción de estos criterios fue objeto de debate, puesto que estos no mencionaban las condiciones del paciente frente a las que aplicar estas tecnologías; como consecuencia, muchos hospitales formularon nuevas líneas directrices. La disposición de «no reanimar» al paciente fue una de las primeras modalidades de implementación de la autono-

---

1. Cfr. T. H. ACKERMAN, *Choosing between Nuremberger and National Commission: balancing of moral principles in clinical research*, en H. Y. VANDERPOOL (ed.), *The Ethics of Research Involving Human Subjects: Facing the 21th Century*, Baltimore (Maryland) 1996.

mía, en particular para aquellos casos en los que el consentimiento a la disposición resultaba expreso.

Los años cincuenta ven la aparición en Dinamarca de los primeros respiradores automáticos, cuyo funcionamiento se producía al bombear aire en los pulmones mediante un tubo en la tráquea. Los respiradores prolongaban la vida de los pacientes con poliomielitis y esclerosis lateral amiotrófica: esta condición en la que se prolonga la vida en condiciones de progresivo empeoramiento nos evoca la figura mitológica de Titón[2]. La amante de Titón, la diosa Eos, pidió a Zeus que le diera al enamorado la vida eterna, pero luego se dio cuenta que hubiera tenido que pedir, junto a la primera, también la eterna juventud: Titón, efectivamente, envejeció y enfermó gradualmente, pero fue incapaz de morir. La perspectiva de una vejez similar ha llevado a la difusión de un movimiento que lucha por el derecho del paciente a interrumpir los tratamientos médicos[3].

1. LA AUTONOMÍA RELACIONAL

Reconocer la importancia de la autonomía evidentemente no es suficiente, de hecho a partir de aquí toman forma una serie de interrogantes: ante todo, hay que preguntarse ¿de qué tipo es esta autonomía? ¿nos pertenece intrínsecamente o se trata, en cambio, de una característica que hay que conseguir; y todavía más, ¿puede la autonomía ser absoluta o debe considerarse en relación con los otros?

Obviamente, no nacemos autónomos sino que lo llegamos a ser a través de la educación que, en primera instancia los padres, y, luego, la sociedad nos proporcionan. Según KANT, la mayor diferencia entre el niño y el adulto radica en el hecho que el primero es heterónomo, mientras que el segundo es autónomo. Dicho en otros términos, las reglas (*nomos*) que guían la conducta moral del niño se sitúan en otra (*eteron*) persona; mientras que el adulto es capaz de encontrar dichas reglas (*nomos*) en él mismo. Una confirmación del crecimiento, progresivo y gradual, de la autonomía procede además de la obra del psicólogo suizo Jean PIAGET. PIAGET, en *El juicio moral en el niño*[4], ha demostrado que el

---

2. En el «*Himno a Afrodita*», Afrodita narra a Anquises la historia de Eos y Titón, cfr. HOMERO, «*Himno a Afrodita*», versos 218-240.
3. «Síndrome de Eos» se ha definido como la capacidad, por parte de la técnica médica, de alterar el proceso de la muerte y prolongar una vida de baja calidad. Cfr. N. ZAMPERETTI et al., *Ethical, political and social aspects of high-technology medicine: Eos and Care*, «Intensive Care Medicine», 32/2006, pp. 830-835.
4. J. PIAGET, *The Moral Judgment of the Child* (1932), Routledge, Nueva York 1999.

niño perfecciona gradualmente la capacidad de ser autónomo, pasando de una tipología de comportamiento moral, basada esencialmente en la autoridad del adulto, a otra, más madura, basada en la responsabilidad respecto a los otros y en reglas morales de carácter objetivo. Las relaciones, que adquieren un papel central en este proceso de crecimiento, se establecen así primero en el plano horizontal, o sea las relaciones que los niños establecen entre ellos, luego en el vertical, que corresponde a la relación del niño con los padres. Los estudios de PIAGET, los prosiguió el psicólogo estadounidense Lawrence KOHLBERG, entre los años cincuenta y los ochenta[5].

El proceso que conduce a la autonomía, pues, no tiene término: no nacemos autónomos, como se ha dicho, pero tampoco conquistamos la autonomía de una vez por todas. Por eso KANT, después de haber descrito la diferencia entre el niño y el adulto, precisa que también los adultos sienten la necesidad de aumentar el propio grado de autonomía. Así toma forma, siempre según KANT, el propósito de ayudar a la humanidad en este intento sin fin de conquista de la autonomía[6].

Un proceso análogo al que describe KANT también es verificable en relación con la sanidad: en la fase inicial en la que un paciente interpela al médico, todavía no está en condición de tomar una decisión. Veámoslo en detalle: ambas personas, médico y paciente, necesitan ante todo un correcto conocimiento de la naturaleza del problema, del mismo modo que deben tener bien presente la pluralidad de opciones por lo que concierne al tratamiento médico a seguir, etc. En este camino de clarificación de la propia situación, camino que resulta posible gracias al diálogo con el médico, el paciente se va haciendo cada vez más autónomo. Pero hay que decir que este grado de autonomía, alcanzado solamente a través del médico, puede no ser suficiente: de hecho, el paciente puede sentir la necesidad de consultar con los familiares –discutiendo con ellos incluso las cuestiones prácticas del caso– respecto a someterse a un tratamiento sanitario de importancia. También se plantean otras preguntas: de hecho se trata de considerar si la familia es capaz de costear los gastos necesarios; quien tiene que cuidar a los niños; hay que valorar, además, si hay miembros en el núcleo familiar a los que les

---

5. Cfr. L. KOHLBERG, *Stage and Sequence: the Cognitive-Developmental Approach to Socialization*, en D. GOSLIN (ed.), *Handboock of Socialization. Theory and Research* (1969), Guilford Press, Chicago 2006, pp. 347-480; *Id., Essays on Moral Development.* (2 vol.), Harper and Row, San Francisco 2006 (ed. orig. 1969).
6. I. KANT, *Beantworrtung der Frage: Was ist Aufklärung?* Berlinishe Monatsschrift (Berlín Monthly), December 1979.

corresponda asumir una responsabilidad mayor. Estos interrogantes no son simplemente de carácter médico: implican la dimensión relacional más amplia y, a través de ellos, el paciente es consciente de los límites y de las barreras de la propia autonomía. Resumiendo: hemos visto cómo la autonomía va ganando concreción, después de haber sido inicialmente solo un concepto abstracto –concreción entendida aquí como la necesaria implementación que la propia autonomía requiere–.

2. LA AUTONOMÍA RELACIONAL EN LA FILOSOFÍA CONTEMPORÁNEA

Que la autonomía sea relacional, más bien que individualista, es lo que evidencia el usual debate filosófico –de manera particular en la vertiente de la filosofía político-moral[7]. El pensamiento feminista se ha explayado largo y tendido sobre la autonomía, expresando, en sus inicios, juicios que no podemos definir de muy apreciables: la autonomía se consideraba intrínsecamente machista[8], o bien individualista y racionalista[9]; pero esto no ha coincidido con un rechazo claro de este concepto: Jennifer NEDELSKY de hecho va en otra dirección, y, con el intento de revalorizarla, la autora describe la autonomía como autonomía relacional –reconociendo el alcance general de la sociabilidad para las personas y el hecho que sus identidades se plasman en el ámbito de las relaciones sociales y de determinantes como la etnia, la clase de pertenencia, la religión, y también la raza y el género[10]. Otras pensadoras feministas, como Nancy CHODOROW[11], Virginia HELD[12] y Evelyn FOX KELLER[13], con-

---

7. Cfr., por ej., M. SANDEL, *Liberalism and the Limits of Justice,* Cambridge University Press, Cambridge 1982; W. KYMLICKA, *Contemporary Political Philosophy,* Oxford University Press, Oxford 1990; S. BENHABIB, *Situating the Self: Gender, Community and Postmodernism in Contemporary Ethics,* Routledge, Nueva York 1992.
8. Respecto a una crítica de la autonomía en cuanto intrínsecamente sexista, cfr. J. CHRISTMAN, *Everyday Life,* Rowman & Littelefield, Lanham (Maryland) 1995; S. L. HOAGLAND, *Lesbian Ethics: Toward New Value,* Institute of Lesbian Studies, California 1998.
9. Cfr. L. CODE, *Second Person,* en *Id., What Can She Now? Feminist Theory and the Costruction of Knowlwdge,* Cornell University Press, Ítaca (Nueva York) 1991; A. BAIER, *Cartesians Person,* en *Postures of the Mind: Essays on Mind and Morals,* University of Minnesota Press, Minneapolis 1985; A. JAGGAR, *Feminist Politics and Human Nature,* Rowman & Allanheld, Totowa (Nueva York) 1983.
10. Cfr. J. NEDELSKY, *Re-conceiving Autonomy: Sources, Thoughts and Possibilities,* «Yale Journal of Law and Feminism», 1/1989, pp. 7-36; *Id., Law, Boundaries and the Bounded Self,* «Representations», 30/1990, pp. 162-189; *Id., Re-conceiving Rights as Relationship,* «Review of Constitutional Studies», 1/1993, pp. 1-26; *Id., Meditations on Embodied Autonomy,* «Graven Images», 2/1995, pp. 159-170.
11. Cfr. N. CHODOROW, *The Reproduction of Mothering,* University of California Press, Berkeley 1978.
12. V. HELD, *Feminist Morality,* University of Chicago Press, Chicago 1993.
13. E. F. KELLER, *Reflections on Gender and Science,* Yale University Press, New Haven (Connecticut) 1985.

sideran que este concepto sería mucho más prometedor si se repensara en una versión que evitase definirlo en una oposición constitutiva a la propia feminidad y a la interconexión –no hay que entender, en otros términos, la dependencia como un mero límite. Catriona MACKENZIE y Natalie STOLJAR, aunque valoran el esfuerzo de las pensadoras feministas de repensar la autonomía, critican su resultado por el hecho de la focalización especialmente en la relación íntima de la díada de madre e hijo. Para estas autoras, los límites de la perspectiva marcada por el feminismo radican en simplificar los complejos efectos de la opresión únicamente a la dimensión social y al egoísmo[14]. La crítica feminista a la visión tradicional de la autonomía va en la misma dirección de la necesidad de reconocer el papel que la autonomía ejercita para proteger al agente de una socialización con matices opresivos: así nace la exigencia de una aproximación relacional a la autonomía[15].

3. EL CONTEXTO MULTICULTURAL: DIFERENTES MODOS DE PENSAR LA AUTONOMÍA Y LAS RELACIONES

A diferencia de América del Norte y de Europa, hay países en los que el principio de autonomía no juega un papel tan central: de hecho otros contextos culturales reclaman que la autonomía se entienda como relacional, y no individualista. Así la autonomía relacional se establece más con referencia a la relación que a la autonomía. En el Extremo Oriente, en África, y también en algunos grupos minoritarios en las sociedades occidentales, se consideran mucho más importantes otros valores: BLACKHALL y CARRESE en un trabajo conjunto, sostienen –pero se trata de una tesis más bien difusa– que el hecho de insistir en la autonomía del paciente y en su individualidad, hecho además típicamente occidental, resulta ser, en una óptica global, la excepción más que la regla[16].

---

14. Cfr. C. MACKENZIE, N. STOLJAR, *Autonomy Refigured*, en C. MACKENZIE, N. STOLJAR (ed.), *Relational Autonomy. Feminist Perspectives on Autonomy, Agency and the Social Self*, Oxford University Press, Oxford 1999, pp. 3-31.

15. Para una exposición de las diferentes concepciones de la autonomía relacional, cfr. M. FRIEDMAN, *Autonomy and Social Relationship: Rethinking the Feminist Critique*, en D. TIETJENS MEYERS (ed.), *Feminist Rethinking of the Self*, Westview, Boulder (Colorado) 1997, pp. 55-58.

16. L. BLACKHALL *et. al.*, *Ethnicity and Attitudes Towards Patient Autonomy*, «Journal of the American Medical Association», 274/1995, pp. 820-825; J. CARRESE, L. RHODES, *Western Bioethics on the Navajo Reservation: Benefits or Harm*, «Journal of the American Medical Association», 274/1995, pp. 826-829.

3.1. EL CASO DEL JAPÓN

La cultura japonesa resulta paradigmática precisamente respecto al concepto de autonomía relacional que estamos considerando, y esta permite además la comparación, a causa de un cierto parecido, con culturas de África, asiáticas o del Mediterráneo. La cultura japonesa, aunque sea portadora de un orden de valores diferente respecto a las propias de Norteamérica o de Europa, comparte con estas los dilemas éticos –y lo que permite establecer tal simetría es un desarrollo análogo de la técnica médica–. Por eso, focalizar la atención en el caso del Japón significa, al mismo tiempo, prever lo que les ocurrirá a las culturas afines que, al no conocer un desarrollo tecnológico análogo, están actualmente exentas de la confrontación con las implicaciones éticas que ello suscita.

Susan y Bruce LONG describen en *Curable Cancer and Fatal Ulcers*[17], un artículo inherente al tratamiento del cáncer en Japón, cómo el diagnóstico generalmente se comunica solamente a los familiares, y que se hace cuando el paciente se encuentra ya en la fase terminal de la enfermedad. En Japón, en efecto, la modalidad paradigmática de comunicar un diagnóstico de cáncer se encuentra en la siguiente afirmación: «Si es curable es cáncer, si está en el estadio terminal es otra cosa.» Que la autonomía del paciente no se considere aquí el valor supremo también se confirma con una investigación de campo llevada a cabo por dos autores japoneses que realizaron 654 entrevistas, distribuidas entre médicos y estudiantes de medicina del Yamaguchi Prefecture, en las que preguntaban cómo actuarían en el caso de que un tratamiento médico que pudiera salvarle la vida fuera rechazado por el paciente. El resultado fue que el 40% pasaría por alto la voluntad del paciente y aplicaría el tratamiento apoyándose en el consenso de la familia[18].

El objeto de otra investigación[19] es la comparación entre la modalidad de tomar decisiones éticas y de responder a las cuestiones inherentes a la autonomía en Japón y en los Estados Unidos, y la muestra aquí está compuesta por médicos y pacientes tanto de hospitales públicos como privados. El estudio muestra que la mayoría de los médicos y pacientes estadounidenses, en frente a la minoría de los colegas japone-

---

17. S. O. LONG, B. D. LONG, *Curable Cancers and Fatal Ulcers, Attitudes Toward Cancer in Japan*, «Social Science and Medicine», 24/1982, pp. 2101-2118.
18. H. FATTORI*et al.*, *The Patients Rights to Information in Japan. Legal Issues and Doctor's Opinions*, «Social Sciences and Medicine», 32/1991, pp. 1007-1016.
19. G. W. RUHNKE *et al.*, Ethical Decision Making and Patient Autonomy. A Comparison of Physicians and Patients in Japan and the United States, «Chest», 118/2000, pp. 1172-1182; en red: DOI 10.1378/chest.118.4.1172.

ses coincide en el hecho que el diagnóstico de cáncer incurable se comunique al paciente antes que a los familiares. Mientras que la mayoría de los entrevistados japoneses, y la minoría de los estadounidenses, considera que se debe comunicar a la familia el diagnóstico de virus VIH positivo, a pesar de la voluntad de carácter contrario del interesado. El resultado del trabajo es evidenciar la mayor importancia atribuida, por los médicos y pacientes japoneses, a la autoridad tanto de la familia como del médico; mientras que la situación se invierte en los Estados Unidos, donde se tiene en gran consideración la autonomía del paciente.

En otro artículo, también obra de autores japoneses, se perfila el significado de «tratamiento respetuoso»: la cultura japonesa tiene un término preciso para ello, *motenashi*. Respetar a una persona significa evitarle molestias, por así decirlo, evitar interpelarla respecto a las decisiones a tomar: de hecho la asunción de decisiones siempre está relacionada con riesgos y responsabilidades. Todo debe realizarse según los deseos de la persona, pero sin que estos se expresen directamente, como por ejemplo a través de órdenes. En la era *Meiji*, el emperador controlaba todo Japón a través de los ministros, los cuales estaban obligados a realizar la voluntad del emperador pero sin interpelarlo explícitamente; si el resultado de sus obras era positivo, el mérito correspondía al emperador, en caso contrario la culpa recaía en los ministros. Otra ejemplificación del significado de *motenashi* la podemos encontrar en la acogida de los huéspedes: en Japón es típico complacer en sus deseos al huésped sin que ellos sean objeto de una comunicación directa. En efecto, interpelar a los huéspedes se considera descortés, y, esta concepción del respeto se representa en el campo médico[20]. Para comprender las razones de esta manera de entender el enfermo, hay que decir que, en la cultura japonesa, una persona se define estructuralmente en relación a los otros, más bien que ser individual e independiente como ha hecho notar el antropólogo Emiko OHNUKI-TIERNEY[21].

Michael D. FETTERS, director del Japanese Health Program de la universidad de Michigan, médico experto en el tratamiento de pacientes japoneses expatriados en los Estados Unidos, define la concepción de la autonomía propia de la cultura japonesa como «autonomía de la familia», una noción indiscutiblemente similar a la de «autonomía relacio-

---

20. Y. NAKATA, T. GOTO, S. MORITA, *Serving the Emperor without Asking: Critical Care Ethics in Japan*, «The Journal of Medicine and Philosophy», 23/1998, p. 610.
21. E. OHNUKI-TIERNEY, *My Very Own Illness: Illness in a Dualistic World View*, en E. OHNUKI-TIERNEY (ed.), *Illness and Culture in Contemporary Japan – An Anthropological View*, Cambridge University Press, Madison (Wisconsin), 1984, pp. 51-74.

nal». Así FETTERS dice: «Otorgar importancia a la familia para nosotros es diferente respecto al Japón; el respeto de la autonomía del paciente, como lo podemos encontrar en la bioética occidental, será el único modelo adoptable en los próximos años.»[22] Una opinión análoga nos la proporciona Ruiping FAN: «Las personas en Asia no practican la autodeterminación en la modalidad explícita con la que se practica en Occidente, el acto de tomar decisiones es más bien guiado por la familia. [...] En la visión oriental, la enfermedad de un miembro de la familia viene a ser una cuestión que concierne a todo el núcleo. Se requieren obligaciones fiduciarias: la familia debe hacerse cargo del enfermo. Esto va en la dirección de evitar las molestias al enfermo, incluso el tener que escuchar informaciones médicas o autorizar tratamientos. Efectivamente, un representante de la familia debe hablar con el médico y tiene, además, la función de hacer que todo proceda de la mejor manera para el interés del paciente»[23].

3.2. EL CASO DE LA CHINA

La cultura china es parecida a la japonesa, efectivamente, en ambos países está profundamente arraigado el bagaje religioso del confucionismo. La visión confuciana ve al hombre incapaz de imaginar la propia existencia como posible y digna fuera de la sociedad, de sus instituciones y reglas. Un estudioso chino, reflexionando sobre la relación existente entre los valores del confucionismo y las tecnologías médicas, afirma que «para el confucionismo mantener la integridad de la familia y su jerarquía interna puede ser más importante que la propia integridad corpórea.»[24] Dicha perspectiva se repite en las palabras de otro autor chino, el cual subraya que «en la ética tradicional china, la persona no puede prescindir de las relaciones»[25]. Y añade: «esto implica que las relaciones éticas son las que hacen de una persona lo que esta es»[26]. En el pensamiento chino, la esencia de una persona está en la manera cómo ella puede relacionarse con las otras personas[27].

---

22. M. D. FETTERS, *The Family in Medical Decision Making: Japanese Perspectives*, «The Journal of Clinical Ethics», 9/1998, p. 143.
23. R. FAN, *Critical Care Ethics in Asia: Global or Local?*, «Journal of Medicine and Philosophy», 6/1998, pp. 556-557. Cfr. también *Id., Self-determination vs Family Determination: Two Incommensurable Principles of Autonomy*, «Bioethics», 11/1997, pp. 309-322.
24. R. Z. QUI, *The tension between biomedical technology and Confucian values*, en J. TAO LAI PO-WAH (ed.), *Cross-cultural perspectives on the (im) possibility of global bioethics*, Kluwer Academic Publishers, Dordrecht 2002, p. 77.
25. H. XINHE, On relational paradigm in bioethics, en J. TAO LAI PO-WAH, *op. cit.*, nota 27, p. 97.
26. *Ibidem.*
27. *Ibidem.*

A pesar de la influencia que ha ejercido Occidente durante largo tiempo, en Hong Kong los valores de la tradición china están profundamente arraigados en la población, como muestra un artículo sobre la ética del cuidado:

Los derechos individuales, la autonomía y la autodeterminación, elementos importantes de la cultura occidental, no encuentran la misma consideración en la tradición china. Esta tiende a dejar de lado la responsabilidad individual a favor de los familiares, y también con preeminencia del respeto a los padres y a las generaciones precedentes. Contra el credo occidental a la autodeterminación, la familia tradicional china prefiere mantener las «malas noticias» –como enfermedades incurables o en estado terminal– lejos del paciente [...] Los doctores, en nuestra comunidad, necesitan consultar con los familiares del paciente y discutir con ellos si es adecuado decirle la verdad[28].

4. LOS LÍMITES DEL MULTICULTURALISMO Y LA NECESIDAD DE AUTONOMÍA

¿Qué conclusiones podemos señalar del análisis de los estudios, que acabamos de exponer, respecto a la diversidad que existe entre las culturas japonesas y china, por un lado, y la nuestra? ¿Podemos realmente decir que el principio de autonomía individual se puede aceptar solamente dentro de ámbitos culturales circunscritos y contiguos? Al intentar redactar una valoración no podemos olvidar que, si bien los individuos pueden estar apoyados por sus respectivas identidades culturales, igualmente pueden ser obligados a aceptar las elecciones del grupo de pertenencia, incluso contra la propia voluntad o las propias creencias. A partir de aquí tiene su origen la crítica de MOLLER-OKIN al multiculturalismo, al cual se le reprocha el hecho de defender los derechos de las culturas, y de ignorar la vulnerabilidad de los individuos más frágiles, como por ejemplo las mujeres[29]. Esto es particularmente cierto en las sociedades patriarcales, en las que el concepto antes mencionado de «autonomía de la familia» puede implicar que sea el marido el que tome las decisiones en lugar de la mujer y no viceversa. De esto se deriva, siguiendo a MOLLER-OKIN, que valorar las diferencias cultura-

---

28. F. CHENG et. al., Critical Care Ethics in Hong Kong: Cross-Cultural Conflicts as East Meets West, «The Journal of Medicine and Philosophy», 23/1998, p. 623.
29. S. MOLLER-OKIN, Is Multiculturalism Bad for Women?, en J. COHEN, M. HOWARD, M. C. NUSSBAUMM (ed.), Is Multiculturalism Bad for Women?, Princeton University Press, Princeton 1999.

les no significa necesariamente tener que ignorar las realidades contenidas en el sí de las propias culturas[30].

Según la autora, para evitar que el multiculturalismo sea intolerante no se trata solamente de reconocer los derechos de las diversas culturas; al mismo tiempo es preciso reconocer los derechos de los individuos. Atribuir derechos solamente a las culturas, significa legitimar aquellas culturas que oprimen a sus propios miembros; dicha opresión es posible porque ellas no contemplan el derecho, por parte del individuo, de tomar distancia respecto a la cultura de pertenencia y el correlativo derecho a renunciar a ella, si se hace esta elección. Michael FETTERS refiere la historia de «una joven paciente japonesa que elige quedarse en los Estados Unidos, ya que es crítica hacia la modalidad japonesa de curar el cáncer»:[31] Este es, por supuesto, un claro ejemplo de la voluntad de distanciarse del modelo cultural de referencia. Respecto a este caso, dice FETTERS:

> «el médico debe rechazar la imagen por la cual un paciente necesaria
> mente aceptará un modelo de autonomía de la familia, o paternalista,
> simplemente porque su cultura de referencia es notoria por el hecho de
> no admitir el respeto por la autonomía del paciente»[32].

De ello se infiere que las culturas no tienen derechos; efectivamente, solo los individuos tienen derechos, entre ellos se incluye el de renunciar a la autonomía individual en provecho, por decirlo así, de otros valores importantes, como la fe en Dios, la confianza en el médico que nos trata, las relaciones familiares, la autoridad de la ciencia médica, etc. Esta perspectiva es conocida en el debate habitual como «multiculturalismo liberal»[33], y, en nuestra opinión, esta es la única concepción del multiculturalismo que no oprime los derechos del individuo, y es, por consiguiente, la mejor interpretación de la noción de «autonomía relacional».

5. CONCLUSIONES

¿Cuál es la contribución que una reflexión sobre el multicultura-

---

30. S. MOLLER-OKIN, «Political Liberalism», Justice and Gender, «Ethics», 105/1994, pp. 23-
43.
31. M. D. FETTERS, op. cit., nota 25, p. 142.
32. Ibidem.
33. Will KYMLICKA y Jürgen HABERMAS están entre los que apoyan el multiculturalismo
liberal (cfr. W. KYMLICKA, Liberalism, Community and Culture, Oxford University Press,
Oxford 1989; J. HABERMAS, Struggles for Recognition in the Democratic Constitutional
State, en A. GUTMANN (ed.), Multiculturalism: Examining the Politics of Recognition,
Princeton University Press, Princeton 1994). La propuesta habermasiana de un «universalismo sensible a las diferencias» es, a nuestro entender, sumamente interesante.

lismo liberal puede ofrecer a la serie de cuestiones inherentes a la autonomía relacional? Puede decirse que el ejercicio de la autonomía debería ofrecerse universalmente, pero que dicho ejercicio no debe nunca ser universalmente obligatorio: es preciso reconocer el derecho a dejar en manos de otras personas la propia vida, y de renunciar a la autonomía para abrazar otros valores importantes, como la independencia, la solidaridad y la fe. Con todo, el auténtico significado de autonomía relacional radica en una autonomía que no está concluida en ella misma, y en la cual las relaciones no se perciben como limitaciones, sino como instrumentos de autorrealización. Dicho en otro términos: la autonomía puede surgir a través de las relaciones, pero solamente si las relaciones son elegidas autónomamente.

La disposición del final de la vida en el Tribunal Europeo de Derechos Humanos

CAMINO SANCIÑENA ASURMENDI

1. PLANTEAMIENTO. DOS CASOS EN EL TRIBUNAL EUROPEO DE DERECHOS HUMANOS

El Tribunal Europeo de Derechos Humanos ha tenido diversas ocasiones de pronunciarse con motivo de recursos que tenían por objeto el suicidio asistido, y que invocaban, entre otros, la violación de los artículos 2 y 8 del Convenio para la Protección de los Derechos Humanos y de las Libertades Fundamentales, sobre el derecho a la vida y el derecho al respeto de la vida privada y familiar (anexo).

El Tribunal Europeo ha consolidado una doctrina sobre el derecho a la vida, la obligación de los Estados y la asistencia al suicidio, especialmente a través de dos casos en los que el suicidio asistido era el objeto principal. Los dos supuestos de hecho se diferencian en la capacidad física del demandante para provocarse la muerte; pues en el Caso *Haas* contra Suiza, el demandante podía físicamente suicidarse sin asistencia, mientras que el Caso *Pretty* contra Reino Unido, la demandante dada su discapacidad necesitaba asistencia para consumar el suicidio.

Caso Haas *contra Suiza, Sentencia del Tribunal Europeo de Derechos Humanos de 20 de enero de 2011.* En el supuesto de hecho, un ciudadano suizo, enfermo mental que padece un trastorno afectivo bipolar desde hace veinte años, con dos intentos de suicidio fallidos, pretende suicidarse de forma «segura, digna y sin dolor ni sufrimientos», y busca comprar un kit de pentobarbitral sódico, que se dispensa en la farmacia con receta médica. Por ello, se había dirigido, sin éxito, a varios psiquiatras para obtener la requerida receta.

En julio de 2004, se hizo miembro de Dignitas, una asociación que ofrece asistencia al suicidio. A través de esta asociación se dirigió, con la finalidad de obtener el pentobarbitral sódico sin la requerida receta médica, a diversas autoridades públicas, como la Oficina Federal de Justicia, la Oficina Federal de Salud Pública, la Dirección de la Salud del cantón de Zurich y el Departamento Federal de Interior. Todas ellas le denegaron la autorización.

Entonces, interpuso recurso ante el Tribunal Federal Suizo contra las decisiones del Departamento Federal de Interior y del Tribunal administrativo del cantón de Zúrich. Invocaba el artículo 8 del Convenio y sostenía que «esta disposición garantizaba el derecho a decidir sobre su propia muerte», de manera que tanto la obligación de presentar una receta médica con el fin de obtener la sustancia necesaria para cometer un suicidio, como la imposibilidad de conseguir tal receta debido –en su opinión– a la amenaza de las autoridades de retirar la autorización legal para ejercer la medicina a los médicos que prescribieran esta sustancia a enfermos mentales, constituían una injerencia en su derecho al respeto de la vida privada. «Aunque –reconocía– ciertamente tal injerencia tenía una base jurídica y perseguía un fin legítimo, no era proporcionada en su caso».

El Tribunal Federal Suizo dictó Sentencia de 3 de noviembre de 2006 desestimatoria, confirmando el requerimiento de la receta médica. Tras lo cual, el demandante envió por medio de notario una carta a 170 médicos psiquiatras, en la que adjuntaba la sentencia y les solicitaba que le realizasen una valoración a los efectos de recetarle el pentobarbitral sódico. Ningún médico le respondió afirmativamente.

Seguidamente, el demandante interpuso la presente demanda ante el Tribunal Europeo de Derechos Humanos, alegando violación del artículo 8.1 del Convenio, en el sentido de que «las condiciones necesarias para obtener pentobarbital sódico, a saber, una receta médica fundamentada en una valoración psiquiátrica en profundidad», no respetan su derecho a decidir cuándo y cómo morir. Considera que en una situación *excepcional* como la suya, el acceso a los medicamentos necesarios para el suicidio debería estar garantizado por el Estado.

Caso Pretty *contra Reino Unido, Sentencia del Tribunal Europeo de Derechos Humanos de 29 de abril de 2002.* La demandante, ciudadana británica, padece una enfermedad degenerativa incurable (ELA), se encuentra casi paralizada desde el cuello hasta los pies, no puede hablar de manera comprensible y se alimenta a través de una sonda. Su esperanza de vida está limitada a meses o incluso semanas.

Había solicitado al «Director of Public Prosecutions» (DPP) que se comprometiera a no instruir diligencias en contra de su marido si este, accediendo a los deseos de su esposa, la ayudaba a suicidarse. El DPP negó esta solicitud, pues por muy excepcionales que sean las circunstancias, no concede una inmunidad que absuelva, autorice o permita la comisión futura de un delito. La demandante acudió en casación ante la Cámara de los Lores, que rechazó el recurso (*R. [on the application of Pretty] v DPP, House of Lords,* de 29 de noviembre de 2001).

Entonces, la demandante recurre ante el Tribunal Europeo de Derechos Humanos, alegando vulneración de los artículos 2, 3, 8, 9 y 14 del Convenio.

Adelanto que el Tribunal Europeo de Derechos Humanos ha desestimado las demandas de esos dos casos, al considerar que no ha habido violación de ninguno de los artículos del Convenio invocados.

Años después, y en un supuesto similar al caso *Pretty,* la Cámara de los Lores londinense en *R. (on the application of Purdy) v DPP,* de 30 de julio de 2009, ha admitido la apelación y establecido que el DPP revise su negativa de no incriminar al marido por el [futuro] suicidio asistido de su mujer. En el caso, Debbie Purdy, de 46 años, enferma de esclerosis múltiple, miembro de la Asociación Dignitas, había solicitado el compromiso del DPP de no incriminar a su marido, si le acompañaba a una clínica de Suiza especializada en eutanasia. Según *The Guardian,* edición del 31 de julio de 2009, los Lores entrevistados manifestaron que el supuesto debía contemplarse como un caso excepcional y que no existe una voluntad de cambiar la ley.

2. EL DERECHO A LA VIDA

El Tribunal Europeo de Derechos Humanos entiende que el artículo 2 del Convenio protege *el derecho a la vida, sin el cual el goce de los demás derechos y libertades garantizados por el Convenio sería ilusorio* (Caso *Pretty* contra Reino Unido).

El Tribunal asevera que el derecho a la vida crea obligaciones de carácter positivo también para los propios individuos, que no se puede interpretar que exista un derecho a morir, ni se puede crear un derecho a la autodeterminación en el sentido de que conceda a todo individuo el derecho a escoger la muerte antes que la vida:

> «El Tribunal (...) no considera que se pueda interpretar que el "derecho a la vida" garantizado por el artículo 2 conlleva un aspecto nega-

tivo. Por ejemplo, si en el contexto del artículo 11 del Convenio se juzga que la libertad de asociación implica no solamente un derecho a adherirse a una asociación, sino también el correspondiente derecho a no ser obligado a afiliarse a una asociación, el Tribunal observa que una cierta libertad de elección en el ejercicio de una libertad es inherente a la noción de ésta. El artículo 2 del Convenio no está redactado de la misma forma. No tiene ninguna relación con las cuestiones relativas a la calidad de vida o a lo que una persona ha escogido hacer con ella. En la medida en que estos aspectos son reconocidos tan fundamentales para la condición humana que requieren una protección contra las injerencias del Estado, pueden reflejarse en los derechos consagrados por el Convenio u otros instrumentos internacionales en materia de derechos humanos. No se puede interpretar, sin distorsión del lenguaje, que el artículo 2 confiere un derecho diametralmente opuesto, a saber el derecho a morir; tampoco se puede crear un derecho a la autodeterminación en el sentido de que conceda a todo individuo el derecho a escoger la muerte antes que la vida» (Caso *Pretty* contra Reino Unido).

En efecto, el Tribunal ha negado, de modo contundente, que exista un «derecho a morir» o un «derecho a ser ayudado a morir», ni tampoco la obligación por parte del Estado de regular y facilitar la muerte o el suicidio de las personas.

«El individuo que quiere morir no dispone de un derecho a que se le conceda un suicidio asistido, bien sea poniendo a su disposición los medios necesarios o a través de una asistencia activa cuando no esté en condiciones que quitarse él mismo la vida» (Caso *Haas* contra Suiza).

El Tribunal diferencia entre la decisión sobre la propia muerte (suicidio), y el «derecho» a la asistencia al suicidio por parte del Estado o de un tercero. Considera que no existe un *«derecho»* a ser asistido en el suicidio; tampoco existe una obligación positiva del Estado de adoptar las medidas necesarias que permitan un suicidio. Por el contrario, el Estado tiene el deber de proteger a las personas vulnerables, incluso contra los actos que constituyan una amenaza para su propia vida, lo que obliga a las autoridades internas a impedir que una persona se quite la vida.

«El Estado tiene la obligación fundamental de proteger la vida. En efecto, esta protección no se impone generalmente contra la voluntad expresa de una persona con capacidad de discernimiento (...), sin embargo, de ello no se infiere una obligación positiva del Estado de procurar que la persona que quiere morir tenga acceso a un producto peligroso elegido para el suicidio o a instrumentos destinados a este fin» (Caso *Haas* contra Suiza).

El Tribunal afirma que el artículo 2 protege el derecho a la vida, y que carece de relación con las cuestiones relativas a la calidad de vida o a lo que una persona ha escogido hacer con ella. Niega que el derecho a la vida garantice el derecho a escoger continuar o no viviendo; que consagre el *derecho* a la vida y no la vida misma, y que la prohibición de infligir la muerte tienda a proteger a los individuos contra los demás, especialmente el Estado y las autoridades públicas, pero no contra ellos mismos.

«El Tribunal considera por tanto que no es posible deducir del artículo 2 del Convenio un derecho a morir, ni de la mano de un tercero ni con la ayuda de una autoridad pública. Se siente apoyado en su opinión por la reciente Recomendación 1418 (1999) de la Asamblea parlamentaria del Consejo de Europa (anexo).

"La disposición legal enjuiciada en este caso, a saber el artículo 2 de la Ley de 1961, fue concebida para preservar la vida protegiendo a las personas débiles y vulnerables –especialmente aquellas que no pueden tomar decisiones con conocimiento de causa– contra los actos tendentes a poner fin a la vida o a ayudar a poner fin a ésta. Sin duda el estado de las personas que padecen una enfermedad en fase terminal varía de un caso a otro. Pero muchas de ellas son vulnerables y es la vulnerabilidad de la categoría a la que pertenecen la que proporciona la *ratio legis* de la disposición en cuestión. Corresponde en primer lugar a los Estados el apreciar el riesgo de abusos y las probables consecuencias de los abusos eventualmente cometidos que implicaría la flexibilidad de la prohibición general del suicidio asistido o la creación de excepciones al principio. Existe un riesgo manifiesto de abusos, pese a los argumentos desarrollados en cuanto a la posibilidad de prever garantías y procedimientos protectores"».

El Tribunal también considera que la naturaleza general de la prohibición del suicidio asistido no es desproporcionada.

Al Tribunal no le parece arbitrario que el derecho refleje la importancia del derecho a la vida prohibiendo el suicidio asistido al prever un régimen de aplicación y de apreciación por parte de la justicia que permite tener en cuenta en cada caso concreto tanto el interés público en instruir diligencias como las exigencias justas y adecuadas de la retribución y la disuasión» (Caso *Pretty* contra Reino Unido).

3. LA OBLIGACIÓN DE LOS ESTADOS DE PROTECCIÓN DE LA VIDA: LA REGULACIÓN DEL SUICIDIO ASISTIDO

El Tribunal Europeo de Derechos Humanos ha determinado que, según el artículo 2 del Convenio, el Estado además de abstenerse de infligir la muerte de forma voluntaria e ilegal, ha de tomar también las medidas necesarias para proteger la vida de las personas que dependen de su jurisdicción contra el acto de un tercero o contra sí mismas:

«El Tribunal consideró por otro lado que la primera frase del artículo 2.1 obliga al Estado no solamente a abstenerse de matar de forma intencionada e ilegal, sino también a tomar las medidas necesarias para proteger la vida de las personas que dependen de su Jurisdicción. Esta obligación va más allá del deber primordial de asegurar el derecho a la vida estableciendo una legislación penal concreta, disuadiendo de cometer ataques contra la persona y basándose en un mecanismo de aplicación concebido para prevenir, reprimir y sancionar las violaciones. Puede asimismo implicar, en algunas circunstancias bien definidas, la obligación positiva para las autoridades de tomar preventivamente medidas de orden práctico para proteger al individuo cuya vida está amenazada por las actuaciones criminales ajenas» (Caso *Pretty* contra Reino Unido).

Entre las medidas positivas para la protección del derecho a la vida, no se cuenta la regulación del suicidio asistido. En efecto, el Tribunal Europeo de Derechos Humanos ha afirmado que no es obligación de los Estados incluir en sus ordenamientos jurídicos la despenalización del suicidio asistido.

Así, en la Decisión de 26 de octubre de 2000 que inadmitió la demanda entablada por Manuela Sanles Sanles contra España, el Tribunal asevera:

«No se podría considerar a las autoridades españolas responsables por el hecho de no haber respetado una presunta obligación de aprobar una ley que no penalizara la eutanasia».

En el supuesto, la demandante había interpuesto acción por violación de los artículos 2, 3, 5, 8, 9 y 14 del Convenio, en nombre de su cuñado Ramón Sampedro, quien había sido *asistido, de facto,* en orden a la consumación de un suicidio el 12 de enero de 1998. El Tribunal considera que los derechos protegidos por estos artículos se engloban en la categoría de derechos no transmisibles, por lo que la demandante no puede actuar en nombre de otro, ni tampoco reúne en ella el carácter víctima.

En el procedimiento previo a la demanda ante el Tribunal Europeo de Derechos Humanos, Ramón Sampedro había solicitado judicialmente un tratamiento médico que le produjera la muerte. La Audiencia Provincial de La Coruña mediante Auto de 19 de noviembre de 1996 había desestimado la solicitud, declarando que «el derecho a la vida tiene un contenido de protección positivo que impide configurarlo como un derecho de libertad que incluya el derecho a la propia muerte».

El demandante recurrió en amparo, pero durante la tramitación, consumó el suicidio, por lo que el Tribunal Constitucional, mediante Auto, acordó declarar extinguido por fallecimiento del demandante el proceso constitucional y archivar las actuaciones, al denegar la sucesión procesal de la ahora demandante ante el Tribunal Europeo de Derechos Humanos. En efecto, la cuñada en calidad de sucesora *mortis causa* testamentaria había pretendido continuar con el procedimiento constitucional. El Auto afirma que la solicitud presentada por el fallecido era una pretensión de carácter personalísimo, pues se trata de «la decisión más íntima y personal que una persona puede hacer en toda su vida, por lo que en su ejercicio no cabe la continuidad o sucesión procesal instada con el título de heredero mortis causa».

El Tribunal Europeo de Derechos Humanos es muy consciente de las diferentes regulaciones de los Estados sobre la materia. Asimismo, señala los posibles abusos de los que son susceptibles las legislaciones más favorables, y recomienda tomar medidas para evitar esos abusos:

> «Cuando un país adopta un enfoque liberal, se requiere la adopción de medidas apropiadas para la aplicación de tal legislación liberal y medidas para prevenir los abusos. Estas medidas son indicadas igualmente con el fin de evitar que estas organizaciones intervengan de forma ilegal y clandestina, con un riesgo de abuso considerable.

> En particular, el Tribunal considera que no se deben subestimar los riesgos de abuso inherentes a un sistema que facilita el acceso al suicidio asistido. Al igual que el Gobierno, estima que la restricción del acceso al pentobarbital sódico sirve a la protección de la salud, la seguridad pública y la prevención del delito. A este respecto, comparte el punto de vista del Tribunal Federal, según el cual el derecho a la vida garantizado por el artículo 2 del Convenio obliga a los Estados a establecer un procedimiento que garantice que la decisión de morir corresponde a la libre voluntad del interesado. El Tribunal estima que la exigencia de receta médica, sobre la base de un informe psiquiátrico completo, es un medio que permite satisfacer este requisito» (Caso *Haas* contra Suiza).

Así, en un breve apunte de algunas regulaciones internas, se puede señalar que los países de Benelux han despenalizado el suicidio asistido en algunas circunstancias, siempre que concurran determinados requisitos y estableciendo un procedimiento legal, si bien con importantes diferencias entre ellos. En general, se establece el suicidio asistido sobre la base de la capacidad del paciente de consentir, se exige que su consentimiento sea voluntario, reflexivo y repetido, y que el paciente padezca una enfermedad en fase terminal y con un sufrimiento constante e insoportable, sin perspectivas de mejora.

Luxemburgo ha regulado el suicidio asistido junto a la eutanasia en la Ley de 16 de marzo de 2009. Con la misma fecha se promulgó una Ley relativa a los cuidados paliativos, a la voluntad anticipada y al acompañamiento en el final de la vida. En el artículo 1 de la Ley sobre la eutanasia y la asistencia al suicidio define la eutanasia como el acto practicado por un médico que pone intencionadamente fin a la vida de una persona, con la petición expresa y voluntaria de ésta. Y la «asistencia al suicidio» como la ayuda intencionada de un médico a una persona a suicidarse o el hecho de que el médico procure a una persona los medios para el suicidio, con la petición expresa y voluntaria de ésta. Despenaliza la eutanasia y el suicidio asistido y establece que no pueden dar lugar a indemnización de daños y perjuicios. Como requisitos necesarios exige que el paciente, mayor de edad, deber ser capaz de consentir; las características de este consentimiento: voluntario, reflexivo, repetido y por escrito; y que el paciente se encuentre en una situación médica sin salida y con un sufrimiento físico o psíquico constante e insoportable sin perspectivas de mejora. Asimismo, la ley contempla el procedimiento a seguir por el médico antes de proceder a la eutanasia o al suicidio asistido, sobre el deber de información al paciente, la obligación de asegurarse del sufrimiento físico o psíquico constante e insoportable, la consulta a otro médico especialista e imparcial. En el plazo de ocho días, el médico que ha practicado la eutanasia o la asistencia al suicidio debe remitir a la Comisión Nacional de Control y Evaluación, un documento de declaración oficial con los datos del médico, los datos personales y médicos del paciente, las circunstancias y el procedimiento seguido. Esta ley se completa con las disposiciones sobre voluntades anticipadas (Capítulo III) aplicables únicamente a la eutanasia, y con la objeción de conciencia para ambos casos de médicos y de cualquier persona (artículo 15).

Holanda ha introducido la despenalización del suicidio asistido y de la eutanasia en algunas circunstancias, mediante la Ley de 1 de abril de 2001 sobre la terminación de la vida a petición propia y del suicidio asistido (entrada en vigor el 1 de abril de 2002). Los requisitos y procedimiento para practicar la eutanasia y la asistencia al suicidio son similares a los establecidos en la ley luxemburguesa a cuya regulación sirvió de base. Se requiere el consentimiento serio, inequívoco y reiterado del paciente. La solicitud del paciente para la eutanasia o el suicidio asistido debe ser voluntaria y persistente en el tiempo, no puede ser concedida bajo la influencia de otras personas, ni de una enfermedad psicológica ni de las drogas. Se prevé que por medio de una instrucción anticipada, los pacientes puedan solicitar, exclusivamente, la eutanasia.

La eutanasia y el suicidio asistido deben ser realizados de acuerdo con «la práctica clínica cuidadosa», es decir, observándose las directrices oficiales. La ley obliga a los médicos a remitir un informe al Comité de Revisión, en el que consten el cumplimiento de los criterios referidos a la solicitud del paciente, a su sufrimiento, que debe ser insoportable y sin esperanza, la información proporcionada al paciente, la presencia de alternativas razonables, la consulta de otro médico independiente que necesita confirmar las condiciones mencionadas anteriormente, y el método aplicado de terminar con la vida. En el supuesto del suicidio asistido, la muerte debe ser producida de manera médicamente apropiada por el propio paciente, en presencia del médico.

La ley permite solicitar el suicidio asistido o la eutanasia a los pacientes que se encuentren en esas circunstancias a partir de los 16 años. Asimismo, se prevé la posibilidad de que los pacientes entre 12 y 16 años de edad soliciten la eutanasia siempre que cuenten con el consentimiento de uno de sus padres. Sin embargo, en casos «excepcionales» –los relacionados con enfermedades graves e incurables y sufrimiento intolerable e incesante–, el médico puede acceder a la petición de un niño, incluso sin solicitud de los padres.

Ahora bien, el 30 de agosto de 2004, se ha introducido en Holanda el denominado Protocolo de Groningen, que prevé la posibilidad de la eutanasia sobre niños menores de 12 años, incluso recién nacidos. En estos casos, no es posible el suicidio asistido, pues el paciente no puede consentir, por lo que la eutanasia opera sin el consentimiento del paciente, con el consentimiento de los padres. Esto contradice además el fundamento principal de esta ley: el consentimiento de los pacientes y la autodeterminación.

Bélgica ha despenalizado la eutanasia mediante la Ley de 28 de mayo de 2002, que no se refiere al suicidio asistido, que se entiende incluido. El suicidio asistido exige los mismos requisitos y condiciones que los previstos para practicar una eutanasia. La ley entiende por eutanasia, el acto practicado por un tercero, que pone fin intencionadamente a la vida de una persona a petición de ésta (artículo 2). Aunque este artículo admite que la eutanasia puede ser cometida por un tercero *-un tiers–*, los requisitos y procedimiento se establecen para el médico. La capacidad requerida en el paciente es la mayoría de edad o la emancipación. Debe ser capaz de consentir, y su consentimiento voluntario, reflexivo, reiterado y por escrito. Debe padecer una enfermedad sin salida y un sufrimiento físico o psíquico constante e insoportable. El médico debe consultar a un especialista imparcial, y remitir a la Comisión Federal de Control y Evaluación informe con los datos del paciente y del médico, los requisitos y el procedimiento seguido.

Es de hacer notar que esta ley contempla expresamente que la persona muerta como consecuencia de una eutanasia, se considera fallecida de muerte natural a los efectos de los contratos en los que era parte, sobre todo a los efectos de los contratos de seguro (artículo 15).

Posteriormente, la Ley belga de 10 de noviembre de 2005 ha introducido un nuevo artículo 3 bis, en el sentido de que el farmacéutico puede dispensar a un médico que actúe como parte integrante del proceso de eutanasia de acuerdo con esta ley un medicamento que posibilite el suicidio.

Otros países, sin admitirlo expresamente, contienen una legislación favorable, reduciendo notablemente las penas por la comisión de estos delitos.

Así, *Suiza* diferencia en el Código Penal la cuantía de la pena en atención al móvil (egoísta o por compasión) que lleva a cometer una asistencia al suicidio.

Así, el artículo 114: Homicidio a petición de la víctima: El que, impulsado por un móvil honorable, especialmente la piedad, causare la muerte a otro, por la petición seria e inequívoca de éste, será castigado con una pena de prisión de hasta tres años o una multa.

El artículo 115: Inducción y asistencia al suicidio: El que, impulsado por un móvil egoísta, induzca al suicidio de otro, o coopere con actos necesarios al suicidio de éste, será castigado, si el suicidio ha sido intentado o consumado, con una pena de prisión de hasta cinco años o una multa.

Por último, otro grupo de países, el más numeroso, considera el auxilio al suicidio un delito penalizado por la ley.

En *Inglaterra y Gales,* el suicidio dejó de ser delito con la entrada en vigor de la Ley de 1961 sobre el suicidio. Pero el auxilio al suicidio se sigue considerando un crimen. El artículo 2.1 de dicha Ley: Toda persona que facilite, aliente, recomiende u organice el suicidio o una tentativa de suicidio de un tercero será sometida, tras su acusación, a una pena máxima de reclusión de catorce años. El artículo 2.4 finaliza: No se emprenderán diligencias por un delito al presente artículo, salvo por el «Director of Public Prosecutions» o con su aprobación.

En *Italia,* el artículo 579 del Código penal regula el homicidio con consentimiento de la víctima: Quien causa la muerte de un hombre con su consentimiento, será penalizado con la reclusión de seis a quince años. No se aplican las agravantes del artículo 61 (sobre las circunstancias agravantes comunes).

Se aplican las disposiciones relativas al homicidio cuando el hecho es cometido: 1º contra una persona menor de 18 años; 2º contra un enfermo mental o contra quien se encuentra en las condiciones de una deficiencia psíquica por otra enfermedad, por abuso de sustancias alcohólicas o de estupefacientes; 3º contra una persona cuyo consentimiento ha sido obtenido mediante violencia o engaño.

Artículo 580. Instigación o ayuda al suicidio: Quien determina a otro al suicidio, refuerza en otro el propósito de suicidio o le ayuda de cualquier modo al suicidio, será penalizado, si el suicidio se produce, con la pena de reclusión de cinco a doce años. Si el suicidio no se produce, será penalizado con la reclusión de uno a cinco años, siempre que de la tentativa de suicidio se derive una lesión personal grave o gravísima.

Las penas serán aumentadas si la persona instigada o ayudada se encuentra en una de las condiciones indicadas en los números 1 y 2 del artículo precedente. En el caso de que la persona sea un menor de 14 años o esté privada de la capacidad de querer y entender, se aplica las disposiciones relativas al homicidio.

Francia establece en el Código de la Salud pública que «el médico debe acompañar al moribundo hasta sus últimos momentos, asegurar los cuidados y medidas apropiadas a la calidad de una vida que llega a su fin, salvaguardar la dignidad del enfermo y reconfortar su entorno. No tiene el derecho de provocar deliberadamente la muerte» (artículo R4127-38).

Y en el Código penal: El hecho de provocar el suicidio de otro está penalizado con tres años de prisión y 45.000 € de multa, cuando la provocación haya sido seguida del suicidio o de la tentativa de suicidio. Las penas son de cinco años de prisión y 75.000 € de multa cuando la víctima es un menor de 15 años (artículo 223-13).

En *España*, el artículo 143 del Código Penal (Ley Orgánica 10/1995, de 23 de noviembre de 1995) establece: «1. El que induzca al suicidio de otro será castigado con la pena de prisión de cuatro a ocho años. 2. Se impondrá la pena de prisión de dos a cinco años al que coopere con actos necesarios al suicidio de una persona. 3. Será castigado con la pena de prisión de seis a diez años si la cooperación llegara hasta el punto de ejecutar la muerte. 4. El que causare o cooperare activamente con actos necesarios y directos a la muerte de otro, por la petición expresa, seria e inequívoca de éste, en el caso de que la víctima sufriera una enfermedad grave que conduciría necesariamente a su muerte, o que produjera graves padecimientos permanentes y difíciles de soportar, será castigado con la pena inferior en uno o dos grados a las señaladas en los números 2 y 3 de este artículo».

Las denominadas *Leyes de derechos y garantías de la dignidad de la persona en el proceso de la muerte,* de Andalucía 2/2010, de 8 de abril, y de Navarra 8/2011, de 24 de marzo, y la Ley Aragonesa 10/2011, de 24 de marzo, *de derechos y garantías de la dignidad de la persona en el proceso de morir y de la muerte,* prohíben la eutanasia expresamente en las Exposiciones de Motivos.

4. LA PROTECCIÓN POSITIVA DE LA VIDA DE LAS PERSONAS CONTRA SÍ MISMAS

El Tribunal Europeo de Derechos Humanos ha derivado del artículo 2 del Convenio que la obligación de los Estados de proteger la vida, no solo se extiende frente a las actuaciones criminales ajenas, sino que el Estado tiene también la obligación de proteger la vida de las personas contra ellas mismas, constituyendo una obligación de carácter positivo.

Así, en el supuesto de suicidios *voluntarios* cometidos por personas que se encuentran bajo la guarda y custodia del Estado, el Tribunal ha responsabilizado a los Estados por no haber puesto las medidas de protección necesarias para evitar el suicidio de esas personas, con la condena a indemnizar a los familiares.

En el ámbito penitenciario, el Tribunal Europeo de Derechos Humanos ha tenido numerosas ocasiones de pronunciarse sobre el suicidio de presos y la obligación positiva del Estado de poner o haber puesto todos los medios y medidas que deberían haber evitado esos suicidios, en aras de la protección de las personas contra ellas mismas.

La Sentencia de 21 de octubre de 2008, Caso *Kılavuz* contra Turquía, declara que desde el momento en que las autoridades tienen conocimiento del riesgo de suicidio de una persona, han de hacer todo lo que razonablemente se puede esperar de ellas por evitarlo, pues del artículo 2 de la Convención se desprende la obligación del Estado, no solo de abstenerse de provocar la muerte de las personas sometidas a su jurisdicción, de manera voluntaria e irregular, sino de tomar preventivamente todas las medidas necesarias para protegerlas contra hecho de otro, o, como en el caso presente, contra sí mismas.

La Sentencia de 1 de junio de 2010, Caso *Jasinska* contra Polonia, condena al Estado a responder del suicidio de una persona sometida a su guarda y custodia en una institución penitenciaria por el suicidio perpetrado, pues siendo enfermo mental, no le habían dispensado las medidas de protección necesarias. El Tribunal llega a la conclusión de que el Estado debe responder pues las autoridades tenían conocimiento de la enfermedad mental y del riesgo, y faltaron, en este caso, a su obligación positiva de proteger el derecho a la vida, por lo que ha habido violación del artículo 2 de Convenio. En el mismo sentido, se manifiesta la Sentencia de 16 de octubre de 2008, Caso *Renolde* contra Francia.

La Sentencia de 3 de abril de 2001, Caso *Keenan* contra Reino Unido, considera por unanimidad de los jueces que no hubo violación del artículo 2 de la Convención; mientras que estima que hubo violación del artículo 3 del Convenio. Entiende que no había habido violación del artículo 2, dado que en varias ocasiones las autoridades penitenciarias habían colocado al recluso con vigilancia permanente cada 15 minutos, habida cuenta del riesgo de suicidio; y que el día que cometió el suicidio nada parecería aventurar ese fin. Considera que en los casos de enfermos mentales, las exigencias del artículo 3 deben tener en cuenta la vulnerabilidad e incapacidad de estos enfermos, por lo que la sanción disciplinaria impuesta al recluso, del que se conocían sus tendencias suicidas no era compatible con el nivel de tratamiento adecuado a estos enfermos, constituyendo un tratamiento inhumano y degradante prohibido por el artículo 3 de la Convención.

Asimismo, el Tribunal Europeo de Derechos Humanos se ha manifestado en supuestos de suicidio de personas del servicio militar del Estado. La Sentencia de 11 de enero de 2011, Caso *Servet Gündüz* y otros contra Turquía, considera que en el suicidio de un soldado, tras haber sido humillado por un superior, hubo negligencia por parte de las autoridades militares, pues no se llevó a cabo un examen de su aptitud para el servicio militar, ni se vigiló su salud tras la incorporación al destino definitivo de alto riesgo, en el que el soldado se había mostrado más inestable e indisciplinado. Asimismo, quedó demostrado la especial vulnerabilidad psíquica debido a su adición a las drogas, y las negligencias imputables a las autoridades militares que determinaron los hechos que condujeron al fallecimiento. El Tribunal afirma el deber del Estado de establecer un marco legislativo y administrativo para una prevención eficaz de esos resultados.

5. LA «ASISTENCIA» AL SUICIDIO DE ENFERMOS TERMINALES Y DE ENFERMOS MENTALES

El Tribunal Europeo de Derechos Humanos parece distinguir en el tratamiento del suicidio asistido según que el enfermo solicitante, sea un enfermo en fase terminal o un enfermo mental.

El Tribunal acepta que en los casos de salud mental, por una enfermedad mental grave, incurable y duradera, al igual que en la enfermedad somática, el paciente puede experimentar tal sufrimiento, que con el tiempo ya no considere su vida digna de ser vivida.

«Asimismo, según el Gobierno, aunque la reglamentación relativa a la asistencia al suicidio coloca a las autoridades estatales ante cuestiones éticas difíciles, es aún más delicada en el caso de las personas que no padecen una enfermedad mortal. La elección de la persona sería entonces no preferir una muerte dulce a una muerte precedida o acompañada de fuertes dolores, sino de preferir la muerte a la vida.

A este respecto, el Gobierno expone que en psiquiatría la opción del suicidio se percibe como un síntoma de enfermedad mental, a la que cabe responder con una terapia adecuada. En su opinión, se ha de distinguir entonces entre la voluntad de suicidarse como expresión de la enfermedad, y la decisión autónoma, reflexionada y reiterada. Vista la complejidad de las enfermedades mentales y su evolución irregular, la distinción no podría hacerse sin un examen serio, durante un período que permitiera verificar la constancia de la voluntad de suicidarse, y sin la realización de una valoración completa. Tal examen requeriría profundos conocimientos en psiquiatría, y solamente podría realizarlo un especialista.

A juicio del Gobierno, la obligación de presentar un certificado médico implica ciertos trámites por parte del interesado que, sin embargo, no parecen insuperables si la opción del suicidio es autónoma y duradera. Se trataría de un medio apropiado y necesario para proteger la vida de las personas vulnerables, cuya elección del suicidio podría obedecer a una crisis pasajera que limitaría su capacidad de discernimiento. Según el Gobierno, es público y notorio que muchos suicidios no responden a una verdadera voluntad de morir, sino que más bien constituyen un grito de socorro destinado a llamar la atención del entorno sobre un problema. Facilitar el acceso al suicidio asistido casi equivaldría a empujar a tales personas a utilizar un medio infalible de quitarse la vida» (Caso *Haas* contra Suiza).

Sin embargo, considera que en los casos de enfermedad mental debe ejercerse un mayor control, pues se ha de distinguir entre el deseo de morir como expresión de un trastorno psíquico que puede y debe tratarse, y la voluntad de morir basada en la decisión meditada y reiterada de una persona con capacidad de discernimiento, que llegado el caso se ha de respetar. Entiende que se deben ponderar los intereses concurrentes, de un lado, la protección de la vida, que exige –cuando menos– verificar, caso por caso, si la decisión de un individuo de poner fin a su vida corresponde efectivamente a su voluntad libre y meditada cuando opta por un suicidio asistido, y de otro lado, el derecho a la autodeterminación del individuo. En este punto el Tribunal afirma:

> «El Estado es libre –desde el punto de vista del Derecho constitucional o del Convenio– de establecer ciertos requisitos y, en este contexto, mantener en particular la obligación de receta médica para el pentobarbital sódico.
>
> La exigencia de receta médica para el pentobarbital sódico tiene una base jurídica, persigue la protección de la seguridad y la salud públicas, el mantenimiento del orden en el interés general, y es igualmente proporcionada y necesaria en una sociedad democrática.
>
> El derecho a la autodeterminación, garantizado por el artículo 8.1, no comprende el derecho de una persona a que se le conceda auxilio al suicidio, tanto poniendo a su disposición los medios necesarios como a través de una ayuda activa mas que cuando la persona no está en condiciones de actuar por sí misma» (Caso *Haas* contra Suiza).

Ahora bien, la negativa a la asistencia al suicidio en el supuesto de enfermedades mentales, no puede implicar la aceptación del suicidio asistido en el caso de enfermedades terminales. De manera que el último inciso reproducido, no se puede interpretar en el sentido de que el Tribunal admita la asistencia al suicidio de las personas incapaces de provocarse a sí mismas el suicidio.

En efecto, el Tribunal Europeo de Derechos Humanos no se basa para desestimar la demanda en el Caso *Haas* contra Suiza, en el hecho de que la enfermedad del paciente no conduce necesariamente a la muerte, ni en la capacidad de discernimiento del paciente o en que su deseo no sea meditado. El fundamento de su fallo se basa en la no existencia de un derecho a ser asistido en el suicidio.

El Tribunal Europeo de Derechos Humanos, en el Caso *Pretty* contra Reino Unido, ha mantenido también la prohibición de la asistencia al suicidio, cuando la demandante padecía una enfermedad somática en estado terminal y físicamente no era capaz de perpetrar el suicidio sin asistencia.

> «Existen poderosos argumentos y algunos elementos concretos que hacen pensar que la legislación de la eutanasia voluntaria llevaría consigo inevitablemente la práctica de la eutanasia involuntaria. Por otro lado, el Estado tiene interés en proteger la vida de las personas vulnerables. A este respecto, toda persona deseosa de suicidarse debería ser necesariamente considerada psicológica y emocionalmente vulnerable, incluso aunque gozara físicamente de buena salud. En cuanto a las personas discapacitadas, éstas pueden encontrarse en una situación más precaria debido a la inca-

pacidad de comunicar de forma efectiva su opinión. Existe por otro lado, en el seno de los Estados miembros del Consejo de Europa, un consenso general a este respecto, el suicidio asistido y el homicidio consentido son ilegales en todos los países salvo en los Países Bajos. Dicho consenso también se encuentra en otros órdenes jurídicos fuera de Europa» (Caso *Pretty* contra Reino Unido).

La demandante alegaba también que la prohibición del suicidio asistido constituye trato inhumano y degradante cuyo responsable es el Estado en la medida en que no le protege de esta forma de los sufrimientos que tendrá que soportar si su enfermedad alcanza la fase final. Asimismo, alega la discriminación que sufre, pues no siendo capaz de suicidarse por razones de naturaleza física, es tratada de la misma manera que si pudiera hacerlo. El Tribunal desestima ambos motivos:

«El Tribunal no puede sino sentir simpatía por el temor de la demandante a tener que afrontar una muerte terrible si no se le da la posibilidad de quitarse la vida. Es consciente de que la interesada es incapaz de suicidarse debido a su discapacidad física y que el estado del derecho es tal que su marido corre el riesgo de ser procesado si le presta su ayuda. Sin embargo, el cumplimiento de la obligación positiva invocada en este caso no lleva consigo la supresión o la atenuación del daño producido (efecto que puede tener una medida consistente, por ejemplo, en impedir a los órganos públicos o a los particulares infligir malos tratos o mejorar una situación o unos cuidados). Exigir del Estado que admita la demanda, es obligar a avalar actos tendentes a interrumpir la vida. Dicha obligación no puede deducirse del artículo 3 del Convenio.

La demandante se considera víctima de una discriminación en la medida en que es tratada de la misma manera que las personas cuya situación es claramente diferente. Aunque la prohibición general del suicidio asistido se aplique igualmente al conjunto de los individuos, el resultado de su aplicación en ella misma, que está tan impedida que no puede siquiera matarse sin ayuda, es discriminatorio. La interesada se ve impedida de ejercer un derecho del que gozan las demás personas, capaces de suicidarse sin ayuda debido a que ningún handicap les priva de dicha posibilidad. Ella es tratada por tanto de manera sustancialmente diferente y menos favorable que estas últimas. La única explicación que ofrece el Gobierno para justificar dicha prohibición general reside en la necesidad de proteger a las personas vulnerables. Ahora bien, la demandante no es vulnerable ni necesita ser protegida y no existe por tanto ninguna justificación razonable y objetiva para esta diferencia de trato.

Existe en opinión del Tribunal, una justificación objetiva y razonable para la no distinción jurídica entre las personas físicamente capaces de suicidarse y las que no lo son. En el terreno del artículo 8 del Convenio, el Tribunal concluyó con la existencia de buenas razones para no introducir excepciones en la Ley que permitieran tener en cuenta la situación de las personas consideradas no vulnerables. Desde el punto de vista del artículo 14 existen también razones convincentes para no distinguir a las personas que pueden suicidarse de las que no. La frontera entre las dos categorías es a menudo estrecha, y tratar de inscribir en la Ley una excepción para las personas que se considera no son capaces de suicidarse, debilitaría seriamente la protección de la vida que la Ley de 1961 ha pretendido consagrar y aumentaría de forma significativa el riesgo de abusos» (Caso *Pretty* contra Reino Unido).

Por tanto, el Tribunal Europeo de Derechos Humanos no diferencia entre el tipo de enfermedad que padezca quien solicite el suicidio asistido. Considera que no existe un derecho a la muerte, que alcanza a todas las personas cualquiera que sea el tipo de padecimiento que sufran.

* * *

En suma y sucintamente, de la doctrina del Tribunal Europeo de Derechos Humanos sobre el suicidio asistido se puede señalar lo siguiente:

El derecho a la vida es el derecho principal, sin el cual el goce de los demás derechos y libertades garantizados por el Convenio sería ilusorio. El derecho a la vida crea obligaciones de carácter positivo para los propios individuos. No existe un derecho a morir, ni se puede crear un derecho a la autodeterminación en el sentido de que conceda a un individuo el derecho a escoger la muerte antes que la vida. El derecho a la vida tiene contenido de protección positiva, que impide que se configure como un derecho de libertad que incluya el derecho a la propia muerte.

El derecho a la vida del artículo 2 del Convenio no tiene relación con las cuestiones relativas a la calidad de vida o a lo que una persona ha escogido hacer con ella.

No existe un «*derecho*» a ser asistido en el suicidio, ni el derecho a escoger continuar o no viviendo, ni existe una obligación positiva del Estado de adoptar las medidas necesarias que permitan un suicidio. Por el contrario, el Estado tiene el deber de proteger a las personas, incluso contra sí mismas, impidiendo los actos que constituyan una amenaza para su propia vida, lo que obliga a las autoridades internas a evitar que una persona se quite la vida.

El Tribunal Europeo de Derechos Humanos ha afirmado que no es obligación de los Estados incluir en sus ordenamientos jurídicos la despenalización del suicidio asistido, por el contrario hace ver los abusos que provocan las legislaciones internas favorable.

ANEXO

Convenio para la Protección de los Derechos Humanos y de las Libertades Fundamentales, hecho en Roma el 4 de noviembre de 1950 (Instrumento de ratificación, BOE número 243, de 10 de octubre de 1979).

(...)

Artículo 2

1. El derecho de toda persona a la vida está protegido por la ley. Nadie podrá ser privado de su vida intencionadamente, salvo en ejecución de una condena que imponga pena capital dictada por un tribunal al reo de un delito para el que la ley establece esa pena.

2. La muerte no se considerara infligida con infracción del presente artículo cuando se produzca como consecuencia de un recurso a la fuerza que sea absolutamente necesario:

   a) en defensa de una persona contra una agresión ilegítima.

   b) para detener a una persona conforme a derecho o para impedir la evasión de un preso o detenido legalmente.

   c) para reprimir, de acuerdo con la ley, una revuelta o insurrección.

Artículo 3

Nadie podrá ser sometido a tortura ni a penas o tratos inhumanos o degradantes.

(...)

Artículo 8

1. Toda persona tiene derecho al respeto de su vida privada y familiar, de su domicilio y de su correspondencia.

2. No podrá haber injerencia de la autoridad pública en el ejercicio de este derecho, sino en tanto en cuanto esta injerencia este prevista por la ley y constituya una medida que, en una sociedad democrática, sea necesaria para la seguridad nacional, la seguridad pública, el bienestar económico del país, la defensa del orden y la prevención del delito, la protección de la salud o de la moral, o la protección de los derechos y las libertades de los demás.

(...)

Artículo 14

El goce de los derechos y libertades reconocidos en el presente convenio ha de ser asegurado sin distinción alguna, especialmente por razones de sexo, raza, color, lengua, religión, opiniones políticas u otras, origen nacional o social, pertenencia a una minoría nacional, fortuna, nacimiento o cualquier otra situación.

Recomendación 1418 (1999) de la Asamblea parlamentaria del Consejo de Europa:

(...)

Apartado 9: «La Asamblea recomienda que el Comité de Ministros inste a los Estados miembros del Consejo de Europa a respetar y proteger la dignidad de los enfermos terminales o moribundos en todos los aspectos: [...]

c) Manteniendo la prohibición absoluta de poner fin a la vida intencionadamente de los enfermos terminales o las personas moribundas:

i)   Visto que el derecho a la vida, especialmente en relación con los enfermos terminales o las personas moribundas, está garantizado por los Estados miembros, de acuerdo con el artículo 2 de la Convención Europea de Derechos Humanos, según la cual "nadie será privado de su vida intencionadamente...".

ii) Visto que el deseo de morir expresado por el enfermo terminal o moribundo no puede constituir la base jurídica de su muerte a manos de un tercero.

iii) Visto que el deseo de morir de un enfermo terminal o una persona moribunda no puede, por sí mismo, constituir una justificación legal para acciones dirigidas a poner fin a su vida».

(...)